Wissenschaftliche Monographien zum Alten und Neuen Testament

Begründet von
Günther Bornkamm und Gerhard von Rad

In Verbindung mit
Erich Gräßer und Hans-Jürgen Hermisson
herausgegeben von
Ferdinand Hahn und Odil Hannes Steck

46. Band
Christoph Burger
Schöpfung und Versöhnung

Neukirchener Verlag

Christoph Burger

Schöpfung und Versöhnung

Studien zum liturgischen Gut
im Kolosser- und Epheserbrief

1975

Neukirchener Verlag

CIP-Kurztitelaufnahme der Deutschen Bibliothek

Burger, Christoph
Schöpfung und Versöhnung: Studien zum liturg.
Gut im Kolosser- u. Epheserbrief
(Wissenschaftliche Monographien zum Alten und
Neuen Testament; Bd. 46)
ISBN 3-7887-0448-9

Als Habilitationsschrift auf Empfehlung des Fachbereichs Evangelische Theologie an
der Eberhard-Karls-Universität Tübingen gedruckt mit Unterstützung der Deutschen
Forschungsgemeinschaft

Umschlaggestaltung: Kurt Wolff, Düsseldorf
Gesamtherstellung: Breklumer Druckerei Manfred Siegel
Printed in Germany — ISBN 3-7887-0448-9

Vorwort

Die vorliegende Arbeit wurde im Sommersemester 1972 vom Fachbereich Evangelische Theologie der Universität Tübingen als Habilitationsschrift angenommen.

Daß sie entstehen konnte, ist vor allem der Großzügigkeit von Herrn Professor Dr. Friedrich Lang zu danken. In selbstloser Weise ließ er seinem Assistenten reichlich Zeit für die eigene Arbeit und war dazuhin stets bereit, auftauchende Fragen und Probleme eingehend zu diskutieren.

Zu danken habe ich ferner Herrn Professor Dr. Ferdinand Hahn, der sich als Herausgeber der »Wissenschaftlichen Monographien« meiner Untersuchung angenommen hat. Ebenso wie der 1974 unerwartet verstorbene Lektor des Neukirchener Verlags, Dr. Hanns-Martin Lutz, hat er mir für die Drucklegung des schwierigen Textes noch manchen guten Rat erteilt. Ermöglicht wurde der Druck durch einen Zuschuß der Deutschen Forschungsgemeinschaft.

Tübingen, im Mai 1975   Christoph Burger

Inhalt

Teil I

Der Hymnus in Kolosser 1,15–20

1. Rekonstruktion*

Hans Jakob Gabathuler hat 1965 über 130 Jahre der theologischen Forschung zu Kol 1,15–20 einen vorzüglichen Bericht vorgelegt[1]. Seine Lektüre ist anregend und ernüchternd zugleich. Gabathuler vermag einerseits zu zeigen, wie einzelne Beobachtungen und Erkenntnisse mit der Zeit zum unverlierbaren Erbe der Forschung wurden. Einmal dargelegt, werden sie immer wieder aufgegriffen und geben den Ausgangspunkt ab für noch konsequentere Analysen und tiefer eindringende Interpretationen. Der Fortschritt in den langwierigen Verhandlungen ist nicht zu verkennen. Auf der anderen Seite ist es verwirrend zu sehen, wieviele Deutungen des Abschnittes – selbst bei gemeinsamen Voraussetzungen – bis heute miteinander konkurrieren. Das Maß der erreichten Übereinstimmung ist noch immer recht gering. Sicher, es zeichnet sich ein gewisser Consensus ab in der Bestimmung des religionsgeschichtlichen Hintergrundes. »Der Hauptstrang der religionsgeschichtlichen Bemühungen um Col 1,15ff. ist gekennzeichnet durch Inbezugsetzung des Textes mit der jüdischen Weisheitsspekulation, wie sie im AT, in den jüdischen Apokryphen und vor allem bei Philo sichtbar wird«[2]. Vor allem *Martin Dibelius*[3], *Harald Hegermann*[4] und *Eduard Schweizer*[5] haben hier beachtliches Material beigebracht, und ihre Arbeiten bestätigen und ergänzen sich aufs beste. Weithin durchgesetzt hat sich auch die Erkenntnis, daß der Verfasser des Kolosserbriefes diesen Abschnitt nicht aus freien Stücken und ad hoc formuliert hat, sondern bei der Liturgie der Gemeinde Anleihen macht. »Daß der Verfasser des Kolosserbriefes in diesen Versen in besonders starkem Maße Tradition verwendet,

---

* Zur leichteren Orientierung ist nach S. 162 ein Faltblatt eingeheftet, das den Text in abgesetzten Zeilen bietet.

1 *Hans Jakob Gabathuler*, Jesus Christus, Haupt der Kirche – Haupt der Welt. Der Christushymnus Colosser 1,15–20 in der theologischen Forschung der letzten 130 Jahre (AThANT 45), 1965; vgl. außerdem *André Feuillet*, Le Christ Sagesse de Dieu d'après les Epîtres Pauliniennes, 1966, S. 163–273, bes. S. 248–254.
2 *Gabathuler*, Christushymnus, S. 133.
3 *Martin Dibelius – Heinrich Greeven*, An die Kolosser, Epheser, an Philemon (HNT 12), 1953³, S. 12–21.
4 *Harald Hegermann*, Die Vorstellung vom Schöpfungsmittler im hellenistischen Judentum und Urchristentum (TU 82), 1961.
5 *Eduard Schweizer*, Die Kirche als Leib Christi in den paulinischen Antilegomena, in: Neotestamentica, 1963, S. 293–316; ders., Kolosser I, 15–20, in: Evangelisch-Katholischer Kommentar zum Neuen Testament. Vorarbeiten Heft 1, 1969, S. 7–31.

ist unbestritten«, kann *Schweizer* erklären[6]. Nur ist mit dieser Feststellung noch nicht sehr viel gewonnen. Denn gerade das Ausmaß dieser Anleihen und damit zugleich ihre literarische und theologische Eigenart ist aufs heftigste umstritten. Der Umfang des traditionellen Gutes wird von nahezu jedem Ausleger wieder anders angegeben und dementsprechend auch der Anteil des Briefschreibers an diesem Abschnitt[7]. Für die Interpretation der Vorlagen wie für die Klärung der Absichten des Autors und damit für die Auslegung des ganzen Kolosserbriefes hat dies weitreichende Konsequenzen.

Auch *Gabathulers* Auslegung, in die er seinen Forschungsbericht ausmünden läßt, um so den Ertrag der 130 Jahre einzubringen, hat hier keinen Wandel geschaffen. Die seither erschienenen Arbeiten von *Nikolaus Kehl*[8], *Reinhard Deichgräber*[9], *Franz Josef Steinmetz*[10], *Anton Vögtle*[11], *Johannes Lähnemann*[12], *Jack T. Sanders*[13], *Bruce Vawter*[14], *Klaus Wengst*[15] und *Wolfgang Pöhlmann*[16], der Kritisch-Exegetische Kommentar von *Eduard Lohse*[17] und die Vorarbeiten zu einem Evangelisch-Katholischen Kommentar[18] haben *Gabathulers* Ergebnisse keineswegs bestätigt. Die Verfasser gehen teils die alten, bereits markierten Wege, teils suchen sie auf neuen Wegen über *Gabathulers* Position hinaus- oder doch an ihr vorbeizugelangen[19]. Kann demnach das Rätsel von Kol 1,15–20 auch nach bald 140 Jahren der Forschung nicht als gelöst gelten, darf ein neuer Versuch gewagt werden. Daß dabei wieder alte und älteste Beobachtungen aufgegriffen werden,

---

6 *Schweizer*, Kolosser I, 15–20, S. 7.

7 Vgl. die Aufstellungen unten S. 9ff. und S. 15f.

8 *Nikolaus Kehl*, Der Christushymnus im Kolosserbrief. Eine motivgeschichtliche Untersuchung zu Kol 1,12–20 (SBM 1), 1967.

9 *Reinhard Deichgräber*, Gotteshymnus und Christushymnus in der frühen Christenheit. Untersuchungen zu Form, Sprache und Stil der frühchristlichen Hymnen (StUNT 5), 1967.

10 *Franz Josef Steinmetz*, Protologische Heils-Zuversicht. Die Strukturen des soteriologischen und christologischen Denkens im Kolosser- und Epheserbrief (FThS 2), 1969.

11 *Anton Vögtle*, Das Neue Testament und die Zukunft des Kosmos, 1970.

12 *Johannes Lähnemann*, Der Kolosserbrief. Komposition, Situation und Argumentation (StNT 3), 1971.

13 *Jack T. Sanders*, The New Testament Christological Hymns. Their Historical Religious Background (NTS MS 15), 1971.

14 *Bruce Vawter*, The Colossians Hymn and the Principle of Redaction, CBQ 33 (1971), S. 62–81.

15 *Klaus Wengst*, Christologische Formeln und Lieder des Urchristentums (StNT 7), 1972.

16 *Wolfgang Pöhlmann*, Die hymnischen All-Prädikationen in Kol 1,15–20, ZNW 64 (1973), S. 53–74.

17 *Eduard Lohse*, Die Briefe an die Kolosser und an Philemon (MeyerK IX, 2), 1968[14], S. 77–103.

18 *Eduard Schweizer*, Kolosser I,15–20, und *Rudolf Schnackenburg*, Die Aufnahme des Christushymnus durch den Verfasser des Kolosserbriefes, in: Evangelisch-Katholischer Kommentar zum Neuen Testament. Vorarbeiten Heft 1, 1969, S. 7–31 und S. 33–50.

19 Überhaupt nicht zur Kenntnis genommen ist die neuere Auslegungsgeschichte und ihre Darstellung durch *Gabathuler* von E. Testa, Gesù Pacificatore Universale. Inno Liturgico della Chiesa Madre (Col. 1,15–20 + Ef. 2,14–16), Liber Annuus 19 (1969), S. 5–64.

versteht sich von selbst. Erneut zu prüfen ist jedoch, wie sie einander zuzuordnen sind. Auch aus längst Vertrautem könnte sich in Verbindung mit wenigen zusätzlichen Elementen ein neues Bild ergeben.

Einen der markantesten Punkte auf dem bisherigen Weg der Forschung bedeutet *Ernst Käsemanns* Beitrag »Eine urchristliche Taufliturgie«[20]. Zustimmung und Widerspruch zu seinen Thesen haben den Fortgang des Gespräches in ungewöhnlich starkem Maße bestimmt. Nicht nur aus Tübinger Sicht ist es deshalb naheliegend, an dieser Stelle den Faden aufzunehmen und von hier aus die weiteren Schritte ins Auge zu fassen, sei es, daß sie bereits vorgeschlagen wurden, sei es, daß die eingeschlagene Richtung sie von sich aus nahelegt.

Fast allgemeine Zustimmung fand *Käsemanns* Erneuerung einer Feststellung von *Eduard Norden*: Der Abschnitt Kol 1,15–20 weist eine Zäsur auf, die zwischen V.18a und 18b verläuft[21]. – Ὅς ἐστιν ἀρχή in V.18b entspricht genau dem Einsatz von V.15a: ὅς ἐστιν εἰκών; mit »Erstgeborener von den Toten« nimmt danach V.18c die Formulierung »Erstgeborener aller Schöpfung« von 15b auf; der ὅτι-Satz in V.19 schließlich bildet ein Pendant zu V.16a: ὅτι ἐν αὐτῷ ἐκτίσθη τὰ πάντα. Die Parallelität dieser Formulierungen ist so offenkundig, daß eine Gliederung des Textes hier ihren Ausgangspunkt zu nehmen hat.

Ein weithin positives Echo fand auch *Käsemanns* Beurteilung der beiden Wendungen τῆς ἐκκλησίας in V.18a und διὰ τοῦ αἵματος τοῦ σταυροῦ αὐτοῦ in V.20b. Er betrachtet sie als zwei nachträglich eingefügte Glossen[22]. – Charakteristisch für beide Angaben ist, daß sie syntaktische Probleme aufwerfen. In V.18a ist von »das Haupt« der doppelte Genitiv »des Leibes der Gemeinde« abhängig. Seine Auflösung ist schwierig, da – wie schon *Max-Adolf Wagenführer* bemerkt – »es einen Leib *der* Gemeinde gar nicht gibt; denn der Leib *ist* ja die Gemeinde«[23]. Demnach ist »der Gemeinde« entweder als genetivus epexegeticus oder als Apposition zu »des Leibes« aufzufassen[24]. Eine Doppelung erschwert auch das Verständnis von V.20b. Das Partizip εἰρηνοποιήσας erfährt gleich zweimal eine nähere Bestimmung mittels der Präposition διά.

Als unerträglich wurde dies bereits in der Alten Kirche empfunden, weshalb bei B, D*, G, I und anderen Textzeugen die zweite Angabe getilgt ist. Hinzuzunehmen ist eine weitere Beobachtung: Im Zusammenhang der Schöpfungsaussagen von V.15–18a kommt der Hinweis auf die Kirche zu

---

20 *Ernst Käsemann*, Eine urchristliche Taufliturgie, in: Exegetische Versuche und Besinnungen I, 1960, S. 34–51 (erstmals erschienen in: Festschrift Rudolf Bultmann, 1949, S. 133–148).
21 *Käsemann*, a.a.O., S. 35f.; vgl. *Eduard Norden*, Agnostos Theos. Untersuchungen zur Formengeschichte religiöser Rede, 1956⁴, S. 252.
22 *Käsemann*, a.a.O., S. 36f.
23 *Max-Adolf Wagenführer*, Die Bedeutung Christi für Welt und Kirche. Studien zum Kolosser- und Epheserbrief, 1941, S. 64.
24 Vgl. ebd. und *Käsemann*, Taufliturgie, S. 36.

früh, während die Erinnerung an das Kreuzesblut nach dem Bekenntnis zur
Auferstehung des Erstgeborenen reichlich spät erfolgt. Diese Umstände
veranlaßten *Wagenführer*, in V.20 »Frieden stiftend durch das Blut seines
Kreuzes« als Parenthese in Klammern zu setzen[25] und in V.18a »der Gemeinde« als Glosse auszuscheiden, für die er einen frühen Leser des Kolosserbriefes verantwortlich machte[26]. Allen Halbheiten abhold erklärt dagegen *Käsemann* nicht nur »der Gemeinde« als eine sekundäre Zutat, sondern
ebenso »durch das Blut seines Kreuzes«. Er gewinnt auf diese Weise einen
ursprünglichen Zusammenhang zwischen dem Partizip und der zweiten
präpositionalen Bestimmung: εἰρηνοποιήσας δι᾽ αὐτοῦ. Nicht nur entschiedener, sondern völlig anders als *Wagenführer* geht er vor bei der Ver-
rechnung dieser beiden Glossen. *Käsemann* setzt sie nicht auf das Konto eines frühen Lesers des Kolosserbriefes und schreibt sie auch nicht etwa dem
Autor der Epistel zu, sondern vermutet im Hinblick auf den Briefschreiber,
daß »die Einschübe in V.18 und 20 nicht auf ihn zurückgehen, sondern der
ihm vorliegenden Tradition entstammen«[27]. Bemerkenswert ist allerdings,
daß *Käsemanns* literarkritische Operation vielfach zustimmend zur Kenntnis genommen wurde[28], nicht jedoch seine überlieferungsgeschichtliche
Einordnung der beiden Glossen. Die von ihm ausgeschiedenen Stücke werden zumeist dem Briefschreiber zugewiesen, und gelegentlich geschieht
dies sogar in vermeintlicher Übereinstimmung mit *Käsemann*. So kann
selbst *Gabathuler*, der *Käsemanns* Auffassung zunächst richtig wiedergegeben hat, erklären: Es »ist Käsemann in folgendem zuzustimmen: a) Der
gen. epexeg. in v 18a ist eine Glosse des Vf des Col . . . b) Auch διὰ τοῦ αἵ -
ματος τοῦ σταυροῦ αὐτοῦ in v 20 ist Glosse des Vf«[29]. Somit kann zunächst nur festgehalten werden: Gewichtige Gründe grammatikalischer
und logischer Art sprechen dafür, die genannten Wendungen als nachträgliche Einschübe anzusehen. Daß ohne sie der Gedankengang des Abschnittes
wesentlich besser zutage tritt, ist nicht zu bestreiten. Umstritten ist dagegen, wer für die beiden Bemerkungen verantwortlich zu machen ist: ein Leser des Briefes, der Autor oder eine frühere Hand?
Beantworten läßt sich diese Frage nur im Zusammenhang der größeren
Kontroverse, die *Käsemanns* Interpretation des verbleibenden Textes aus-
gelöst hat. Auf die beiden Glossen zurückblickend, stellte er fest, »daß man
nur 8 von den insgesamt 112 Worten des Textes einzuklammern braucht,
um überhaupt jedes spezifisch christliche Moment getilgt zu haben«[30]. Hinsichtlich der literarischen Gestalt dieser Vorlage lautet sein Urteil: »Mit der

25 *Wagenführer*, a.a.O., S. 68.
26 Ebd. S. 62ff.
27 *Käsemann*, Taufliturgie, S. 38.
28 Vgl. die Aufstellung unten S. 16.
29 *Gabathuler*, Christushymnus, S. 51; vgl. *Gottfried Schille*, Frühchristliche Hymnen,
1965, S. 81 Anm. 152: »Die Worte ›der Gemeinde‹ deuten den kosmischen Leib auf die Gemeinde. Eine Glosse des Verfassers: E. Käsemann«.
30 *Käsemann*, Taufliturgie, S. 39.

Annahme älterer Tradition allein wird man nicht auskommen, wo die hymnische Durchformung des völlig abgerundeten und in seinen Zeilen wie Strophen ausgewogenen Stückes deutlich wurde. Es bleibt also nur die Voraussetzung eines vorchristlichen Hymnus übrig«[31]. Die Verse 12–14 in die Betrachtung miteinbeziehend, skizzierte er die Überlieferungsgeschichte des Textes: »Der vorchristliche Hymnus ist christlich bearbeitet und mit einer liturgischen Einleitung versehen worden und stellt nunmehr eine Gemeindehomologie dar, die vom Verfasser des Briefes im Anschluß an sein Prooemium zitiert wird«[32].

Von den verschiedensten Seiten wurde dieser Darstellung widersprochen. Gegen jede einzelne der Thesen *Käsemanns* wurden Bedenken angemeldet, Einwände erhoben und Gegenthesen vorgebracht. Während seine Beobachtungen zur Gliederung von Kol 1,15–20 und die Ausscheidung der beiden Glossen weithin akzeptiert wurden, stießen die Folgerungen, die er aus seinen Beobachtungen zog, auf mannigfachen Widerspruch. Gleichfalls zu konstatieren ist jedoch, daß sich die weitere Diskussion genau auf jene Fragen konzentrierte, die mit seinen Ausführungen zur Form, Herkunft und Redaktion des Stückes angeschnitten sind.

Provozierend wirkte einmal seine Rede von einem »völlig abgerundeten und in seinen Zeilen wie Strophen ausgewogenen« Stück. Eine ganze Anzahl von Exegeten monierte die verschiedene Länge der beiden Strophen und nahm *Käsemanns* Urteil nicht als zutreffende Beschreibung, sondern als Herausforderung an, einen derartigen Text erst noch zu finden[33].

Auf Kritik stieß ferner die Behauptung, der in Kol 1,15–20 zugrunde liegende Hymnus enthalte keinerlei spezifisch christliches Moment. Vor allem unter Hinweis auf den zweiten Teil (V. 18b ff.) wurde dieser Auffassung *Käsemanns* mehrfach widersprochen und die hymnische Vorlage als ein Stück christlicher Tradition interpretiert[34].

In Zweifel gezogen wurde schließlich, daß der Verfasser des Kolosserbriefes den Komplex der Verse 12–20 en bloc übernommen haben sollte, ohne auch nur die geringste eigene Bemerkung anzubringen. Die Annahme erschien vielen unwahrscheinlich, und zumal jene Exegeten, die den Hymnus als christlichen Text betrachteten, sahen keinen Hinderungsgrund, die Bearbeitung dem Autor des Briefes zuzuschreiben[35]. Auf das Zwischenstadium der Gemeindehomologie, in der das vorchristliche Lied christianisiert wurde, konnten sie verzichten. An die Stelle jener drei Etappen der Überlieferung, die Käsemann skizziert, treten bei dieser Auffassung lediglich zwei Stadien der Entwicklung. Beide sind literarkritisch faßbar und können von-

---

31 Ebd. S. 40.
32 Ebd. S. 39.
33 Vgl. dazu unten S. 9ff.
34 Vgl. dazu unten S. 41f.
35 Vgl. dazu unten S. 54f.

einander abgehoben werden, während *Käsemanns* drittes Stadium der
Überlieferung sich vom zweiten im Wortbestand nicht unterscheidet.
Wieweit diese Einwände und Zweifel berechtigt sind und wieweit die Ge-
genthesen Zustimmung verdienen, muß im einzelnen geprüft werden.
Paradoxerweise brechen die literarkritischen Fragen zu Kol 1,15–20 nicht an
den syntaktisch schwierigen Passagen, sondern an den besonders klaren
Partien auf. Den Ausgangspunkt aller Versuche, einen zugrunde liegenden
liturgischen Text zu rekonstruieren, bilden die wenigen unbestreitbaren
Feststellungen. Um sie noch einmal zu nennen: Die Formulierung ὅς ἐστιν
εἰκών in V.15a hat ein genaues Gegenstück in V.18b: ὅς ἐστιν ἀρχή; dem
Ausdruck »Erstgeborener aller Schöpfung« in V.15b entspricht »Erstgeborener von den Toten« in V.18c, und der ὅτι-Satz von V.16a findet sein Pendant in V.19. Diese Formulierungen sind so genau aufeinander abgestimmt,
daß sie als Ergebnis bewußter Gestaltung angesehen werden müssen. Da der
übrige Brief stilistisch von anderer Art ist, legt sich der Gedanke nahe, daß
der Verfasser hier einen vorgegebenen Text aufgenommen hat. Bei den auffallend parallelen Formulierungen könnte es sich um die Anfangszeilen von
zwei korrespondierenden Liedstrophen handeln.
Auf der anderen Seite ist jedoch ebenso unbestreitbar, daß schon der unmittelbare Kontext dieser Wendungen nicht mehr in derselben Weise aufgebaut ist. Die Verse 15–20 sind zwar durch die Zäsur nach V.18a deutlich in
zwei Abschnitte gegliedert. Von zwei ausgewogenen Strophen zu sprechen,
besteht indes wenig Anlaß. Hinsichtlich des Umfanges ist festzustellen, daß
der erste Abschnitt wesentlich breiter geraten ist als der zweite. Rechnet
man mit *Käsemann* die beiden Glossen in V.18a und 20b einmal ab, ergibt
sich für beide Teilstücke zusammen eine Gesamtzahl von 112 - 8 = 104
Worten. Davon entfallen auf die erste »Strophe« 62, auf die zweite 42 Worte. Ähnliches gilt für die Zahl der Zeilen, da die »1. Strophe . . . – je nachdem, wie lang man die Kola ansetzt – 11 bis 12 Zeilen umfaßt, während die
2. Strophe 5 bis 7 Zeilen zählt«[36].
Aber nicht nur der Umfang der Abschnitte ist verschieden, sondern auch ihr
syntaktischer Aufbau. Im zweiten Passus begegnet gleich in V.18d ein Finalsatz, der sich gegen das Vorbild von V.15 f. zwischen das Prädikat
πρωτότοκος und den begründenden ὅτι-Satz drängt. Noch auffallender
ist, daß auf das Verbum in V.19 (εὐδόκησεν) zwei abhängige Infinitive folgen: κατοικῆσαι und ἀποκαταλλάξαι. Im ersten Abschnitt findet sich
keine derartige Konstruktion. Nimmt man hinzu, daß sich in V.20b auch
noch ein participium coniunctum (εἰρηνοποιήσας) anschließt, kann der
Aufbau der Verse 18b–20 als hypotaktisch bezeichnet werden, während für
die Verse 15–18a die Parataxe charakteristisch ist. Die einzige Ausnahme
bildet hier jener ὅτι-Satz, der in V.19 sein Gegenstück hat. Aufs Ganze gesehen, hat *Jacob Jervell* recht, wenn er den ersten Teil des Textes als eine

36 *Dibelius-Greeven*, Kolosser, S. 11; vgl. *Hegermann*, Schöpfungsmittler, S. 90.

»Aufhäufung von Prädikationen« charakterisiert und zur Fortsetzung in V.18b–20 feststellt: »Die Darstellung läuft in räsonierend-begründenden Gedankengängen«[37]. Dieser Unterschied verdient um so mehr Beachtung, als die beiden Teilstücke zunächst deutlich aufeinander abgestimmt sind.

»Der erste Eindruck steht deshalb vor der Alternative: entweder konnte sich hier ein gestaltender Ansatz nicht durchsetzen, oder eine zweite Hand hat eine ursprüngliche Gleichförmigkeit gestört«[38]. Der ersten Möglichkeit neigt *Lohse* zu, wenn er erklärt: »Ein urchristlicher Hymnus wird kaum aus regelmäßig gebauten Versen und Strophen bestanden haben, sondern wahrscheinlich waren die Strophen im einzelnen verschieden durchgeführt und in freien Rhythmen hymnischer Prosa gehalten«[39]. Nicht wenige Forscher haben sich jedoch für die zweite Möglichkeit entschieden, daß eine ursprüngliche Gleichförmigkeit nachträglich verdorben wurde. Indem sie einzelne Zeilen streichen oder umstellen, versuchen sie die Störungen zu beheben und einen Hymnus wiederzugewinnen, der tatsächlich in seinen Zeilen und Strophen ausgewogen ist. Den Anstoß zu diesen literarkritischen Bemühungen gab nicht zuletzt *Käsemanns* Ausscheidung der beiden Glossen in V.18a und 20b.

Mustert man die seit *Gabathulers* Abhandlung noch länger gewordene Reihe der Rekonstruktionsversuche, drängen sich zwei Beobachtungen auf, die für die weitere Arbeit von Interesse sind: Die kritischen Bemühungen konzentrierten sich weithin auf die erste Strophe und waren hier vor allem von der Absicht geleitet, den Umfang des vorliegenden Textabschnittes so zu reduzieren, daß sich aus der Fortsetzung der Verse 18b–20 ein Gegenstück gleichen Ausmaßes gewinnen ließ. Wesentlich weniger Aufmerksamkeit wurde der verschiedenartigen Struktur der beiden Abschnitte gewidmet. Bemerkenswert ist ferner, daß bei der Suche nach dem ursprünglichen Umfang der hymnischen Vorlage die unumstritten dazuzurechnenden Zeilen immer weniger wurden. Stellt man für den ersten Passus einmal die verschiedenen Streichungen zusammen, so ergibt sich, daß keine Zeile von der Kritik verschont blieb außer jenen drei ersten, die im zweiten Abschnitt ein genaues Äquivalent besitzen. So wurden dem Hymnus oder seiner »Grundform«[40] abgesprochen:

V. 16a: ἐν τοῖς οὐρανοῖς καὶ ἐπὶ τῆς γῆς

von *Johannes Weiß*[41], *Hegermann*[42], *Karl-Gottfried Eckart*[43] und *Kehl*[44];

37 *Jacob Jervell*, Imago Dei. Gen 1,26f. im Spätjudentum, in der Gnosis und in den paulinischen Schriften (FRLANT 76), 1960, S. 211f.
38 *Kehl*, Christushymnus, S. 30.
39 *Lohse*, Kolosser, S. 82; vgl. *Wengst*, Formeln und Lieder, S. 174f.
40 Vgl. dazu *Kehl*, Christushymnus, S. 30ff.
41 *Johannes Weiß*, Christus. Die Anfänge des Dogmas (RV I, 18/19), 1909, S. 46; vgl. *Ga-*

V.16b: τὰ ὁρατὰ καὶ τὰ ἀόρατα
    von James M. Robinson[45], Hegermann, Eckart, Schweizer[46],
    Paul Ellingworth[47], Hans-Martin Schenke[48], Gabathuler[49],
    Kehl, Deichgräber[50] und Sanders[51];

V.16c: εἴτε θρόνοι εἴτε κυριότητες εἴτε ἀρχαὶ εἴτε ἐξουσίαι
    von Weiß, Günther Harder[52], Robinson, Hegermann, Eckart,
    Schweizer, Ellingworth, Schenke, Gabathuler, Schille[53], Kehl,
    Deichgräber und Sanders;

V.16d: τὰ πάντα δι᾽ αὐτοῦ καὶ εἰς αὐτὸν ἔκτισται
    von Hegermann und Deichgräber;

V.17a: καὶ αὐτός ἐστιν πρὸ πάντων
    von Harder, Hegermann und Kehl;

V.17b: καὶ τὰ πάντα ἐν αὐτῷ συνέστηκεν
    von Harder, Ellingworth und Kehl;

in V.18a: τῆς ἐκκλησίας
    von Wagenführer, Käsemann, Robinson, Hegermann, Eckart,
    Schweizer, Ernst Bammel[54], Hans Conzelmann[55], Schenke, Ga-

bathuler, Christushymnus, S. 18. – Die Literaturangaben zu dieser Aufstellung beziehen sich jeweils auf die Wiedergabe des gesamten rekonstruierten Textes und werden deshalb bei mehrmaliger Nennung eines Autors nicht wiederholt!
42 Hegermann, Schöpfungsmittler, S. 92f.; vgl. Gabathuler, Christushymnus, S. 93.
43 Karl-Gottfried Eckart, Exegetische Beobachtungen zu Kol 1,9–20, ThViat 7 (1959/60), S. 87–106, dort S. 106; vgl. Gabathuler, Christushymnus, S. 109.
44 Kehl, Christushymnus, S. 37.
45 James M. Robinson, A Formal Analysis of Colossians 1,15–20, JBL 76 (1957), S. 270–287, dort S. 286; vgl. Gabathuler, Christushymnus, S. 85.
46 Schweizer, Kirche als Leib Christi, S. 293ff.; vgl. Gabathuler, Christushymnus, S. 110f.; Schweizer, Kolosser I, 15–20, S. 10.
47 Paul Ellingworth, Colossians i.15–20 and its Context, ET 73 (1961/62), S. 252–253, dort S. 252; vgl. Gabathuler, Christushymnus, S. 48f.
48 Hans-Martin Schenke, Der Widerstreit gnostischer und kirchlicher Christologie im Spiegel des Kolosserbriefes, ZThK 61 (1964), S. 391–403, dort S. 401.
49 Gabathuler, Christushymnus, S. 131.
50 Deichgräber, Gotteshymnus und Christushymnus, S. 150.
51 Sanders, Christological Hymns, S. 12f.
52 Günther Harder, Paulus und das Gebet (NTF I, 10), 1936, S. 40; vgl. Gabathuler, Christushymnus, S. 40.
53 Schille, Hymnen, S. 81; vgl. Gabathuler, Christushymnus, S. 69 Anm. 361.
54 Ernst Bammel, Versuch (zu) Col 1,15–20, ZNW 52 (1961), S. 88–95, dort S. 94f.; vgl. Gabathuler, Christushymnus, S. 120.
55 Hans Conzelmann, Der Brief an die Kolosser (NTD 8), 1962⁹, S. 135; vgl. Gabathuler, Christushymnus, S. 122.

bathuler, Schille, Deichgräber, Lohse[56], Lähnemann[57], Sanders, Vawter[58], Wengst[59] und Pöhlmann[60]; darüber hinaus der
ganze

V.18a: καὶ αὐτός ἐστιν ἡ κεφαλὴ τοῦ σώματος τῆς ἐκκλησίας

von Weiß, Harder, Charles Masson[61], Ellingworth und Kehl.
Von Robinson wird die Zeile an das Ende der zweiten Strophe gerückt.

Die Aufstellung macht deutlich, daß – abgesehen von der Apposition τῆς
ἐκκλησίας in V.18a – weitaus am häufigsten die Zeilen 16b und c von der
Kritik erfaßt wurden. Bezeichnenderweise handelt es sich dabei um jene
Wendungen, die schon Norden als »schnörkelhaften Putz« bezeichnet hatte[62]. Dieses Urteil wird gelegentlich auf die vorangehende Halbzeile V.16a
ausgedehnt, die erstmals von Weiß als sekundär angesehen wurde.
Trügerisch ist dagegen das Bild, das die Zusammenstellung für die anschließenden Verse 16d–18a liefert. Sie scheinen vergleichsweise unangefochten
zu sein. Doch vielfach werden auch sie der ersten Strophe des Hymnus abgesprochen – freilich auf andere Weise. Eine Variante des Versuches, durch
Streichungen einen kürzeren Text zu erhalten, stellt der Vorschlag dar,
Teile der Verse 16d–18a zu einer »Zwischenstrophe« zusammenzufassen.
Die Absicht ist auch hier, die erste Hauptstrophe nicht zu lang werden zu
lassen, sondern sie so zu bestimmen, daß sich aus dem kürzeren Text der
Verse 18b–20 ein adäquates Gegenstück gewinnen läßt.
Für die Annahme einer hymnischen Zwischenstrophe hat sich in der Auseinandersetzung mit Käsemann vor allem Schweizer eingesetzt[63]. Die Son-
derstellung der dafür in Frage kommenden Zeilen wurde allerdings schon
sehr viel früher erkannt. So hatte bereits Hermann von Soden Mühe, die
Verse 16d–17 in der Disposition des Abschnittes unterzubringen, und äu-
ßerte die Vermutung:»Sollten sie vielleicht eine in den Text gekommene
Glosse sein?«[64] Weiß ordnete dann die Verse zu einer dreizeiligen Strophe
an und wies darauf hin,»daß hier Gedanken der stoischen Philosophie zugrunde liegen«[65]. Bestätigt wurde diese Auffassung durch Norden, der in

---

56 Lohse, Kolosser, S. 82.
57 Lähnemann, Kolosserbrief, S. 38.
58 Vawter, Colossians Hymn, S. 70f.
59 Wengst, Formeln und Lieder, S. 174f.
60 Pöhlmann, All-Prädikationen, S. 56.
61 Charles Masson, L'épître de Saint Paul aux Colossiens (CNT 10), 1950, S. 105; vgl. Gabathuler, Christushymnus, S. 44.
62 Norden, Agnostos Theos, S. 261.
63 Schweizer, Kirche als Leib Christi, S. 295.
64 Hermann von Soden, Die Briefe an die Kolosser, Epheser, Philemon (HC III,1), 1893², S. 33
65 Weiß, Christus, S. 48.

seinem großen Werk »Agnostos Theos. Untersuchungen zur Formengeschichte religiöser Rede« ein eigenes Kapitel der »Geschichte einer Allmachtsformel« widmete[66]. Als Belege stoischer Doxologie bei Paulus nennt
er neben Röm 11,33–36 und 1 Kor 8,6 auch Kol 1,16 f. und gibt den Text –
aus seinem Zusammenhang gelöst – ebenfalls in kolometrischer Anordnung
wieder. Abgesehen von der einleitenden, jedoch deutlich abgesetzten Zeile
aus V.16a »ἐν αὐτῷ ἐκτίσθη τὰ πάντα . . .«, bietet sich dasselbe Bild wie
bei *Weiß*: Die Verse 16d, 17a und 17b bilden einen Dreizeiler[67]. Wieder im
Zusammenhang der Hymnus-Rekonstruktion betrachtete schließlich *Ernst
Lohmeyer* V.16d–17 als ein dreizeiliges »Zwischenspiel«, dessen Aufgabe
es sei, zwischen zwei siebenzeiligen Hauptstrophen eine »Überleitung« zu
bilden[68].
Durch *Käsemanns* Kritik an der Gliederung *Lohmeyers* geriet dieser Gedanke zunächst in Verruf, doch taucht er in abgewandelter Form schon wenige Jahre später bei *Christian Maurer*[69] wieder auf. *Käsemann* hatte nicht
nur gezeigt, daß die zweite Strophe des Hymnus erst mit V.18b beginnt,
sondern auch darauf hingewiesen, »daß die letzte Zeile von V.16 inhaltlich
zum Vorhergehenden gehört und 16a aufnimmt«[70]. *Maurer* trägt diesen
Erkenntnissen Rechnung. Er weist V.16d der ersten Strophe zu, läßt die
zweite mit V.18b beginnen und betrachtet die nun verbleibenden Verse 17
und 18a als Zwischenglied. Wichtig ist ihm, daß beide Verse in genau derselben Weise mit καὶ αὐτός ἐστιν . . . einsetzen[71]. Indem er darauf verzichtet, den längeren V.17 aufzuteilen, kann er sie als Zweizeiler anordnen,
zumal er keinen Anlaß sieht, in V.18a τῆς ἐκκλησίας als Glosse abzutren-
nen. Nach seiner Meinung werden die zwei Hauptstrophen des Liedes
»durch die beiden Zeilen Vers 17 und 18a wie mit einer Klammer zusam-
mengehalten, wobei Vers 17 nach rückwärts und Vers 18a nach vorwärts
greift«[72]. Zur selben Einteilung entschließt sich *Pierre Benoit* in der Jerusa-
lem-Bibel. Er sieht in den beiden Zeilen »la charnière du diptyque, le v.17
résumant la première partie (15–16) et le v.18a annonçant la deuxième
(18b–20)«[73].
Anders ist die Anordnung, die *Schweizer* vornimmt. Mit *Käsemann* versteht er die zwei letzten Worte von V.18a als »interpretierende Glosse«[74],

66 *Norden*, Agnostos Theos, S. 240–250.
67 Ebd. S. 241.
68 *Ernst Lohmeyer*, Die Briefe an die Kolosser und an Philemon (MeyerK IX, 2) 1961[12] (=
1930[8]), S. 42.
69 *Christian Maurer*, Die Begründung der Herrschaft Christi über die Mächte nach Kolosser
1,15–20, WuD NF 4 (1955), S. 79–93.
70 *Käsemann*, Taufliturgie, S. 35.
71 *Maurer*, Herrschaft Christi, S. 82.
72 Ebd. S. 83.
73 *Pierre Benoit*, La Sainte Bible. Les Epîtres de Saint Paul aux Philippiens, à Philémon, aux
Colossiens, aux Ephésiens, 1959[3], S. 58 Anm. a.
74 *Schweizer*, Kirche als Leib Christi, S. 295.

hält aber gleichwohl am Gedanken einer Zwischenstrophe fest. Indem er V.17 wieder auf zwei Zeilen verteilt, ergibt sich in Verbindung mit V.18a neuerlich ein dreizeiliges Zwischenspiel – »ein in sich geschlossener Dreizeiler, der zwischen erster und zweiter Strophe steht und beide zusammenschließt«[75]. Vom Dreizeiler bei *Lohmeyer* und *Weiß* unterscheidet sich diese Zwischenstrophe dadurch, daß sie genau ein Kolon später anhebt und dafür ihren Abschluß erst in V.18a findet. Übernommen wurde diese Einteilung von *Schnackenburg*[76], *Lähnemann*[77] und *Sanders*[78].

Der an die erste Strophe abgetretene Vers 16d wurde indes gegen das Veto *Käsemanns* alsbald wieder zurückgeholt, und zwar von *Gabathuler*, der damit »einen synthetisch-parallelen Vierzeiler«[79] präsentieren kann:

V.16d τὰ πάντα δι᾽ αὐτοῦ καὶ εἰς αὐτὸν ἔκτισται
V.17a καὶ αὐτός ἐστιν πρὸ πάντων
V.17b καὶ τὰ πάντα ἐν αὐτῷ συνέστηκεν
V.18a καὶ αὐτός ἐστιν ἡ κεφαλὴ τοῦ σώματος.

Sich mit der Rekonstruktion *Schweizers* auseinandersetzend, stellt *Gabathuler* fest: »Wird dieser Vierzeiler herausgehoben, so wird vermieden, daß der Satzbruch, der zwischen 16a und 16d erfolgt, wie bei *Schweizer* in die erste Strophe zu liegen kommt«[80]. Bemerkenswert ist, daß *Schille*, der sich zunächst weitgehend die Analyse *Käsemanns* zu eigen gemacht hatte[81], neuerdings dieselben vier Zeilen als hymnisches »Mittelstück« bestimmt. Ohne die gleichzeitig erscheinende Arbeit *Gabathulers* zu kennen, gelangt auch er zu dieser Abgrenzung in kritischer Auseinandersetzung mit der Gliederung *Schweizers*. Das entscheidende Argument ist für ihn die Parallelität von τὰ πάντα in V.16d und 17b und καὶ αὐτός ἐστιν im jeweils folgenden Kolon[82]. Für denselben Vierzeiler wie *Gabathuler* und *Schille* entscheiden sich *Wengst*[83] und *Pöhlmann*[84].

Blickt man von hier aus noch einmal zurück auf die Analysen von *Weiß* und *Lohmeyer*, so muß es geradezu verwundern, daß sie ihren Dreizeiler zwar mit demselben Kolon V.16d beginnen ließen, jedoch V.18a trotz der Paral-

---

75 Ebd.
76 *Schnackenburg*, Aufnahme des Christushymnus, S. 35.
77 *Lähnemann*, Kolosserbrief, S. 38.
78 *Sanders*, Christological Hymns, S. 13.
79 *Gabathuler*, Christushymnus, S. 128.
80 Ebd. S. 129.
81 Vgl. *Gabathuler*, Christushymnus, S. 67.
82 *Schille*, Hymnen, S. 82.
83 *Wengst*, Formeln und Lieder, S. 175.
84 *Pöhlmann*, All-Prädikationen, S. 56; indem *Pöhlmann* die vorausgehende Aufzählung der Verse 16aβ–c ebenfalls in vier Zeilen anordnet, gewinnt er eine weitere vierzeilige Mittelstrophe und damit einen Hymnus von insgesamt vier Strophen. Diese zweite seiner vier Strophen besitzt allerdings kein Verbum!

lelität zu V.17a nicht mehr berücksichtigten. Der Grund dafür dürfte in den beiden Worten τῆς ἐκκλησίας zu suchen sein. Diese abschließende Angabe verwischt nicht nur die formale Parallelität zu V.17a, sondern rückt die ganze Zeile auch unter ein neues Thema. Erst die Erkenntnis, daß es sich dabei um eine nachträgliche Glosse handelt, machte es möglich, V.18a mit den drei vorangehenden Zeilen zusammenzunehmen. Es entbehrt nicht eines gewissen Reizes, daß somit *Käsemann*, der *Lohmeyers* Zwischenstrophe beseitigen wollte, dazu beigetragen hat, daß sie in neuer und vollkommenerer Gestalt wiedererstand.

Umgekehrt trägt die Abgrenzung einer solchen Zwischenstrophe dazu bei, daß die beiden Hauptstrophen, auf deren korrespondierenden Auftakt *Käsemann* hingewiesen hat, sich wesentlich ausgewogener darstellen. Zumindest kann nicht mehr – wie noch *Hegermann* meinte – »mit Recht die starke Ungleichheit der Länge der beiden Strophen kritisiert« werden[85]. Insofern ist das Bemühen um eine Mittelstrophe jenem anderen verwandt, in V.15–18a verschiedene Einzelzeilen als nachträgliche Erweiterung auszusondern. Noch näher rücken sich die beiden Verfahrensweisen, wenn man beachtet, daß die Verfechter einer Zwischenstrophe gelegentlich selbst die Überlegung anstellen, diese könnte insgesamt eine sekundäre Zutat sein. So erklärt *Schweizer*: »Denkbar ist natürlich, daß die Urform nur die beiden Strophen enthielt, die streng parallel sind, und daß der Dreizeiler eine erste Zufügung darstellt«[86]. Er läßt diesen Gedanken jedoch wieder fallen, da der Passus aus stilistischen Gründen nicht vom Verfasser des Kolosserbriefes stammen könne[87]. Zu fragen wäre, ob damit die einzige Alternative genannt ist. Erneut taucht der Gedanke bei *Gabathuler* auf, und die Frage ist dadurch noch dringlicher geworden, daß er einmal auf die abgerundete Form seines synthetisch-parallelen Vierzeilers hinweisen kann und zum andern die Auffassung *Schweizers* kritisiert, das Mittelstück schließe die beiden Hauptstrophen zusammen, indem es unterstreiche, daß ein und derselbe Schöpfer und Erlöser ist[88]. »Das geht darum nicht, weil in dieser Zwischenstrophe nichts von der Erlösung und Versöhnung laut wird«[89] – nachdem τῆς ἐκκλησίας als Glosse gestrichen ist! Die Zugehörigkeit des Stückes zu den beiden Hauptstrophen wird damit problematisch. Folgerichtig erwägt daher *Gabathuler* als eine von verschiedenen Möglichkeiten: »Der ganze Vierzeiler gehört als Einheit für sich nicht mit 15. 16a zusammen«. Doch geht er diesem Gedanken nicht weiter nach, denn »16a gehört zu eng mit 16d zusammen, als daß es von diesem getrennt werden dürfte«[90]. Zu

85 *Hegermann*, Schöpfungsmittler, S. 90; vgl. oben S. 8 Anm. 36.
86 *Schweizer*, Kirche als Leib Christi, S. 295 Anm. 5; vgl. *Günther Bornkamm*, Das Bekenntnis im Hebräerbrief, in: Studien zu Antike und Urchristentum (BEvTh 28), 1963, S. 188–203, dort S. 197 Anm. 20.
87 *Schweizer*, a.a.O., S. 295 Anm. 5.
88 Vgl. *Schweizer*, a.a.O., S. 295.
89 *Gabathuler*, Christushymnus, S. 128.
90 Ebd. S. 129.

fragen wäre, ob dieses »Zusammengehören« nicht auch die Einfügung des Stückes veranlaßt haben könnte. Im übrigen greift er hier genau jenes Argument auf, das bei *Käsemann* dazu diente, V.16d aus der Zwischenstrophe *Lohmeyers* herauszubrechen und sie damit unmöglich zu machen[91]. Sucht man zusammenzufassen, was die Musterung der verschiedenen Analysen von Kol 1,15–18a erbrachte, so kann festgestellt werden: Die kritische Aufmerksamkeit richtete sich bei diesem ersten Textabschnitt vor allem auf zwei Punkte: Es ist dies einmal jene Passage, die *Norden* als »schnörkelhaften Putz« charakterisierte. Hier – in V.16b und c – sind die meisten Streichungen zu notieren. Zum andern ist es der Passus, den Norden als Ableger der »stoischen Allmachtsformel« betrachtete. Hier – in V.16d ff. – begegnen die verschiedenen Versuche, eine hymnische Zwischenstrophe abzugrenzen. An beiden neuralgischen Punkten geschieht die Arbeit mehr oder weniger offen im Hinblick auf die Möglichkeiten des zweiten Textabschnittes.

Entsprechendes gilt umgekehrt. Abgestimmt auf die jeweilige Analyse von V.15–18a, wurden auch die anschließenden Verse 18b–20 kritisch durchleuchtet. Lediglich *Weiß* macht hier eine Ausnahme. Er begnügt sich mit der Analyse von Kol 1,15–17, wiewohl auch ihm nicht entgangen ist: »Die ganze christologische Aussage, eine Art dogmatischer Hymnus, (1,15–20) gliedert sich in zwei einander genau entsprechende Strophen (v.15–17 und v.18–20)«[92]. Nachdem er die erste Strophe in einen vierzeiligen und einen dreizeiligen Teil untergegliedert hat, verzichtet er auf eine Rekonstruktion der »genau entsprechenden« zweiten Strophe. Weshalb? Sollten es besondere Probleme des zweiten Textabschnittes sein, die ihn davon abgehalten haben?

Wie dem auch sei – andere haben die Aufgabe angepackt und auch in V.18b–20 eine hymnische Strophe zutage gefördert. Aus den verschiedensten Gründen wurden dabei wieder mehrere Versteile für sekundär erklärt, und zwar:

V.18d: ἵνα γένηται ἐν πᾶσιν αὐτὸς πρωτεύων

von *Harder*[93], *Schweizer*[94], *Bammel*[95], *Gabathuler*[96], *Schille*[97],

---

91 Vgl. *Käsemann*, Taufliturgie, S. 35, und oben S. 12 Anm. 70.

92 *Weiß*, Christus, S. 45.

93 *Harder*, Paulus und das Gebet, S. 48; vgl. *Gabathuler*, Christushymnus, S. 40. – Die Literaturangaben beziehen sich wieder auf den Abdruck des gesamten von einem Autor rekonstruierten Textes; vgl. oben S. 9 Anm. 41. – Auch *Dibelius* weist den ἵνα-Satz dem Briefschreiber zu, legt jedoch keine eigentliche Rekonstruktion des Hymnus vor: *Dibelius-Greeven*, Kolosser, S. 10.

94 *Schweizer*, Kirche als Leib Christi, S. 293ff.; vgl. *Gabathuler*, Christushymnus, S. 110f.; *Schweizer*, Kolosser I,15–20, S. 10.

95 *Bammel*, Versuch (zu) Col 1,15–20, S. 94f.; vgl. *Gabathuler*, Christushymnus, S. 120.

96 *Gabathuler*, Christushymnus, S. 131.

97 *Schille*, Hymnen, S. 81; vgl. *Gabathuler*, Christushymnus, S. 69 Anm. 361.

Kehl[98], Lähnemann[99], Sanders[100] und Pöhlmann[101]. Robinson[102] und Ellingworth[103] rücken die Zeile an einen anderen Platz; bei Benoit[104] erscheint sie in Klammern und soll offenbar als Parenthese gelesen werden. – Ausgeschieden wird sodann

in V.20b: διὰ τοῦ αἵματος τοῦ σταυροῦ αὐτοῦ

> von Käsemann[105], Hegermann[106], Eckart[107], Conzelmann[108], Schenke[109], Deichgräber[110], Lohse[111] und Vawter[112]; darüber hinaus der ganze

V.20b: εἰρηνοποιήσας διὰ τοῦ αἵματος τοῦ σταυροῦ αὐτοῦ δι' αὐτοῦ

> von Harder, Robinson, Schweizer, Ellingworth, Gabathuler, Kehl, Sanders und Pöhlmann; Benoit vertauscht V.20b und c und läßt das nachklappende δι' αὐτοῦ beiseite. Ausgeschieden wird endlich auch

V.20c: εἴτε τὰ ἐπὶ τῆς γῆς εἴτε τὰ ἐν τοῖς οὐρανοῖς

> von Harder, Robinson, Hegermann, Schweizer[113], Schenke, Gabathuler, Schille[114], Sanders und Pöhlmann.

Daß die umstrittenen Zeilen weniger zahlreich sind als in den Versen 15–18a liegt am geringeren Umfang des Textabschnittes. Verständlich ist auch, daß sich nicht wenige Exegeten entschlossen haben, den ἵνα-Satz in V.18d der hymnischen Vorlage abzusprechen. V.15 bietet dafür kein Ge-

98   Kehl, Christushymnus, S. 37.
99   Lähnemann, Kolosserbrief, S. 38.
100 Sanders, Christological Hymns, S. 12f.
101 Pöhlmann, All-Prädikationen, S. 56.
102 Robinson, Formal Analysis, S. 286; vgl. Gabathuler, Christushymnus, S. 85.
103 Ellingworth, Colossians i, 15–20, S. 252; vgl. Gabathuler, Christushymnus, S. 48f.
104 Benoit, Colossiens, S. 58.
105 Käsemann, Taufliturgie, S. 37.
106 Hegermann, Schöpfungsmittler, S. 92f.; vgl. Gabathuler, Christushymnus, S. 93.
107 Eckart, Beobachtungen, S. 106; vgl. Gabathuler, Christushymnus, S. 109.
108 Conzelmann, Kolosser, S. 136! Bei der Übersetzung des Hymnus auf S. 135 sind wohl versehentlich auch die Worte »indem er . . . Frieden stiftete« in die Klammer geraten.
109 Schenke, Widerstreit, S. 401.
110 Deichgräber, Gotteshymnus und Christushymnus, S. 150.
111 Lohse, Kolosser, S. 82.
112 Vawter, Colossians Hymn, S. 70f.
113 Schweizer, Kirche als Leib Christi, S. 294; anders entscheidet sich Schweizer in seinem späteren Beitrag: Kolosser I,15–20, S. 10.
114 Zusammen mit V.20c streicht Schille, Hymnen, S. 81, die vorangehende Angabe »durch ihn«, um auf diese Weise in V. 20b gegen Käsemann »durch das Blut seines Kreuzes« beibehalten zu können.

genstück, und die logische Verknüpfung des finalen mit dem folgenden kausalen Nebensatz bereitet Schwierigkeiten.
Um so überraschender ist dann aber das Bild, das sich für V.19 und 20a ergibt: Die beiden eng miteinander zusammenhängenden Zeilen sind von der abschätzenden Kritik verschont geblieben. Allseits und einhellig dem Hymnus zugerechnet werden also nicht nur jene drei Kola, die in V.15–18a ein Äquivalent mit wörtlich gleichem Zeilenbeginn besitzen (V.18b; 18c; 19), sondern zusätzlich auch noch V.20a: »und durch ihn das All zu versöhnen auf ihn hin«. Erstaunlich ist dies deshalb, weil gerade hier die syntaktische Differenz zum ersten Abschnitt besonders deutlich hervortritt. Mitbetroffen ist von dieser Feststellung auch der vorausgehende Vers 19. Denn lediglich sein Anfang erinnert an den ὅτι-Satz in V.16a. Im weiteren ist die Konstruktion eine völlig andere, da auf das verbum finitum zwei abhängige Infinitive folgen. Es handelt sich hier um das zentrale Stück jener Periode, die dem zweiten Textabschnitt im Unterschied zum ersten das Gepräge gibt.
Mit dem Problem auseinandergesetzt hat sich nur *Robinson*. Er nimmt an, daß der ursprüngliche Text an dieser Stelle verändert wurde, und versucht ihn durch eine Konjektur wiederherzustellen. Die Richtung weist ihm dabei die Formulierung von Kol 2,9: »Denn in ihm wohnt die ganze Fülle . . .«
Sich daran orientierend, setzt er in Kol 1,19 für εὐδόκησεν . . . κατοικῆσαι ebenfalls das einfache κατοικεῖ und verwandelt den zweiten Infinitiv ἀποκαταλλάξαι in ein verbum finitum: ἀποκατήλλαξεν[115]. Auf diese Weise erhält er zwei gleichrangige Satzteile:

ὅτι ἐν αὐτῷ κατοικεῖ πᾶν τὸ πλήρωμα . . .
καὶ δι᾽ αὐτοῦ ἀποκατήλλαξεν τὰ πάντα[116].

Im Bestreben, zwei Liedstrophen gleichen Umfangs zu gewinnen, stellt er jedoch außerdem die Zeilen 18a und d an das Ende der zweiten Strophe und hat damit seine Rekonstruktion so belastet, daß er bislang keine Gefolgschaft gefunden hat[117].
Beachtung verdient sodann die Situation in V.20b. Auch die Kritiker der Zeile konnten sich offenbar nicht einig werden. Von den einen wird im Anschluß an *Käsemann* nur der Mittelteil »durch das Blut seines Kreuzes« dem Hymnus abgesprochen. Andere gehen darüber hinaus und streichen die ganze Zeile von »Frieden stiftend« bis einschließlich »durch ihn«. Ihre Kri-

---

115 *Robinson*, Formal Analysis, S. 276f.
116 Ebd. S. 286; aus Kol 2,9 übernimmt *Robinson* dazuhin die auf πᾶν τὸ πλήρωμα folgende Erläuterung: τῆς θεότητος (σωματικῶς).
117 Vgl. die Kritik bei *Gabathuler*, Christushymnus, S. 86; *Deichgräber*, Gotteshymnus und Christushymnus, S. 150; *Lohse*, Kolosser, S. 81 Anm. 9. – Unabhängig von *Robinson* bildet *Ellingworth*, Colossians i,15–20, S. 252, aus V. 20a und 18d den Schluß der zweiten Strophe, während *Benoit*, Colossiens, S. 58, unter Verzicht auf das nachklappende »durch ihn« lediglich V. 20b und c vertauscht.

tik richtet sich besonders gegen das participium coniunctum. Nun ist aber
nicht zu bestreiten, daß die beiden Angaben »durch das Blut seines Kreuzes«
und »durch ihn« miteinander konkurrieren[118]. Die Entscheidung, »Frieden
stiftend . . . durch ihn« zum Hymnus zu rechnen und »durch das Blut seines Kreuzes« als dazwischengeschobene Glosse zu betrachten, behebt diese
Spannung. Wie aber ist die Doppelung zu erklären, wenn bereits »Frieden
stiftend . . . durch ihn« sekundäre Bearbeitung sein sollte? Wurde auch die
Bearbeitung noch einmal redigiert? Hat vielleicht *Käsemann* doch nicht so
unrecht, wenn er mit drei Etappen der Überlieferungsgeschichte rechnet?
Oder ist gar *Wagenführers* zu Kol 1,18a geäußerter Gedanke wiederaufzu-
nehmen, daß ein früher Leser den Kolosserbrief glossierte[119]?
Von geringerer Bedeutung ist demgegenüber die Beurteilung von V.20c.
Die Entscheidung, ob der Merismus dem Hymnus zu- oder abzusprechen
sei, ist in der Regel verknüpft mit dem Urteil über den Umfang der ersten
Strophe. Wie wenig hier auf dem Spiel steht, illustriert das Vorgehen
Schweizers, der diesen Abschluß zunächst als reine Wiederholung von
V.16a tilgte und ihn neuerdings ohne Kommentar wieder zur Vorlage rechnet[120].
Der Überblick über die bisherige Arbeit zu Kol 1,15–20 dürfte eines deutlich
gemacht haben: Es ist zwar durchaus möglich, aus V.15–18a eine hymnische Strophe zu erheben, der ein entsprechend langes Exzerpt aus V.18b–20
gegenübergestellt werden kann. Ein wirklich in seinen Zeilen wie Strophen
ausgewogenes Lied konnte jedoch bisher nicht ermittelt werden. Jedenfalls
entspricht keine der vorgelegten Rekonstruktionen dem Maßstab, der mit
dem präzis korrespondierenden Auftakt der Strophen gesetzt und von den
meisten Exegeten akzeptiert ist. Daß für die beiden so markierten Teilstücke
eine gleiche Zahl von Zeilen sich erreichen läßt und auf verschiedene Weise
auch erreicht wurde, kann nicht darüber hinwegtäuschen, daß dies nur ein
halber Erfolg ist. Es bleibt unbefriedigend, daß die zweite Strophe mit V.19
f. in jedem Falle anders aufgebaut ist als die erste. Dies gilt auch für die Rekonstruktion von *Robinson*, der zwar den Anstoß der abhängigen Infinitive
beseitigt, dafür aber dem ὅτι-Satz ein Verbum im Präsens einhandelt, während das Pendant in V.16a aoristisch formuliert ist. Außerdem sieht er sich
genötigt, zusammen mit V.18a den zunächst ausgeschiedenen ἵνα-Satz
dem Hymnus am Ende wieder zuzuschlagen, da er den ganzen Partizipialsatz von V.20b und c gestrichen hat[121]. Das Problem von Vers 19 und 20 ist
also auch von ihm nicht ganz befriedigend gelöst. Die Frage drängt sich auf,
ob die Analyse an dieser Stelle tatsächlich weit genug vorangetrieben wur-

---

118. *Lähnemann*, Kolosserbrief, S. 38, und *Wengst*, Formeln und Lieder, S. 175, glauben
dieser Spannung dadurch zu entgehen, daß sie »durch ihn« der folgenden Zeile zuweisen. Gegen *Käsemann* nehmen sie in V.20 keine Glosse an.
119 *Wagenführer*, Bedeutung Christi, S. 62ff; vgl. oben S. 6.
120 Vgl. *Schweizer*, Kirche als Leib Christi, S. 294, und *Schweizer*, Kolosser I,15-20, S. 10.
121 *Robinson*, Formal Analysis, S. 286; vgl. *Gabathuler*, Christushymnus, S. 85.

de. Im folgenden soll daher versucht werden, den ganzen Fragenkomplex einmal von hier aus aufzurollen.

Sowohl der Rekonstruktion eines vermuteten Hymnus als auch der Übersetzung und Auslegung des vorliegenden Briefabschnittes erwachsen die größten Schwierigkeiten aus Kol 1,19 und 20. Geht man den Passus von seinen Rändern her an, so ist deutlich: Der Auftakt von V.19 mit ὅτι ἐν αὐτῷ entspricht dem Einsatz von V.16. Desgleichen läßt sich für die abschließende distributive Formulierung in V.20b εἴτε τὰ ἐπὶ τῆς γῆς εἴτε τὰ ἐν τοῖς οὐρανοῖς ein Gegenstück im vorangehenden Textabschnitt finden. In V.16 bieten sich gleich drei Formulierungen zur Wahl an. Inhaltlich kommt der Schlußzeile die Wendung ἐν τοῖς οὐρανοῖς καὶ ἐπὶ τῆς γῆς in V.16a am nächsten, stärker der Stilfigur entspricht τὰ ὁρατὰ καὶ τὰ ἀόρατα in V.16b und die Konstruktion mit εἴτε . . . εἴτε, allerdings ohne Artikel und zweimal verwendet, bietet V.16c: εἴτε θρόνοι εἴτε κυριότητες εἴτε ἀρχαὶ εἴτε ἐξουσίαι. Weiter reicht die formale Übereinstimmung indessen nicht. Der Hauptteil der Verse 19 und 20 ist von eigener und höchst komplizierter Art. Auch ohne daß man nach einem Gegenstück in V.15–18a Ausschau hält, wirft der Satz zahlreiche Fragen auf. Er ist mit Problemen geradezu gespickt.

Umstritten ist zunächst die Frage, wer oder was als Subjekt von εὐδόκησεν zu gelten habe: der folgende Ausdruck πᾶν τὸ πλήρωμα oder ein zu ergänzendes θεός?

Im ersten Fall[122], für den sich auf Kol 2,9 verweisen läßt, wäre zu übersetzen: »Denn in ihm beschloß das ganze Pleroma Wohnung zu nehmen«. Problematisch daran ist, daß die Fortsetzung mit εἰρηνοποιήσας nach einem maskulinen Subjekt verlangt und somit eine constructio ad sensum angenommen werden muß.

Im andern Fall[123] läßt sich der Satz als Acc. c. Inf. begreifen: »Denn Gott beschloß, daß in ihm das ganze Pleroma Wohnung nehme«. Problematisch daran ist, daß Gott seit V.13 nicht mehr als Subjekt genannt wurde. Außerdem ist die Konstruktion von εὐδοκεῖν mit A.c.I. im Neuen Testament sonst nicht zu belegen. *Gottlob Schrenk* stellt zwar drei Typen des neutestamentlichen Sprachgebrauchs zusammen: »1. εὐδοκεῖν ἐν mit Dat der Pers . . .; 2. εὐδοκεῖν mit Acc oder Dat der Sache . . .; 3. εὐδοκεῖν mit Inf

---

122 So: *Thomas Kingsmill Abbott*, The Epistles to the Ephesians and to the Colossians (ICC 10), 1922⁴, S. 218f.; *von Soden*, Kolosser, S. 31; *Paul Ewald*, Die Briefe des Paulus an die Epheser, Kolosser und Philemon (KNT 10), 1905, S. 333; *Käsemann*, Taufliturgie, S. 43; *Dibelius-Greeven*, Kolosser, S. 18; *Jervell*, Imago Dei, S. 222 Anm. 191; *Schweizer*, Kirche als Leib Christi, S. 294 Anm. 3; *Lohse*, Kolosser, S. 98 u.a.m.
123 So: *Joseph Barber Lightfoot*, Saint Paul's Epistles to the Colossians and to Philemon, 1904, S. 156; *Erich Haupt*, Der Brief an die Kolosser (MeyerK IX), 1902⁷, S. 37f.; *Lohmeyer*, Kolosser, S. 65; *Gottlob Schrenk*, Art. εὐδοκέω, ThWNT II, S. 736–740, dort S. 739; *Gerhard Delling*, Art. πλήρωμα, ThWNT VI, S. 297–304, dort S. 302; *Feuillet*, Le Christ Sagesse, S. 228f. u.a.m.

oder Acc mit Inf . . .«[124] Die Stellen, die er für die dritte Möglichkeit anführt (2 Kor 5,8; 1 Thess 3,1; Röm 15,26; 1 Thess 2,8; Lk 12,32; Gal 1,15; 1
Kor 1,21) belegen jedoch ṇur die einfache Infinitiv-Konstruktion. Sofern
Akkusative erscheinen, handelt es sich um solche des Objekts. Das Subjekt
der Infinitive ist durchweg mit dem des Hauptverbums identisch. Schon *von
Soden* konnte deshalb feststellen, die vielfach vorgeschlagene Deutung sei
»gegen alle Analogie, da im NT kein Beispiel vorliegt, wo εὐδόκησε und
sein Infinitiv nicht dasselbe Subjekt hätten«[125].
Aus diesem Grunde in Kol 1,19 das folgende πᾶν τὸ πλήρωμα ebenfalls als
Akkusativ des Objekts zu fassen ist jedoch schwer möglich, sofern man
daran festhält, daß der Ort des Wohnens bereits mit ἐν αὐτῷ genannt ist.
Denn nur für die Angabe des bewohnten Ortes kann κατοικεῖν einen Akkusativ bei sich haben. Bereits *Schleiermacher* spielt deshalb mit dem Gedanken, daß statt κατοικῆσαι eigentlich das transitive κατοικίσαι stehen
müßte[126]. Die Stelle wäre dann wiederzugeben: »Denn Gott beschloß, das
ganze Pleroma in ihm wohnen zu *lassen*«. Textkritisch ist jedoch für eine
solche Konjektur kein Anlaß gegeben[127], zumal in Kol 2,9 eindeutig das in-
transitive κατοικεῖν gebraucht ist.
Gegen alle drei Lösungsversuche läßt sich schließlich eine Überlegung
Schleiermachers anführen, der daran Anstoß nahm, »daß ein Hellenist soll
das ἐν αὐτῷ mit κατοικῆσαι verbunden, und es doch neben εὐδόκησε gestellt haben, da doch diese Zusammenstellung eine solenne Redensart ist
für: Gott hatte Wohlgefallen an ihm«[128]. An dieser Stelle hat neuerdings
Gerhard Münderlein wieder eingehakt und beanstandet, daß in der neueren
Exegese allgemein ἐν αὐτῷ zu κατοικῆσαι gezogen wird. »Es sollte jedoch
selbstverständlich sein, das ἐν αὐτῷ auf das unmittelbar folgende Wort zu
beziehen, wenn dies grammatikalisch möglich ist«[129]. Gegeben ist nach
seiner Meinung der von *Schrenk* unter 1. aufgeführte Sprachgebrauch:
εὐδοκεῖν ἐν mit Dat der Pers. Von den neutestamentlichen Parallelstellen
sei »bei weitem die wichtigste die Himmelstimme bei der Taufe und der
Verklärung Christi«[130]. Als Übersetzung schlägt er dementsprechend vor:
»›Denn an ihm fand die ganze Fülle Wohlgefallen‹, oder deutlicher: ›Denn
ihn erwählte sich die ganze Fülle (zur Wohnung)‹«[131]. Problematisch daran
ist, wie *Münderlein* selbst zugesteht, daß ἐν αὐτῷ zweimal benötigt wird

124 *Schrenk*, ThWNT II, S. 737f.
125 *Von Soden*, Kolosser, S. 31; vgl. *Ewald*, Kolosser, S. 333.
126 *Friedrich Schleiermacher*, Ueber Koloss.1, 15–20, ThStKr 5 (1832), S. 497–537, dort
S. 529.
127 Vgl. *Schweizer*, Kirche als Leib Christi, S. 294 Anm. 3.
128 *Schleiermacher*, a.a.O., S. 529f.
129 *Gerhard Münderlein*, Die Erwählung durch das Pleroma. Bemerkungen zu Kol.i.19,
NTS 8 (1961/62), S. 264–276, dort S. 266.
130 Ebd. S. 267.
131 Ebd. S. 267f.; ebenso *Josef Ernst*, Pleroma und Pleroma Christi. Geschichte und Deutung eines Begriffs der paulinischen Antilegomena (BU 5), 1970, S. 84.

und »zwangsläufig nicht nur auf εὐδόκησεν, sondern auch auf κατοικῆσαι bezogen werden« muß. Außerdem fehlen zunächst alle Belege für die Möglichkeit, »die Wortverbindung ἐν αὐτῷ εὐδόκησεν mit folg. Inf. zu konstruieren«[132]. Auch er hat Bedenken, diese ungewöhnliche Konstruktion einem Hellenisten anzulasten, und versucht daher, das Recht seiner Übersetzung durch einen langwierigen Rekurs auf den alttestamentlich-semitischen Hintergrund der Formulierung zu erweisen[133]. Wie immer es damit stehen mag, zu konstatieren bleibt, daß bei diesem Vorschlag wieder πᾶν τὸ πλήρωμα als Subjekt erscheint und damit der Einwand gegen die zuerst genannte Lösung erneuert werden kann: Das participium coniunctum in V.20b setzt ein maskulines Subjekt voraus. – Der Kreis, in dem sich die Argumentation bewegt hat, dürfte deutlich machen, daß keiner der Vorschläge, wie Kol 1,19 aufzulösen sei, grammatikalisch wirklich befriedigend ist.

Kaum geringer sind die Schwierigkeiten, mit denen die Wiedergabe von V.20 zu kämpfen hat. Denn die Frage nach dem Subjekt ist auch für die Verbformen ἀποκαταλλάξαι und εἰρηνοποιήσας zu stellen. Um mit der schon mehrmals erwähnten zweiten zu beginnen: Die Formulierung »Frieden stiftend durch das Blut seines Kreuzes« läßt zunächst daran denken, daß hier Christus das handelnde Subjekt ist[134]. Da sein Kreuz genannt ist, hätte er auch den Frieden gestiftet, zumal das Subjekt von V.18b ebenfalls Christus ist. Dazwischen steht allerdings der rätselvolle Vers 19, und beachtet man, daß der Partizipialsatz in V.20b fortgesetzt wird mit δι᾿ αὐτοῦ, gerät solche Deutung ins Wanken. In der Verbindung »Frieden stiftend durch ihn« kann nicht mehr Christus selbst das handelnde Subjekt sein, sondern nur ein anderer, der durch ihn handelt. Dasselbe gilt für die Formulierung »durch ihn zu versöhnen« in V.20a. Was liegt näher, als an Gott zu denken? »Gott hat diesen Frieden gestiftet, indem er Christus sendete«, interpretiert *Schleiermacher*[135]. Damit scheinen jene recht zu bekommen, die sich schon in V.19 für die Einfügung von θεός entschieden haben, zumal auch der anschließende V.20a für ihre Auffassung herangezogen werden kann. Der Infinitiv ἀποκαταλλάξαι hat als Objekt τὰ πάντα bei sich. Wer an πᾶν τὸ πλήρωμα als Subjekt des Satzes festhält, muß behaupten, daß die ganze Fülle das All versöhnt. Aber ist *Schweizers* Einwand gegen diese, seine eigene Auffassung nicht gewichtiger, als er selber zugibt: »πλήρωμα als Subjekt des ἀποκαταλλάξαι ist von τὰ πάντα als Objekt nicht leicht zu unterscheiden«[136]?

Zusammenfassend kann jedenfalls festgestellt werden, daß für das syntakti-

---

132   *Münderlein*, a.a.O., S. 268.
133   Ebd. S. 268–271.
134   So: *Johann Christian Konrad von Hofmann*, Die Briefe Pauli an die Kolosser und an Philemon (Die heilige Schrift neuen Testaments IV/2), 1870, S. 27. Von *Hofmann* hält an diesem Subjekt auch in V. 21–23 fest (ebd. S. 29ff.).
135   *Schleiermacher*, Ueber Koloss.1,15–20, S. 527.
136   *Schweizer*, Kirche als Leib Christi, S. 294 Anm. 3.

sche Monstrum von V.19 f. insgesamt drei Subjekte in Betracht kommen: das Pleroma, Gott und Christus. Beurteilt man in V.20b »durch das Blut seines Kreuzes« als später eingedrungene Glosse, verbleiben noch das Pleroma und Gott.

– Sollte der Streit wirklich nur so zu schlichten sein, daß man erklärt, πᾶν τὸ πλήρωμα meine »nichts anderes als die göttliche Fülle in ihrer Gesamtheit«[137], der Ausdruck sei eine »Umschreibung Gottes«[138] und die constructio ad sensum deshalb ohne weiteres verständlich? Zu überlegen wäre, ob nicht – wie im Falle von V.20b – auch eine literarkritische Lösung möglich ist, die verschiedene Schichten des Textes aufzeigt.

Im übrigen gibt nicht nur das für V.19 und 20 anzunehmende Subjekt zahlreiche Fragen auf. Dasselbe gilt für die Objekte in V.20a und c, und die präpositionalen Bestimmungen in V.20a und b schließen sich an. In V.20a ist ja nicht nur zu klären, *wer* versöhnt, sondern auch *wen* und mit *wem* der Betreffende versöhnt. Daß die Versöhnung τὰ πάντα betrifft, ist klar. Aber ist die Meinung, daß das All in sich zerfallen war und deshalb versöhnt werden mußte? Wurden »seine widerstreitenden Elemente . . . pazifiziert«[139]? Oder wurde das All mit einem anderen, etwa mit Gott als dem möglichen Subjekt des ἀποκαταλλάξαι versöhnt? Denkbar ist natürlich außerdem, daß beides zugleich ausgesagt werden soll. Kompliziert wird die Lage schließlich durch die präpositionale Bestimmung »auf ihn hin«. Von wem ist hier die Rede? Sollte das vorausgehende »durch ihn« ebenso wie die gleichlautende Angabe am Ende von 20b auf Christus gehen, kann »auf ihn hin« dazwischen kaum anders aufgefaßt werden. Neben dem Subjekt und dem Objekt der Versöhnung wäre demnach noch ein dritter Partner berücksichtigt.

Zu fragen ist endlich, wie sich zu dieser Versöhnung der Friede verhält, von dem der folgende Partizipialsatz handelt. Ist hier mit anderen Worten noch einmal dasselbe gesagt? Oder meint εἰρηνοποιήσας eine vorausgehende Aktion, die möglicherweise andere Kontrahenten betraf? Ging der kosmischen Versöhnung vielleicht der Friedensschluß Gottes mit den Menschen voran[140]? Merkwürdig ist andererseits die Fortführung des Partizipialsatzes durch die disjunktive Formulierung: εἴτε τὰ ἐπὶ τῆς γῆς εἴτε τὰ ἐν τοῖς οὐρανοῖς (V.20c). Bedeutet dies, daß der Friede zwischen Erde und Himmel geschlossen wurde, wofür *Augustin* angeführt werden könnte: »Pacificantur caelestia cum terrestribus et terrestria cum caelestibus«[141]? Friede und Versöhnung des Alls fielen dann zusammen. Oder bringt die Schlußzeile gar kein wirkliches Objekt zu εἰρηνοποιήσας, sondern umschreibt die Reichweite des neuen Friedens, der im Himmel wie auf Erden anbricht?

---

137 *Lohse*, Kolosser, S. 98.
138 *Dibelius-Greeven*, Kolosser, S. 18.
139 *Käsemann*, Taufliturgie, S. 43.
140 Vgl. *Wilhelm Michaelis*, Versöhnung des Alls, 1950, S. 26.
141 *Aurelius Augustinus*, Enchiridion de Fide, Spe et Caritate. Text und Übersetzung mit Einleitung und Kommentar herausgegeben von *Joseph Barbel*, 1960, § 62; vgl. dazu die Diskussion bei *Haupt*, Kolosser, S. 40f.; *Ewald*, Kolosser, S. 334f.

Zwischen welchen Parteien wäre er dann geschlossen worden? Sollte gar der Gedanke an feindselige Engelmächte hereinspielen[142]? – Der Fragen ist hier fast kein Ende! Freilich, so gut wie Himmel und Erde können auch Alternativen miteinander versöhnt werden. Es bedarf dazu nur einer weitgreifenden Formulierung, wie sie beispielsweise *Lohse* bietet: »Dieser Friede, den Gott durch Christus gestiftet hat, schließt das All wieder zur Einheit zusammen und hält die wiederhergestellte Schöpfung in der Versöhnung mit Gott fest«[143]. Aber sind damit die anstehenden Fragen wirklich geklärt?

Bei allen diesen Erwägungen, wie die Versöhnung des näheren zu fassen sei, ist die größte Schwierigkeit der Stelle noch gar nicht zur Sprache gekommen. Sie ist nicht grammatikalischer, sondern sachlicher Art und läßt sich in die Frage fassen: Weshalb ist hier überhaupt von Versöhnung und neuem Frieden die Rede? Kol 1,15 handelt vom Erstgeborenen aller Schöpfung, und V.16a erklärt, daß in ihm das All geschaffen wurde. In den folgenden Zeilen wird dieses Thema näher ausgeführt: Das All umfaßt Himmel und Erde, Sichtbares und Unsichtbares sowie alle nur denkbaren Mächte; durch den Erstling geschaffen, hat es auch in ihm seinen Bestand, und er ist das Haupt des Ganzen. Irgendeine Störung dieser großartigen Harmonie ist nicht im geringsten angedeutet! Gleichwohl sprechen Kol 1,19 und 20 von einer umfassenden Versöhnung. Besonders hart empfand *Hegermann* diesen Widerspruch und sprach sogar von einer »unlösbaren Schwierigkeit«[144]. Das Ärgernis ist in der Tat beträchtlich und betrifft gleichermaßen die Auslegung der Briefstelle wie die Rekonstruktion und Deutung der vermuteten Vorlage. Es macht auch keinen Unterschied, ob man den Umfang der ersten Liedstrophe enger oder weiter bestimmt, ob man eine Zwischenstrophe annimmt oder mit einer größeren Zahl sekundärer Einzelzeilen rechnet. Die Aussage bleibt im wesentlichen dieselbe, da nicht daran zu zweifeln ist – und auch noch nie bezweifelt wurde –, daß V.16a zur Vorlage zu rechnen ist. Die weiteren Zeilen variieren nur das angeschlagene Thema. Mag die eine oder andere von ihnen nachträglich hinzugekommen sein, indem man sie tilgt, ist die genannte Schwierigkeit nicht behoben. Denn die Andeutung einer Entzweiung oder eines Abfalls der ursprünglichen Schöpfung kommt auch zwischen den Zeilen nicht in Sicht. Mutatis mutandis gilt somit für alle vorliegenden Rekonstruktionsversuche die Frage *Schnackenburgs*: »Wie kann von einer Versöhnung des Alls die Rede sein, wenn Christus schon seit Schöpfungsanfang das alles tragende, zusammenfassende und beherrschende Haupt der Welt ist?«[145]

---

142 Vgl. dazu *Johann Michl*, Die »Versöhnung« (Kol 1,20), ThQ 128 (1948), S. 442–462; *Benjamin Nestor Wambacq*, »Per eum reconciliare . . . quae in caelis sunt« (Col 1,20), RB 55 (1948), S. 35–42.
143 *Lohse*, Kolosser, S. 101.
144 *Hegermann*, Schöpfungsmittler, S. 106.
145 *Schnackenburg*, Aufnahme des Christushymnus, S. 38; vgl. *Kehl*, Christushymnus, S. 41 Anm. 32 und S. 115; *Schweizer*, Kolosser I,15–20, S. 22; *Lähnemann*, Kolosserbrief, S. 40.

Dennoch bleibt zu konstatieren: V.20a wird von der neueren Forschung in seltener Einmütigkeit zur hymnischen Vorlage gerechnet – allen formalen, grammatikalischen und sachlichen Problemen, die hier aufbrechen, gleichsam zum Trotz. Die Folge davon ist, daß keine der vorgelegten Rekonstruktionen wirklich das Ziel erreicht hat, das unter Berufung auf die genau korrespondierenden Zeilen in Kol 1,15 f. und 18 f. angestrebt wurde. Und was noch schwerer wiegt: Die Aussage der hymnischen Strophen ergibt einen Widerspruch! Ist es wirklich geboten, sich mit dieser Lage abzufinden und nach Gründen dafür zu suchen, weshalb der Hymnus nur so und gar nicht anders aufgebaut sein kann[146]? Zuvor sei versucht, ob der gordische Knoten von Kol 1,19 f. nicht mit einem Gewaltstreich gelöst werden kann. Welche Folgen er zeitigt, wird sich zeigen.

Das doppelte Kompositum ἀποκαταλλάσσειν von V.20a findet sich im Neuen Testament – abgesehen von der Reprise in Kol 1,22 – nur noch in Eph 2,16. Nach fast allgemeiner Auffassung, die hier nicht bestritten werden soll, war das Schreiben an die Kolosser dem Verfasser des Epheserbriefes bekannt[147]. Im Blick auf Kol 1,20 läßt sich daher mit _Schweizer_ argumentieren: »Eph. 2,16 ist davon abhängig«[148]. Andererseits haben gerade die Darlegungen von Eph 2,11–18, innerhalb deren das auffallende Verbum und dazuhin das Stichwort εἰρήνη begegnet, im Kolosserbrief keine wirkliche Parallele. Die eigentümlichen Schwierigkeiten dieses Abschnittes haben zudem den Verdacht aufkommen lassen, daß auch hier ein älterer liturgischer Text aufgegriffen und bearbeitet sein könnte[149]. Ohne der genauen Analyse vorzugreifen[150], läßt sich erkennen, daß die beiden Stichworte im Zusammenhang kosmologischer Aussagen auftauchen, die nicht das eigentliche Anliegen des Briefschreibers ausmachen. _Schille, Sanders, Wengst_ und _Joachim Gnilka_ sind der Sache nachgegangen und haben versucht, aus dem Kontext eine hymnische Vorlage herauszulösen[151]. Nach der Meinung von _Schille, Sanders_ und _Wengst_ handelte sie von »Friede« und »Versöhnung«[152], ohne doch mit dem Hymnus in Kol 1 identisch zu sein. Daß der

---

146 Vgl. dazu _Gabathuler_, Christushymnus, S. 141; _Hegermann_, Schöpfungsmittler, S. 109.
147 Vgl. _Werner Georg Kümmel_, Einleitung in das Neue Testament, 1973[17], S. 316ff.
148 _Schweizer_, Kolosser I, 15–20, S. 28 Anm. 89; vgl. ders., Kirche als Leib Christi, S. 304f.
149 Vgl. _Heinrich Schlier_, Der Brief an die Epheser, 1968[6], S. 123; _Käsemann_, Art. Epheserbrief, RGG II, 1958[3], Sp. 517–520, dort Sp. 519.
150 Siehe unten S. 117–133.
151 _Schille_, Hymnen, S. 24–31; _Sanders_, Hymnic Elements in Ephesians 1–3, ZNW 56 (1965), S. 214–232, dort S. 216–218; ders., Christological Hymns, S. 14f. und 88–92; _Wengst_, Formeln und Lieder, S. 181–186; _Joachim Gnilka_, Christus unser Friede – ein Friedens-Erlöserlied in Eph 2,14–17. Erwägungen zu einer neutestamentlichen Friedenstheologie, in: Die Zeit Jesu. Festschrift für Heinrich Schlier, 1970, S. 190–207; ders., Der Epheserbrief (HThK X,2), 1971, S. 138–152.
152 Ebenfalls zur liturgischen Tradition rechnet _Käsemann_ die Rede von der Versöhnung: _Käsemann_, Erwägungen zum Stichwort »Versöhnungslehre im Neuen Testament«, in: Zeit

Briefschreiber das Stichwort ἀποκαταλλάσσειν einfach dem Kolosserbrief entlehnte, ist damit in Frage gestellt.

Beachtung verdient ferner, daß gerade die Untersuchung des liturgischen Gutes im Epheserbrief neuerlich vor die Frage führte, ob nicht vielleicht doch der Epheserbrief dem Kolosserbrief vorzuordnen sei. So weisen *Schille* und *John Coutts* darauf hin, daß hie und da Formulierungen des Epheserbriefes vor den entsprechenden des Kolosserbriefes die Priorität zu haben scheinen[153]. Ist es auch kaum gerechtfertigt, aus dieser Beobachtung Folgerungen für die Abfassung der ganzen Briefe zu ziehen, könnten doch unterschwellig andere Beziehungen vorliegen, als sie für die ausgeführten Episteln gelten. In dieselbe Richtung weist die Bemerkung *Greevens*, daß »beide von einer Tradition bestimmt sind, die auch in dem ›jüngeren‹ Eph getreuer reproduziert sein kann«[154]. Im Einzelfall könnte somit durchaus eine im Epheserbrief auftauchende Formulierung für ähnliche Aussagen des Kolosserbriefes das Vorbild abgegeben haben oder von dessen Autor übernommen worden sein. Da der von »Versöhnung« und »Frieden« handelnde Passus in Kol 1,20 größte syntaktische und sachliche Schwierigkeiten aufwirft, dieselben Stichworte aber in Eph 2,14 ff. Bestandteile eines anderen traditionellen Textes zu sein scheinen, könnte hier ein solcher Fall gegeben sein. Geht man diesem Gedanken nach, läßt sich für Kol 1 die These aufstellen: Hinter den Aussagen von Kol 1,20a und b steht ein liturgischer Text, der im Epheserbrief wiederbegegnet; mit dem Hymnus, der in Kol 1,15 ff. aufgenommen ist, haben die beiden Zeilen ursprünglich nichts zu tun, sondern stellen in diesem Zusammenhang einen Fremdkörper dar. – Die Frage ist, ob sich diese Dreingabe so herausnehmen läßt, daß die ursprüngliche Gestalt des Kolosser-Hymnus wieder klar zutage tritt.

Die Verknüpfung mit dem jetzigen Kontext besteht einerseits darin, daß von εὐδόκησεν in V.19 neben κατοικῆσαι auch der zweite Infinitiv ἀποκαταλλάξαι in V.20a abhängig ist. Der Partizipialsatz von V.20b mündet andererseits in den Merismus von V.20c: εἴτε τὰ ἐπὶ τῆς γῆς εἴτε τὰ ἐν τοῖς οὐρανοῖς. Unklar ist dabei, ob diese Formulierung zusätzlich zu dem inneren Objekt von εἰρηνο–ποιήσας ein weiteres Objekt darstellt oder nur eine lose angefügte Ortsbestimmung bringt. So oder so ist die syntaktische Verflechtung mit dieser Fortsetzung weniger eng als die Verbindung von V.20a mit dem vorangehenden Vers 19. Das Verbum finitum in V.19 bildet gleichsam den Pflock, an den der fragliche Passus festgebunden ist. Genau an dieser Stelle beginnen aber die formalen und logischen Schwierigkeiten des ὅτι-Satzes als Bestandteil der hymnischen Vorlage. Problematisch ist nicht nur die Zuordnung von ἐν αὐτῷ und εὐδόκησεν, strittig ist vor allem

---

und Geschichte. Dankesgabe an Rudolf Bultmann, 1964, S. 47–59, dort S. 48f.; *Gnilka*, Epheser, S. 149, dagegen betrachtet Eph 2,16a nicht als Teil der hymnischen Vorlage.
153 *Schille*, Der Autor des Epheserbriefes, ThLZ 82 (1957), Sp. 325–334, dort Sp. 332f.; *John Coutts*, The Relationship of Ephesians and Colossians, NTS 4 (1957/58), S. 201–207.
154 *Dibelius-Greeven*, Kolosser, S. 113.

die Rolle, die πᾶν τὸ πλήρωμα in diesem Satzteil spielt[155]. Der Gedanke drängt sich auf, daß mit dem Fremdkörper auch der Pflock zu entfernen sein könnte, der in die Zeile hineingetrieben wurde. Löst man das εὐδόκησεν aus V. 19 heraus, bietet sich zum Ersatz das abgedrängte κατοικῆσαι an, das die inhaltlich entscheidende Aussage bringt. Dennoch dürfte *Robinson* kaum recht haben, wenn er anstelle von εὐδόκησεν unter Berufung auf Kol 2,9 nun κατοικεῖ als Hauptverbum einführt[156]. Das Präsens will sich der Umgebung nicht recht einfügen. Nicht nur der korrespondierende ὅτι-Satz in V.16a ist im Aorist formuliert, auch εὐδόκησεν und κατοικῆσαι sind Formen des Aorists. Wenn in dem Infinitiv das ursprüngliche verbum finitum aufgehoben sein sollte, liegt es näher zu rekonstruieren: ὅτι ἐν αὐτῷ κατῴκησεν πᾶν τὸ πλήρωμα. Das Subjekt dieses Satzes ist eindeutig »die ganze Fülle«. Und mühelos kann – unter Umgehung von V.20a und b – daran V.20c unmittelbar angeschlossen werden. Die abschließende Wendung ist dann freilich nicht mehr als Akkusativ, sondern als distributiver Nominativ aufzufassen. Was mit der ganzen Fülle gemeint ist, wird erläutert: »sowohl das was auf Erden als auch das was im Himmel ist«. Es ergibt sich eine Stilfigur, wie sie auch V.16 aufweist.
Blickt man nach dieser Operation zurück auf die Verse 15–18a und achtet auf die Korrespondenzen zwischen beiden Textabschnitten, schälen sich fast von selbst zwei gleichgebaute Strophen heraus. Könnte der Hymnus nicht einmal folgende Gestalt gehabt haben?

ὅς ἐστιν εἰκών,
πρωτότοκος πάσης κτίσεως,
ὅτι ἐν αὐτῷ ἐκτίσθη τὰ πάντα,
τὰ ὁρατὰ καὶ τὰ ἀόρατα.

ὅς ἐστιν ἀρχή,
πρωτότοκος ἐκ τῶν νεκρῶν,
ὅτι ἐν αὐτῷ κατῴκησεν πᾶν τὸ πλήρωμα,
εἴτε τὰ ἐπὶ τῆς γῆς εἴτε τὰ ἐν τοῖς οὐρανοῖς.

Gewonnen ist mit diesem Text vorerst nicht mehr als eine Arbeitshypothese. Zunächst muß im einzelnen geprüft werden, ob es stichhaltige Gründe gibt, die übergangenen Partien von Kol 1,15–20 als Erweiterung der hymnischen Vorlage anzusehen. Die Frage stellt sich vor allem im stark gekürzten ersten Teil des Abschnittes. Und falls die Betrachtung solche Gründe liefert, muß gleichsam als Gegenprobe geprüft werden, ob der hymnische Text in seinem angenommenen Umfang eine in sich verständliche Aussage macht. Sollte dies nicht der Fall sein und der postulierte Text nur in Verbindung mit den »sekundären« Partien einen klaren Sinn ergeben, könnte die Rekon-

---

155 Vgl. oben S. 19ff.
156 . *Robinson*, Formal Analysis, S. 276f.; vgl. oben S. 17.

struktion des Hymnus nicht als gelungen gelten. Erst wenn diese Frage geklärt ist, kann schließlich untersucht werden, welche Auffassung und Absicht bei der Bearbeitung des Liedes federführend war.
Kurzerhand übergangen wurde im zweiten Teil von Kol 1,15–20 lediglich V.18d. Daß der ἵνα-Satz schon seit langem kritisch betrachtet wird, wurde bereits erwähnt[157]. Für die Eliminierung ausschlaggebend ist jedoch nicht allein das Fehlen eines Gegenstückes in V.15 f. Ebensoviel Gewicht kommt der Beobachtung zu, daß der Finalsatz aus seinem unmittelbaren Kontext herausfällt. – Nach V.18b und c ist Christus »Anfang« und »Erstgeborener von den Toten«. V.18d setzt hinzu: ἵνα γένηται ἐν πᾶσιν αὐτὸς πρωτεύων. Merkwürdig daran berührt, »daß es nicht heißt ἵνα ᾖ, sondern ἵνα γένηται, was zu den beiden ersten Aussagen nicht wohl paßt«[158]. Es entsteht der Eindruck, als falle der Nebensatz hinter die zuvor getroffene Feststellung zurück. Ist denn nicht bereits Realität, was hier als Ziel genannt wird, wenn Christus der »Erstgeborene« schon ist? Entkräften läßt sich dieser Einwand mit der Erklärung *von Sodens*, das neutestamentliche Hapaxlegomenon πρωτεύων bringe mehr zum Ausdruck als πρωτότοκος, »indem es das Moment des Primates mit dem des Primus verbindet«[159]. Zu fragen ist dann allerdings: Primat in welchem Kreise? Wenn wirklich an »alle die Einzelwesen von den (V.)16 detaillierten Himmelswesen an bis zu den Gliedern der ἐκκλησία 18a und zu den νεκροί 18b« gedacht sein sollte[160] oder auch nur an die zuletzt Genannten, kann ἐν πᾶσιν kaum anders als maskulinisch aufgefaßt werden[161]. Doch fällt damit die Angabe aus dem Rahmen der übrigen Darlegungen heraus, die um τὰ πάντα kreisen. Hinzuzurechnen ist hier das artikellose πρὸ πάντων in V.17a, das aufgrund seiner Stellung zwischen den All-Aussagen von V.16d und 17b ebenfalls als Neutrum aufzufassen sein dürfte. Aber läßt sich darum mit *Haupt* dekretieren: »Der Zusammenhang zeigt auch, daß ἐν πᾶσιν nicht Maskulinum sein kann«[162]? Zum Zusammenhang gehört schließlich ebenso, daß unmittelbar zuvor die Toten genannt sind! – Nur eine Ausflucht ist es, ἐν πᾶσιν rein formal zu nehmen und zu erklären, es sei »natürlich zu umschreiben mit: in allen Stücken, *also auch hierin*«[163]. Kaum verbinden läßt sich damit der Gedanke einer Herrschaftsstellung gegenüber anderen.
Hinzu kommt eine weitere Schwierigkeit: Auf den ἵνα-Satz folgt mit V.19 der ὅτι-Satz in einer Position, die nicht recht deutlich werden läßt, worauf sich die gegebene Begründung nun eigentlich bezieht: auf die Feststellung

---

157 Siehe oben S. 15f.
158 *Ewald*, Kolosser, S. 317; vgl. *von Soden*, Kolosser, S. 30.
159 *Von Soden*, Kolosser, S. 30.
160 Ebd.
161 Vgl. *Schlier*, Christus und die Kirche im Epheserbrief (BHTh 6), 1930, S. 55f. Anm. 1.
162 *Haupt*, Kolosser, S. 36; auch *von Soden*, Kolosser, S. 30, kann schließlich nicht umhin, »πᾶσιν neutrisch zu deuten«; ebenso *Hegermann*, Schöpfungsmittler, S. 103; *Lohse*, Kolosser, S. 97.
163 *Ewald*, Kolosser, S. 332.

von V.18b und c: »welcher der Anfang ist, der Erstgeborene von den Toten«, oder auf das in V.18d genannte Ziel: »damit er unter allen der erste
werde«? Die Meinungen gehen auseinander. Stimmt man zu, »daß nicht
der ἵνα-Satz, sondern die Aussage ὅς ἐστιν κτλ begründet werden soll«[164],
läßt man in der Tat den »Begründungssatz V.19 f. übel nachschleppen«[165].
Wenig befriedigend ist jedoch auch die gegenteilige Auffassung: »Also kann
das ὅτι sich nur auf den Finalsatz 18c beziehen, d. h. es soll das ἐν πᾶσιν begründet werden«[166]. Dagegen spricht, daß der korrespondierende ὅτι-Satz
in V.16 einer prädikativen Aussage zugeordnet ist. Bereits *Schleiermacher*
sah sich aufgrund dieser Umstände genötigt, den Finalsatz als eine Parenthese von seinem unmittelbaren Kontext zu distanzieren[167]. Geht man davon aus, daß in Kol 1,15–20 ein vorgegebener Text zugrunde liegt, kann
dieses Urteil dahingehend präzisiert werden, daß die Parenthese einen
kommentierenden Zusatz darstellt.
An Zahl und Umfang größer sind die Partien, die im ersten Teil des Abschnittes ausgeklammert wurden. Dies entspricht zwar dem Stand der Diskussion zu Kol 1,15–18a[168], doch geht die Arbeitshypothese über die bisherigen Vorschläge, den Text zu reduzieren, noch hinaus.
Fast einem Sakrileg kommt es gleich, den Bestand von V.15a anzutasten: ὅς
ἐστιν εἰκών – τοῦ θεοῦ τοῦ ἀοράτου. *Lohmeyer* konnte erklären: »›Bild
des unsichtbaren Gottes‹! Diese erste Trias ist in jedem ihrer Worte wichtig«[169]. Der Vorschlag, von dieser theologisch programmatischen Formulierung nur die ersten drei Worte dem Hymnus zuzurechnen und die folgenden als Interpretation zu fassen, steht im Widerspruch zu allen bisherigen Rekonstruktionsversuchen[170]. Gleichwohl ist er nicht nur einem formalen Purismus entsprungen. Zu den formalen Argumenten, die auf das
Ebenmaß der Strophen achten, gesellen sich wieder solche, die den gedanklichen Zusammenhang der Worte mit dem nächsten Kontext ins Auge fassen.
Eine Tatsache ist, daß zwar der Auftakt von V.15 »welcher das Bild ist« im
korrespondierenden Vers 18 mit »welcher der Anfang ist« ein Gegenstück
findet, nicht jedoch die Fortsetzung: »des unsichtbaren Gottes«. *Harder*
empfand diese Unregelmäßigkeit als solchen Anstoß, daß er in V.18b zu ὅς

---

164 *Von Soden*, Kolosser, S. 30.
165 *Ewald*, Kolosser, S. 317.
166 *Haupt*, Kolosser, S. 38.
167 *Schleiermacher*, Ueber Koloss. 1,15–20, S. 502.
168 Siehe oben S. 9–11.
169 *Lohmeyer*, Kolosser, S. 54.
170 Nur *Ernst*, Pleroma und Pleroma Christi, S. 75, ordnet in einer tabellarischen Aufglie-
derung des Textes die Worte τοῦ θεοῦ τοῦ ἀοράτου der Spalte »Ergänzungen« zu. Begründet
wird diese Entscheidung nicht. Ausschlaggebend ist für *Ernst* offenbar die formale Parallele
V. 18b. Bei der Besprechung des Hymnus weicht er dann allerdings von seiner Tabelle ab und
beansprucht für den Hymnus die christologische Hoheitsaussage ›Bild *Gottes*‹ (ebd. S. 77);
vgl. ders., Anfänge der Christologie (SBS 57), 1972, S. 67f.

ἐστιν ἀρχή ergänzte: τῆς καινῆς κτίσεως[171]. Wer sich dazu nicht bereitfinden kann und doch nicht hinnehmen will, daß die Eröffnung der zweiten Strophe kaum halb so lang gerät wie die der ersten, kann versuchen, sich auf andere Weise aus der Affäre zu ziehen. So nimmt etwa *Hegermann* V.18b und c zusammen und gewinnt als eine Zeile:

ὅς ἐστιν ἀρχή, πρωτότοκος ἐκ τῶν νεκρῶν[172].

Problematisch daran ist, daß nun die zweite Zeile in der ersten Strophe, πρωτότοκος πάσης κτίσεως verwaist ist. Den umgekehrten Weg wählt *Kehl*. Er verteilt den zu lang geratenen Vers 15a auf zwei Zeilen:

ὅς ἐστιν εἰκὼν
τοῦ θεοῦ τοῦ ἀοράτου[173].

Doch wird der Anstoß damit nur noch größer. Die Rede vom Erstgeborenen bildet nun einmal die dritte, dann die zweite Zeile einer Strophe, und außerdem soll die abhängige Genitivverbindung eine eigene Zeile abgeben. – So fragwürdig alle drei Versuche sein mögen, bringen sie doch zum Bewußtsein, daß zumindest einen Schönheitsfehler in Kauf nimmt, wer mit der Mehrzahl der Exegeten den ganzen V.15a als erste Zeile faßt und ihr mit V.18b nur ὅς ἐστιν ἀρχή gegenüberstellt.

Nicht so leicht zu nehmen sind die Schwierigkeiten, vor die sich die Auslegung von V.15a im Blick auf den unmittelbaren Kontext gestellt sieht. Noch ins Grenzgebiet zwischen formaler und inhaltlicher Betrachtung gehört die Beobachtung, daß *Schille* V.15a übersetzt: »welcher ist Abbild des unsichtbaren Gottes« und V.18b wiedergibt: »welcher ›Anfang‹ ist«[174]. Indem er den Hauptbegriff der späteren Zeile in Anführungszeichen setzt, macht er deutlich, daß ἀρχή in anderer Weise ein Christusprädikat ist als εἰκών. Während ἀρχή absolut steht wie ein Eigenname, folgt bei εἰκών die nähere Angabe τοῦ θεοῦ τοῦ ἀοράτου und läßt eine ganz spezifische Aussage entstehen. Umstritten ist allerdings, wie sie genau zu fassen ist und wem sie gilt. Zum einen muß geklärt werden, ob Christus hier als Präexistenter, Inkarnierter oder Erhöhter angesprochen ist. Auf eine Alternative gebracht: Ist er Gottes εἰκών als λόγος ἄσαρκος oder λόγος σαρκωθείς[175]? Zum andern muß bedacht werden, was dieses Prädikat zum Ausdruck bringen soll. Ist Christus als εἰκών – gemäß der spekulativen Tradition von *Origenes* bis *Schleiermacher*[176] – die unsichtbare idea omnium rerum, oder ist er – mit

171 *Harder*, Paulus und das Gebet, S. 48.
172 *Hegermann*, Schöpfungsmittler, S. 93; ebenso, doch im Zusammenhang einer anderen Gliederung: *Lohmeyer*, Kolosser, S. 41; *Masson*, Colossiens, S. 105.
173 *Kehl*, Christushymnus, S. 37.
174 *Schille*, Hymnen, S. 81.
175 Vgl. *Abbott*, Colossians, S. 209; *Ewald*, Kolosser, S. 319.
176 Vgl. *Haupt*, Kolosser, S. 31.

Grotius zu sprechen[177] – Dei inadspecti adspectabilis imago? Die beiden Fragen sind eng miteinander verquickt.

Die zweite Frage wird von der neueren Exegese zumeist dahingehend beantwortet, daß εἰκών das sichtbare Abbild meine, wobei ausdrücklich auf die »Ebenbürtigkeit der εἰκών mit dem Original« hingewiesen werden kann[178]. Christus ist dann Gottes »Medium, in welchem er selbst sichtbar wird«[179], »die Epiphanie des unsichtbaren Gottes«[180], »die Sichtbarwerdung des unsichtbaren Gottes«[181] oder wie immer man den Gedanken formulieren mag[182]. Für diese Deutung läßt sich nicht nur der verbreitete Sprachgebrauch von εἰκών = Abbild und die paulinische Ausführung 2 Kor 4,3–6 anführen, sondern auch der Umstand, daß in Kol 1,15 Gott ausdrücklich als »unsichtbar« bezeichnet wird. E contrario ist damit die Frage der Offenbarung angeschnitten. »Erfordert der Begriff ἀόρατος, wie jeder betonte Begriff, einen Gegensatz . . ., ist der Gedanke, daß in Christo der an sich unsichtbare Gott *für uns* offenbar werde«[183].

Schwierig wird bei diesem Verständnis allerdings die Beantwortung der ersten Frage. Es liegt nahe, aus dem Gedanken der Epiphanie, Offenbarung und Sichtbarwerdung die Konsequenz zu ziehen, daß Christus in seiner irdischen Existenz, als λόγος σαρκωθείς, gemeint sei. Denn wie könnte er als Unsichtbarer zur Epiphanie Gottes werden? Man kann *Benoit* schwer widersprechen, wenn er ausführt: »C'est cet être concret, incarné, qui est ›image de Dieu‹ en tant qu'il reflète dans une nature humaine et visible l'image du Dieu invisible«[184]. Dennoch ist hier Zurückhaltung geboten. Zu eindeutig spricht der Kontext gegen solche Konsequenz. Auch *Benoit* bemerkt kurz zuvor zu V.15: »Paul parle bien du Christ dans sa préexistence«[185]. Christus erhält das Prädikat εἰκών als der »Erstgeborene aller Schöpfung«, und V.16a fährt fort: »denn in ihm wurde das All geschaffen«. Zur Erklärung dieses Zusammenhanges bieten sich die jüdischen Spekulationen über den Schöpfungsmittler an, nach denen dieser ebenfalls die Eikon Gottes ist[186]. Nur läßt sich nicht behaupten, daß der präexistente

---

177 *Hugo Grotius*, Annotationes in Novum Testamentum II,1, 1756, S. 672; vgl. *Haupt*, Kolosser, S. 24.
178 *Gerhard Kittel*, Art. εἰκών, ThWNT II, S. 380–386. 391–396, dort S. 394; ähnlich *Lohse*, Imago Dei bei Paulus, in: Libertas Christiana. Friedrich Delekat zum 65. Geburtstag (BEvTh 26), 1957, S. 122–135, dort S. 126.
179 *Von Soden*, Kolosser, S. 27.
180 *Dibelius-Greeven*, Kolosser, S. 12.
181 *Schweizer*, Kolosser I,15–20, S. 15.
182 Vgl. *Abbott*, Colossians, S. 210; *Heinrich Rendtorff*, Der Brief an die Kolosser (NTD II,8), 1933, S. 96; *Masson*, Colossiens, S. 98; *Lohse*, Imago Dei, S. 127; *Ernest Findlay Scott*, The Epistles of Paul to the Colossians, to Philemon and to the Ephesians (Moffatt, NTC), 1958⁹, S. 21.
183 *Haupt*, Kolosser, S. 24; vgl. *Abbott*, Colossians, S. 210.
184 *Benoit*, Colossiens, S. 57 Anm. b.
185 Ebd.
186 Vgl. dazu vor allem: *Hegermann*, Schöpfungsmittler, S. 96–100; ferner: *Hans-Fried-*

Schöpfungsmittler sichtbar wäre. Sichtbar ist allenfalls die Schöpfung, doch wird in Kol 1,15 ja der Mittler und nicht sein Werk als εἰκών vorgestellt. Von daher muß gefragt werden, ob in solchem Zusammenhang wirklich das Moment der Sichtbarkeit im Vordergrund steht und ob εἰκών tatsächlich nur das Abbild sein kann, in dem ein Urbild manifest wird. Nach den begriffsgeschichtlichen Untersuchungen von *Hans Willms* und *Friedrich-Wilhelm Eltester* kann sich das Verhältnis auch umkehren.»Von der ursprünglichen Bedeutung ›Abbild‹ entwickelt sich Eikon über die Bedeutung ›Bild‹ zur Bedeutung ›Vorbild‹«[187]. Bezeichnenderweise begegnet dieser Sprachgebrauch bei *Philo von Alexandria* im Zusammenhang kosmologischer Spekulationen.

Aus der Fülle von Belegen, die *Willms, Eltester, Jervell* und *Hegermann* zusammengestellt haben[188], seien nur einige besonders charakteristische herausgegriffen. Nach Philo gebühren der himmlischen Weisheit die Prädikate ἀρχή und εἰκών (Leg.All. I 43; vgl. Sap 7,26). Desgleichen kann der Logos als ἀρχή (Conf.Ling.146) und θεοῦ εἰκών (Conf.Ling.147; 97) bezeichnet werden. Im Blick auf seine Rolle bei der Schöpfung wird gelegentlich festgestellt: ὥσπερ γὰρ ὁ θεὸς παράδειγμα τῆς εἰκόνος . . . οὕτως ἡ εἰκών ἄλλων γίνεται παράδειγμα (Leg.All.III 96). Oder an anderer Stelle: ἡ γὰρ εἰκὼν τοῦ θεοῦ ἀρχέτυπος ἄλλων ἐστί (Leg.All. II 4). Als Gottes Eikon übernimmt hier der Logos die Funktion eines Vorbildes oder Modells. *Hegermann* erklärt dazu:»Der Logos hat als Eikon dem nächst niederen Abbild gegenüber die δύναμις παραδείγματος (III 96 Ende); wie mit einem Siegel hat der Schöpfer durch ihn das ungestaltete Wesen des All gestaltet, das ungeprägte geprägt, den ganzen Kosmos vollendet (somn. II 45). Damit ist εἰκών soviel wie Prägung, Siegel im aktiven Sinne und also selbst eine Bezeichnung der Schöpfungsmittlerfunktion des Logos geworden«[189]. Hält man sich auch in Kol 1,15a an diese Bedeutung von εἰκών, bilden V.15b und 16 die sachgemäße Fortsetzung: Er ist»Erstgeborener aller Schöpfung, denn in ihm wurde das All erschaffen«. Entsprechend der philonischen Rede von einer εἰκὼν οὐχ ὁρατή (Quod det. 87) wäre der Gedanke der unmittelbaren Sichtbarkeit zurückgestellt und zum Ausdruck käme, daß»Christus das Vorstellungsbild ist, dessen sich Gott als Modell bediente und das er in der Erschaffung der Welt sichtbar werden ließ«[190].

rich *Weiß*, Untersuchungen zur Kosmologie des hellenistischen und palästinischen Judentums (TU 97), 1966, S. 183–282; *Dibelius-Greeven*, Kolosser, S. 12–17; *Schweizer*, Kolosser I, 15–20, S. 10–16.
187 *Friedrich-Wilhelm Eltester*, Eikon im Neuen Testament (BZNW 23), 1958, S. 13; ähnlich *Hans Willms*, EIKΩN. Eine begriffsgeschichtliche Untersuchung zum Platonismus. I. Teil: Philon von Alexandreia, 1935, S. 25f. und S. 52.
188 *Willms*, a.a.O., S. 56–80; *Eltester*, a.a.O., S. 32–42; *Jervell*, Imago Dei, S. 53–56; *Hegermann*, Schöpfungsmittler, S. 96–98.
189 *Hegermann*, Schöpfungsmittler, S. 97.
190 *Kehl*, Christushymnus, S. 69f. Er fährt allerdings fort:»Wir werden jedoch sehen, daß das nicht die Vorstellung hinter Kol 1,15 sein kann«. – In der Tat ist die skizzierte Anschauung

Fehl am Platz ist dann freilich, daß bereits zum Stichwort εἰϰών contradic-
torisch auf die Unsichtbarkeit Gottes hingewiesen wird. Als Gottes Idee, als
»schöpferisches Urbild«[191], als der »Plan, den der Künstler im Kopf hat«[192],
ist auch die Eikon unsichtbar. Wozu wird dann von Gott ausdrücklich festgestellt, er sei unsichtbar? Weiterzuhelfen scheint die These: »ἀόρατος ist hier einfach als traditioneller Begriff für die Weltüberhobenheit
der Gottheit zu nehmen«[193]. Indessen gilt nach V.16b von der Schöpfung,
daß sie »das Sichtbare und das Unsichtbare« umfaßt. In diesem Kontext
muß ἀόρατος wörtlich verstanden werden. Sollte sich erweisen, daß die
Zeile dem Hymnus nicht wohl abgesprochen werden kann, müßte bereits
für den überlieferten Text eine zweifache Verwendung des Begriffes angenommen werden: Neben der theologisch erstarrten die ursprüngliche! – Bestehen bleibt zudem ein anderer Anstoß. Der Hinweis auf die Eigenart Gottes bringt eine merkwürdige Unbeständigkeit im Duktus des Gedankens mit
sich. Charakterisiert εἰϰών den Schöpfungsmittler als Archetyp, Paradig-
ma, Siegel im aktiven Sinn, richtet sich der Blick auf die Schöpfung, wie sie
der Mittler bewirkt. Folgt darauf jedoch die Angabe »des unsichtbaren Gottes«, kehrt der Gedanke zurück zu Gott, um sich dann mit »Erstgeborener
aller Schöpfung« um so schneller und unvermittelt wieder der Schöpfung
zuzuwenden. Der folgende ὅτι-Satz erläutert bei diesem Gedankengang lediglich das zweite Christusprädikat »Erstgeborener aller Schöpfung«, nicht
jedoch die erste Aussage: »welcher das Bild des unsichtbaren Gottes ist«. Zu
erwägen wäre, ob vielleicht allein die Charakterisierung Gottes als τοῦ
ἀοράτου eine zwar richtige, aber deplazierte Bemerkung von zweiter Hand
darstellt. Doch angesichts der Tatsache, daß in V.18b das korrespondierende
Prädikat ἀρχή absolut gesetzt ist und der Genitiv von V.15 ohne Gegenüber
bleibt, liegt es näher, auch τοῦ θεοῦ als Zusatz anzusehen. Wie der isolierte
Begriff εἰϰών zu verstehen ist, ergibt sich aus der Fortsetzung, da nun der
ὅτι-Satz – ja im Grunde schon der Genitiv »aller Schöpfung« nach πρωτό-
τοϰος – die beiden asyndetisch aufgereihten Christusprädikate zusammen
erläutert. Christus ist der Archetyp und Prototyp der Schöpfung, in dem das
All geschaffen wurde. Genau denselben Aufbau zeigt die zweite Strophe! –
Schweizer erkennt richtig, daß in Kol 1,15 zwei Gedanken miteinander verknüpft sind: »Einerseits ist Christus Bild des unsichtbaren Gottes, also gna-
denhaft geschenkte Offenbarung, andererseits Schöpfungsmittler«[194]. Löst
man diese Verknüpfung literarkritisch auf, verbleibt für den Hymnus der
zweite Gedanke: Als Eikon ist Christus der Schöpfungsmittler. Der andere
Gedanke dagegen, daß Christus als Eikon die Offenbarung des unsichtbaren

nicht die des Apostels Paulus nach 2 Kor 4,3–6 und möglicherweise auch nicht die des Kolosserbriefes. Nur ist damit nicht entschieden, was »hinter Kol 1,15« stehen kann.
191 *Schweizer*, Kolosser I,15–20, S. 13.
192 *Kehl*, Christushymnus, S. 69.
193 *Hegermann*, Schöpfungsmittler, S. 98.
194 *Schweizer*, Kolosser I,15–20, S. 12; ähnlich *Eltester*, Eikon, S. 148.

Gottes ist, erweist sich als eine unbedachte, wenngleich naheliegende Ergänzung.
Hypothetisch ausgeschieden wurden sodann V.16a: »in den Himmeln und auf der Erde«, und V.16c: »es seien Throne, Herrschaften, Mächte oder Gewalten«. Zusammen mit der mittleren, als hymnisch deklarierten Zeile 16b: »das Sichtbare und das Unsichtbare«, vertreten sie dasselbe Anliegen und können deshalb miteinander behandelt werden. Auf verschiedene Weise umschreiben die drei Versteile, wieweit der Begriff τὰ πάντα am Ende von V.16a zu fassen ist. Angesichts der Fülle von Ausdrücken für die Größe des Alls ist freilich der Verdacht begründet, daß hier nachträglich aufgefüllt wurde, was im Hymnus mit weniger Worten gesagt war. Nimmt man die eindeutig hymnischen Zeilen als Kriterium, spricht dieser eine wesentlich knappere Sprache. Die Frage ist, welche der drei Formulierungen am ehesten als hymnisch gelten kann und der Gegenzeile in der zweiten Strophe ebenbürtig ist.
Am besten schneidet unter diesem Gesichtspunkt die mittlere Zeile ab. Ist die verbreitete Auffassung richtig, daß »Throne«, »Herrschaften«, »Mächte« und »Gewalten« verschiedene Geistermächte sind[195], erläutert die dritte Zeile genaugenommen nur das letzte Stichwort der vorangehenden, nämlich »das Unsichtbare«. Dies bedeutet zum einen, daß dieser Ausdruck vorgegeben war, und zum andern, daß die Aufzählung gar nicht »das All« in seiner ganzen Weite erfaßt. Hinzu kommt, daß die Viererkette ungewöhnlich lang ist und später V.18b ἀρχή in völlig anderer Bedeutung verwenden wird. – Anders steht es mit der ersten Formulierung: »in den Himmeln und auf der Erde«. Sie umschreibt nicht nur in gängiger Weise die ganze Fülle des Geschaffenen, sondern entspricht auch nach Umfang und Aussage aufs genaueste V.20c. Die Übereinstimmung ist allerdings so groß, daß die Schlußzeile der zweiten Strophe kaum mehr als eine Wiederholung bringt. Daß die Reihenfolge von Himmel und Erde umgestellt ist, ändert daran wenig. Für die vorangehenden Zeilen des Hymnus ist es dagegen charakteristisch, daß trotz sorgfältig aufeinander abgestimmter Formulierungen doch nie dasselbe gesagt wird. Zuzugeben ist freilich, daß die Schlußzeile um des Nachdruckes willen hier eine Ausnahme machen könnte. Schwerer wiegt deshalb eine rein formale Beobachtung. Mittels der Präposition ἐν schließt V.16a derart eng an τὰ πάντα an, daß die Angabe kaum als eigenständige Zeile davon abgesetzt werden kann. Besser empfiehlt sich dafür die mittlere Zeile, V.16b: »das Sichtbare und das Unsichtbare«. Die Formulierung ist umfassend genug, um ihrerseits die Weite des Alls zu umschreiben, und sie stellt zu τὰ πάντα eine Apposition dar, die dem losen Anschluß von V.20c an πᾶν τὸ πλήρωμα entspricht. Nimmt man hinzu, daß diese Art der Fortführung auch den Auftakt der beiden Strophen kennzeichnet, ist die An-

---

195 *Lightfoot*, Colossians, S. 150ff.; *von Soden*, Kolosser, S. 28; *Ewald*, Kolosser, S. 326f.; *Masson*, Colossiens, S. 100 Anm. 1; *Dibelius-Greeven*, Kolosser, S. 13; *Lohse*, Kolosser, S. 91.

nahme begründet, daß V.16b zur Vorlage gehört. Die beiden anderen Formulierungen sind dann als Auffüllung zu betrachten. Sie erläutern jeweils
das letzte Wort des voranstehenden Liedverses und bedienen sich dazu der
Terminologie – ἐν τοῖς οὐρανοῖς καὶ ἐπὶ τῆς γῆς – und des Stils – εἴτε
. . . εἴτε – jener Gegenzeile (V.20c), mit der die zweite Strophe ihren Abschluß findet. Daß sie einen volleren Klang hat als V.16b, könnte damit zu
erklären sein, daß sie das ganze Lied beschloß.
Übrig geblieben sind damit V.16d–18a. Es handelt sich um jene Versteile,
die immer wieder zur Bildung einer Zwischenstrophe Anlaß gaben und von
Gabathuler und *Schille* nach Abzug der Glosse τῆς ἐκκλησίας als synthe-
tisch-paralleler Vierzeiler wiedergegeben werden[196]:

»Das All ist durch ihn und auf ihn hin geschaffen,
     und er ist vor allem,
und das All hat in ihm Bestand,
     und er ist das Haupt des Leibes.«

In seinem formalen Aufbau ist der Passus von faszinierender Strenge.
Schleiermacher hat recht: »Die Correspondenz ist hier so genau, daß man
auch den Parallelismus aufs genaueste durchführen kann«[197]. Grammatikalisch lassen sich vier Sätze unterscheiden, die durch »und« miteinander verknüpft sind. Im ersten und dritten ist »das All« Subjekt, und es folgt ein
Verbum im Perfekt. Im Anschluß daran wechseln Tempus und Subjekt.
Satz zwei und vier beginnen mit »und er ist . . .« und nehmen die präpositionalen Bestimmungen »durch ihn«, »auf ihn hin« und »in ihm« auf. »Die
Veränderung der Zeitform ist darin hinreichend begründet, daß das Ver-
gangene nun mit einem gegenwärtigen ἐστὶ πρὸ πάντων, ἐστὶ κεφαλή in
Verbindung gebracht wird, und ἐστὶ κεφαλή muß sich zu ἐστὶ πρὸ πάντων
gerade so verhalten, wie συνέστηκε zu ἔκτισται.«[198] Die beiden präsentischen Sätze formulieren in genau derselben Weise die bleibenden Folgen
aus dem perfektisch geschilderten Sachverhalt.
Ebenfalls seit langem aufgefallen ist die Nähe der Formulierungen zu Sätzen
der Stoa[199]. Als besonders charakteristisch gilt das Spiel mit den Präpositionen, wie es ähnlich in *Marc Aurels* Lobpreis der Natur begegnet: ὦ φύσις,
ἐκ σοῦ πάντα, ἐν σοὶ πάντα, εἰς σὲ πάντα (IV, 23)[200]. Fände sich der Passus innerhalb eines rein prosaischen Kontextes, gäbe es angesichts der
strengen Komposition, des einheitlichen religionsgeschichtlichen Hinter-

---

196   Siehe oben S. 13; *Gabathuler*, Christushymnus, S. 129; *Schille*, Hymnen, S. 81; vgl.
außerdem *Wengst*, Formeln und Lieder, S. 175; *Pöhlmann*, All-Prädikationen, S. 56.
197   *Schleiermacher*, Ueber Koloss. 1,15–20, S. 510.
198   Ebd.
199   Siehe oben S. 11f.
200   Weitere Belege bei *Norden*, Agnostos Theos, S. 240–250; *Dibelius-Greeven*, Kolosser,
S. 13f.; *Lohse*, Kolosser, S. 88 Anm. 6.

grundes und der verwandten Stücke in Röm 11,36 und 1 Kor 8,6 längst keinen Zweifel mehr, daß die vier Zeilen zusammengehören und eine geschlossene Einheit bilden. Lediglich der Umstand, daß in Kol 1,15–20 bereits der Kontext des Stückes traditionelles Material aufnimmt, hat diese Erkenntnis verhindert und dazu geführt, daß die Verse immer wieder auseinandergerissen wurden. Geradezu mit Blindheit geschlagen ist etwa *Robinson*, wenn er bei seiner Analyse an die Ausführungen *Nordens* zur stoischen Allmachtsformel erinnert, um danach fortzufahren: »this formula is characterized by τὰ πάντα in the nominative position, with the deity in the oblique cases following prepositions. This does not occur in A 7–9 (= V.17–18a)«[201]. Läßt man die vier Zeilen beisammen, ist eben dieses Schema nicht zu übersehen!

Nun betrachtet *Gabathuler* V.16d–18a als zusammengehörig, wehrt sich jedoch dagegen, daß sie als selbständige Einheit angesehen werden könnten, die mit Kol 1,15 f. ursprünglich nichts zu tun hatte. Indem er auf die enge Zusammengehörigkeit von V.16d und 16a hinweist, hält er am Gedanken einer hymnischen Zwischenstrophe fest. Doch gerade von seiten dieser Verbindung erheben sich Bedenken gegen solche Auffassung. Befremdend ist zunächst der Wechsel vom Aorist zum Perfekt. »Was 16(a) durch ἐκτίσθη im Geschehen als geschichtlicher Act geschildert ist, wird jetzt durch ἔκτισται als vollendete Thatsache wiederholt«[202]. Auffallend ist ferner die exponierte Stellung von τὰ πάντα in V.16d und 17b. »Dieser Satz bricht die Construction ab, indem er nachdrücklich die Ausführungen über das Verhältnis Christi zur Schöpfungswelt in 15 f. auf eine auch die Gegenwart umfassende Formel bringt, ohne doch gegenüber dem Bisherigen etwas Neues zu sagen«[203]. Problematisch wird damit die Funktion des Stückes als Zwischenstrophe. Wie *Gabathuler* selbst betont, bildet der Vierzeiler keine Klammer oder Überleitung, mit der die beiden Hauptstrophen verknüpft würden. Stellt er jedoch nur einen Appendix zur ersten Strophe dar, stört er das Gleichgewicht der beiden Strophen. Dazuhin ist er stilistisch von anderer Art. Während die Christusprädikate εἰκών und ἀρχή ohne Artikel gebraucht sind, heißt es in V.18a ἡ κεφαλή. Und die asyndetische Redeweise der beiden Hauptstrophen wird abgelöst durch das dreifache »und«. Steht der Vierzeiler in der Nähe von V.16a, fällt außerdem ein Schatten auf das Spiel mit den Präpositionen: »in ihm« begegnet bei dieser Folge zweimal. Diese Duplizität ist nicht nur ein Schönheitsfehler, sondern wirft Fragen auf, die den religionsgeschichtlichen Hintergrund betreffen und mit der Wendung »auf ihn hin« in V.16d zusammenhängen. *Eltester*, *Schweizer* und *Lohse* stimmen darin überein: »In den jüdischen Weisheitsspekulatio-

201 *Robinson*, Formal Analysis, S. 280.
202 *Von Soden*, Kolosser, S. 29.
203 Ebd. S. 28.

nen fehlen Parallelen zu εἰς αὐτόν«[204]. Dagegen wird »im stoischen Lobpreis der Natur durch εἰς σὲ πάντα (Mark Aurel IV, 23, 2) die in sich ruhende Harmonie des Alls beschrieben«[205]. Der entsprechenden Formulierung von Kol 1,16d ist als parallele Zeile der Vers 17b zugeordnet. In diesem Zusammenhang kann die Präposition ἐν kaum anders als lokal gedeutet werden: »das All hat in ihm seinen Bestand«[206]. Nicht ganz auf derselben Linie liegt jedoch der frühere V.16a, wenn es richtig ist, daß die erste Strophe vom Mittler der Schöpfung handelt. Hält man daran fest, muß *Lohse* zugestimmt werden: »ἐν αὐτῷ ist also – wie sich vom religionsgeschichtlichen Hintergrund der jüdischen Weisheitsspekulationen her ergibt – instrumental zu verstehen. In lokaler Bedeutung könnte es nur von anderen religionsgeschichtlichen Voraussetzungen her gefaßt werden«[207]. In der Tat! Genau diese anderen Voraussetzungen sind aber in V.16d–18a gegeben, wenn doch Parallelen zu εἰς αὐτόν in den jüdischen Weisheitsspekulationen fehlen. Dieser Unterschied bringt es mit sich, daß das erste ἐν αὐτῷ in V.16a instrumental, das zweite in V.17b dagegen lokal zu deuten ist. Selbst wenn man in der ersten Liedstrophe εἰκών als das Modell oder den Archetyp bestimmt, »in dem« das All geschaffen wurde, ist dies nicht in derselben Weise lokal zu verstehen wie die Aussage: »das All hat in ihm Bestand«. Die Vorstellungen differieren. V.16a berichtet von einem Geschehen und gibt den modus procedendi an, V.17b beschreibt einen Zustand; daß der Vierzeiler perfektisch-präsentisch formuliert ist, ist nicht nur eine Frage des Stils, sondern ebenso der sachlichen Aussage. Im Hintergrund steht hier die stoische Weltbetrachtung. In diese Richtung weist im übrigen nicht nur das Spiel mit den Präpositionen, sondern ebenso das charakteristische Verbum συνέστηκεν[208] und nicht zuletzt die anthropomorphe Rede von »Leib« und »Haupt«. Daß die ursprünglich mythologische Vorstellung, das All habe Menschengestalt, von der Stoa rezipiert wurde, hat zuletzt *Hegermann* in extenso dargelegt[209] und zugleich deutlich gemacht, in welch starkem Maße der Jude *Philo* derartigen Gedanken des zeitgenössischen common sense verpflichtet war. Der Umstand, daß Kol 1,16d im Zusammenhang der Aussagen über das All den Begriff κτίζειν verwendet und damit statt des stoischen ἐκ die Präposition διά verbindet, deutet darauf hin, daß auch hier hellenistische und jüdische Vorstellungen zusammengeflossen sind. Was *Hegermann* zu einer Stelle der *Philo* nahestehenden Schrift

204 *Lohse*, Kolosser, S. 91 Anm. 8; vgl. *Eltester*, Eikon, S. 142f.; *Schweizer*, Kirche als Leib Christi, S. 296.
205 *Lohse*, Kolosser, S. 91.
206 So die Übersetzung bei *Dibelius-Greeven*, Kolosser, S. 14 und 16; vgl. *Eltester*, Eikon, S. 144f.; *Jervell*, Imago Dei, S. 226; *Fred B. Craddock*, ›All Things in Him‹. A critical note on Col. I. 15–20, NTS 12 (1965/66), S. 78–80.
207 *Lohse*, Kolosser, S. 90 Anm. 4; vgl. *Hegermann*, Schöpfungsmittler, S. 96.
208 Vgl. *Dibelius-Greeven*, Kolosser, S. 14.
209 *Hegermann*, Schöpfungsmittler, S. 59–65; vgl. außerdem *Schweizer*, Art. σῶμα, ThWNT VII, S. 1024–1091, dort S. 1035 f.

Περὶ κόσμου schreibt, gilt ebenso für Kol 1,16d--18a: Es handelt sich um einen »hellenistisch-popularphilosophischen Gemeinplatz im Dienst des Schöpferglaubens«[210]. – Nimmt man alle diese Beobachtungen zusammen, darf behauptet werden: Der Vierzeiler in Kol 1,16d–18a hat mit dem zwei-strophigen Hymnus ursprünglich nichts zu tun. Seinen derzeitigen Ort dürfte er der scheinbaren Parallelität mit der hymnischen Zeile 16a verdan-ken.

Betrachtet man das Stück für sich, muß freilich eine gewichtige Frage offen-bleiben, während sich eine Nebenfrage beantworten läßt. Beschreibt der Vierzeiler bestehende Verhältnisse und nimmt die vierte Zeile die zweite wieder auf, wird bei αὐτός ἐστιν πρὸ πάντων kaum an eine zeitliche Prä-existenz gedacht sein. Angesichts der präsentischen Formulierung und der Parallele »er ist das Haupt« liegt es näher, πρὸ πάντων im Sinne einer blei-benden Dominanz zu fassen. Entsprechendes gilt für εἰς αὐτόν in der ersten Zeile. Der Ausdruck ist nicht eschatologisch zu deuten[211], sondern macht analog der dritten Zeile eine Aussage über die bestehende Ausrichtung des Alls. Nicht zu entscheiden ist dagegen, wer mit dem genannten αὐτός ehe-dem gemeint war. Wurden diese Sätze konzipiert im Blick auf Gott[212]? Gal-ten sie einmal einer Größe wie dem philonischen Logos? Oder sind sie von Anfang an im Gedanken an Christus formuliert? Unlösbar damit verknüpft ist die Frage ihrer religions- und theologiegeschichtlichen Herkunft. Han-delt es sich um hellenistisch-jüdische oder christliche Sätze? Deutlich ist nur, daß sie – anders als Röm 11,36, jedoch analog der zweiten Hälfte von 1 Kor 8,6 – in ihrem jetzigen Kontext auf Christus bezogen sind, da der Vier-zeiler die christologische Aussage von Kol 1,16a fortführt. Daß hierzu ein weiteres Traditionsstück aufgeboten ist, entspricht im übrigen der Beobach-tung, daß in die zweite Strophe des Liedes ebenfalls Elemente eines anderen überlieferten Textes eingeflochten sein dürften. Bemerkenswert ist, daß auch diese sich dem hymnischen »denn in ihm . . .« verbinden und daß der problematische V.20a sogar das Spiel mit den Präpositionen wieder auf-nimmt.

Die Untersuchung kehrt zu einem ihrer Ausgangspunkte zurück, wenn schließlich in V.18a noch einmal die Apposition »der Gemeinde« die Auf-merksamkeit auf sich zieht. Daß es sich dabei um eine nachträgliche Glosse handelt, wurde von *Wagenführer* und *Käsemann* hinreichend begrün-det[213]. Sind jedoch bereits die Zeilen 16d ff. als Zugabe zu beurteilen, stellt sich die Frage, ob die Glosse auf dasselbe Konto gesetzt werden kann. Nach-

---

210 *Hegermann*, a.a.O., S. 95.
211 So: *Dibelius-Greeven*, Kolosser, S. 13; *Käsemann*, Taufliturgie, S. 42; *Schweizer*, Kir-che als Leib Christi, S. 296; *Lohse*, Kolosser, S. 92.
212 In diesem Falle ginge »durch ihn« wie Röm 11,36 auf den Schaffenden selbst als Urheber und nicht auf einen Vermittler; vgl. *Friedrich Blaß – Albert Debrunner*, Grammatik des neute-stamentlichen Griechisch, 1959[10], § 223,2.
213 Siehe oben S. 5f.

dem sich gezeigt hat, daß der Vierzeiler als kosmologischer Text zur näheren Ausführung der Schöpfungsaussage von V.16a herangezogen ist, muß sie wohl verneint werden. Die Wendung zur Ekklesiologie kommt innerhalb dieses bewußt und sachlich mit gewissem Recht hergestellten Zusammenhanges überraschend. Sie ist so erstaunlich, daß genau hier die kritische Analyse des Textes ihren Ausgang nahm. Verfolgen aber die Zitierung des Vierzeilers und die kurze Glosse verschiedene Intentionen, ist der Konsequenz nicht zu entkommen, daß die interpretierende Zugabe ihrerseits kommentiert wurde. Literarkritisch ergibt sich damit dasselbe Bild wie in V.19 f. Der vorliegende Text besteht nicht nur aus zwei, sondern aus drei Schichten. An beiden Stellen – in V.18a wie in V.20b – forderten die Zusätze letzter Hand zuerst die exegetische Kritik heraus. Deutlicher als alle später eruierten Zusätze sprengen sie ihren Kontext, der jedoch seinerseits einer zunehmend kritischen Beurteilung nicht entgangen ist[214].

Müssen die beiden Glossen als Anmerkungen zu vorgegebenen Erweiterungen angesehen werden, kompliziert sich die Frage nach dem Anteil des Briefschreibers an Kol 1,15–20. Geht auf ihn der Kommentar oder der Kommentar des Kommentars zurück? Doch bevor der Überlieferungs- und Redaktionsgeschichte des Hymnus nachgegangen wird, verdient dieser selbst ungeteiltes Interesse, bildet er doch die Basis der weiteren Entwicklung.

2. Interpretation

Aufgrund der vorgelegten Analyse können folgende acht Zeilen als hymnische Vorlage betrachtet werden:

ὅς ἐστιν εἰκών,
πρωτότοκος πάσης κτίσεως,
ὅτι ἐν αὐτῷ ἐκτίσθη τὰ πάντα,
τὰ ὁρατὰ καὶ τὰ ἀόρατα.

ὅς ἐστιν ἀρχή,
πρωτότοκος ἐκ τῶν νεκρῶν,
ὅτι ἐν αὐτῷ κατῴκησεν πᾶν τὸ πλήρωμα,
εἴτε τὰ ἐπὶ τῆς γῆς εἴτε τὰ ἐν τοῖς οὐρανοῖς.

Formal betrachtet, ist der Text von bestechender Geschlossenheit. Er besteht aus zwei Strophen, die nach demselben Grundriß ausgeführt sind. Zeile um Zeile findet in der Gegenstrophe ihr Pendant. Für beide Strophen gilt in gleicher Weise: Relativisch eingeführt wird zu-

214 Vgl. die Aufstellungen oben S. 9ff. und S. 15f.

nächst ein erstes Prädikat, das ohne Artikel absolut gesetzt ist. Asyndetisch angeschlossen, folgt ein zweites, das ebenfalls keinen Artikel, jedoch eine nähere Bestimmung bei sich hat. Die dritte Zeile bringt eine Begründung und bedarf dazu eines neuen Subjektes. Als Apposition dazu bietet die vierte Zeile eine disjunktive Formulierung im Nominativ. Die grammatikalische Abfolge läßt sich mit einer Linie vergleichen, die zuerst ansteigt und nach Erreichen des Höhepunktes wieder abfällt. Die erste Zeile kann als Auftakt gelten, die vierte als Abgesang, und die Zeilen zwei und drei – das näher bestimmte Prädikat und die anschließende Begründung – bilden den Höhepunkt der Darlegung. Zu vermuten steht, daß hier auch die theologisch entscheidenden Aussagen anzutreffen sind.

Differenzen innerhalb des korrespondierenden Aufbaus sind nur an drei Stellen zu konstatieren. Auf das gleichlautende Prädikat »Erstgeborener« folgt einmal direkt der Genitiv πάσης κτίσεως, das andere Mal schiebt sich eine Präposition dazwischen: ἐκ τῶν νεκρῶν. Der Unterschied wird noch unterstrichen durch den Umstand, daß bei den alten Textzeugen P[46], ℵ* und Irenäus die Präposition fehlt[215]. Unwahrscheinlich ist jedoch, daß hier die ursprüngliche Formulierung des Hymnus erhalten blieb. Bei den genannten Zeugen handelt es sich um Abschriften des Kolosserbriefes und nicht um eine unabhängige Überlieferung des Hymnus. Literarkritik und Textkritik sind deshalb auseinanderzuhalten. Sollte die Variante den ursprünglichen Text des Kolosserbriefes und so vielleicht auch des Hymnus bieten, müßte angenommen werden, daß die Präposition ἐκ der übrigen Handschriften gegen das Vorbild von V.15b später hinzugekommen ist. Solche Ergänzung wäre nach der ersten und zweiten Bearbeitung des Hymnus anzusetzen, da diese in die gesamte Überlieferung des Briefes eingegangen sind, während die Präposition ἐκ nur von der Mehrzahl der Zeugen geboten wird. Einfacher ist die umgekehrte Annahme, daß die Minorität das ἐκ gestrichen hat, um die Formulierung mit V.15b in Einklang zu bringen. Was den Hymnus betrifft, kann dann allenfalls erwogen werden, ob sein ursprünglicher Wortlaut damit bewußt oder zufällig wiederhergestellt wurde. Indessen dürfte weder das· eine noch das andere der Fall sein. Mustert man die übrigen Varianten von P[46] zu Kol 1,15–20, zeigt sich schnell, daß die Handschrift nicht an den traditionellen Stücken interessiert ist, sondern den vorliegenden Briefabschnitt zu glätten sucht. Die verschiedene Redeweise der Vorlagen wird dabei eingeebnet. So erhält in V.18b ἀρχή den Artikel und wird damit an ἡ κεφαλή im vorangehenden V.18a angeglichen. In V.16d mildert P[46] den abrupten Einsatz des Vierzeilers und schreibt statt τὰ πάντα unter Verzicht auf den Artikel ὅτι πάντα. Repetiert ist damit der Anschluß von V.16a und zugleich zwischen der Aufzählung der Mächte in V.16c und der Formulierung πρὸ πάντων in V.17a eine bessere Verbindung gewonnen, sofern dazwischen nicht mehr stoisch zusammenfassend

---

215 Vgl. Apk 1,5.

von τὰ πάντα die Rede ist. Auf derselben Linie liegt es, wenn P⁴⁶ – diesmal im Verein mit ℵ* und Irenäus – die Präposition ἐκ in V.18c nicht überliefert. Der Ausdruck ist damit an V.15 angeglichen. Doch genau besehen, ist diese Gleichheit trügerisch und betrifft nur die Oberfläche. Auch ohne die Präposition ist die Beziehung der beiden Genitive zu ihrem nomen regens eine verschiedene. Die Bestimmung πάσης κτίσεως gibt an, *wovon* der πρωτό-τοκος Erstling ist. Genannt ist die mit ihm anhebende Fortsetzung; der Blick richtet sich nach vorne. Demgegenüber markiert τῶν νεκρῶν, *wogegen* sich der Erstling absetzt. Der Blick geht zurück, und genannt ist die in ihm überwundene Vergangenheit. Genau diesen Unterschied bringt aber die Präposition ἐκ prägnant zum Ausdruck. Es ist darum nicht geraten, bei der Rekonstruktion des Hymnus die Gleichmacherei einzelner Textzeugen zu kopieren. Die Präposition ist sachlich wohl begründet.

Eine weitere Differenz zeigt sich in der dritten Zeile. In beiden Strophen erscheint ein Verbum im Aorist. Ἐκτίσθη in der ersten ist jedoch eine Form des Passivs, als deren Gegenüber die aktive Form κατῴκησεν postuliert wurde. Der augenfällige Wechsel verliert indes an Bedeutung, sobald man beachtet, daß es sich im einen Fall um ein transitives, im anderen um ein intransitives Verbum handelt[216]. Für den Fortgang des Satzes bedeutet dies, daß er in derselben Weise erfolgen kann. Als nachgestelltes Subjekt erscheint in V.16a »das All«. Ebenfalls als Subjekt – da ein Objekt nicht vonnöten ist – folgt in V.19 »die ganze Fülle«.

Nicht zu übersehen ist endlich, daß die Schlußzeile der zweiten Strophe breiter ausgefallen ist als die der ersten. Dennoch empfiehlt es sich nicht, eine Kürzung zu versuchen und etwa das zweifache εἴτε zu streichen. Es wird gedeckt durch Kol 1,16c, nachdem sich gezeigt hat, daß dieser Zusatz zusammen mit V.16a terminologisch und stilistisch einen Vorgriff darstellt. Vor allem aber ist darauf hinzuweisen, daß mit V.20c die angestrebte Parallele zur ersten Strophe an ihr Ende kommt. Ein Schlußpunkt in Gestalt einer Fermate braucht daher nicht zu befremden. Selbst wenn der Hymnus weitere Strophen umfaßt haben sollte, würden die beiden vorliegenden dank ihrer parallelen Durchführung eine Einheit bilden, die an dieser Stelle endet. Im übrigen wird die Interpretation des Liedes zeigen, daß eine Fortsetzung ebensowenig anzunehmen ist wie ein verlorengegangener erster Teil. Die Aussage der beiden Strophen ist derart umfassend, daß weitere Strophen kaum denkbar sind. Blieb der Hymnus aber in seinem ganzen Umfang erhalten, bildet V.20c sogar den definitiven Abschluß.

Problematisch wird unter dieser Voraussetzung freilich der Beginn des Liedes. Wie die zweite setzt auch die erste Strophe mit einem Relativsatz ein. Sieht man vom derzeitigen Kontext einmal ab, bleibt im Dunkeln, worauf sich dieser Einsatz bezieht. Bemerkenswert ist jedoch, daß die bekannten Hymnen in Phil 2,6–11 und 1 Tim 3,16 ebenfalls mit einem Relativprono-

---

216 Vgl. oben S. 20.

men beginnen und nicht minder umfassend angelegt sind[217]. Diese Eigentümlichkeit könnte mit dem Gebrauch der Lieder im Gottesdienst zusammenhängen. Möglicherweise ging ein Bekenntnis oder eine Präfation voraus, und der Hymnus brachte die Responsion der Gemeinde. War durch einen Vorspruch klargestellt, von wem die Rede war, brauchte dies im Lied nicht mehr eigens betont zu werden[218]. Erst bei einer literarischen Verwendung mußte einer Einleitung anvertraut werden, was Sache der Situation gewesen war.

Eine andere Frage ist, ob ein solches Lied, nachdem es seinem Sitz im Leben entnommen und dazuhin aus seinem literarischen Kontext gelöst ist, allein durch seinen Wortlaut zu erkennen gibt, wer hier ursprünglich gepriesen werden sollte. Im Blick auf Kol 1,15 ff. behauptet *Käsemann*, der zugrundeliegende Hymnus sei ehedem nicht Christus gewidmet gewesen. Es handle sich um ein vorchristliches Lied zu Ehren der Sophia bzw. des Logos, das die Gemeinde für Christus annektierte[219]. In der Tat lassen sich für alle Formulierungen der ersten Strophe zahlreiche Parallelen aus nichtchristlichem, insbesondere hellenistisch-jüdischem Milieu beibringen[220]. Anders steht es jedoch mit der zweiten Strophe. Für die Aussage »Erstgeborener von den Toten« vermag auch Käsemann keine derartige Parallele zu nennen. Seine Kritiker dagegen können auf eine Fülle entsprechender Aussagen im Neuen Testament verweisen, wenn sie mit *Lohse* der Meinung sind: »Die Wendung πρωτότοκος ἐκ τῶν νεκρῶν ist spezifisch christlich«[221]. Da die Formulierung unabdingbar zum Bestand des Hymnus gehört und die erste Strophe ohne die zweite ein Torso bliebe, ist damit zugleich über die ganze Komposition entschieden. Sie wurde geschaffen als Lobpreis Christi. Nicht ein vorchristliches Lied wurde christlich annektiert, sondern ein christlicher Hymnus adaptierte Formeln und Vorstellungen, die vorchristlich ausgebildet worden waren und bereit lagen. Dies gilt in besonderem Maße für die erste Strophe, und als Metapher hat es seine Richtigkeit zu sagen: Sie zeigt Christus in einer Rolle, deren »Text« bereits feststand. Der zweite Akt bringt dann allerdings eine Wende, die im religionsgeschichtlichen Text-

217 Zu Phil 2,6–11 vgl. *Käsemannn*, Kritische Analyse von Phil. 2,5–11; in: Exegetische Versuche und Besinnungen I, 1960, S. 51–95; *Georg Strecker*, Redaktion und Tradition im Christushymnus Phil. 2,6–11, ZNW 55 (1964), S. 63–78; *Deichgräber*, Gotteshymnus und Christushymnus, S. 118–133; *Wengst*, Formeln und Lieder, S. 144–156; zu 1 Tim 3,16 vgl. *Joachim Jeremias*, Die Briefe an Timotheus und Titus (NTD 9), 1963[8], S. 22–25; *Schweizer*, Erniedrigung und Erhöhung bei Jesus und seinen Nachfolgern (AThANT 28), 1962[2], S. 104–108; *Deichgräber*, Gotteshymnus und Christushymnus, S. 133–137; *Wengst*, Formeln und Lieder, S. 156–160.
218 Vgl. *Deichgräber*, Gotteshymnus und Christushymnus, S. 124f.
219 Vgl. oben S. 6f.
220 *Käsemann*, Taufliturgie, S. 40–43.
221 *Lohse*, Imago Dei, S. 126 Anm. 14 (S. 127); vgl. ders., Kolosser, S. 97; *Schweizer*, Kirche als Leib Christi, S. 297 Anm. 11; *Hegermann*, Schöpfungsmittler, S. 102; *Gabathuler*, Christushymnus, S. 52; *Schnackenburg*, Aufnahme des Christushymnus, S. 33; *Lähnemann*, Kolosserbrief, S. 39.

buch nicht vorgesehen war. Es wird eine der Hauptaufgaben der Interpretation sein müssen, die Beziehung zwischen beiden Strophen zu klären.
Daß εἰκών in hellenistisch-jüdischen Spekulationen über die Entstehung
der Welt eine Bezeichnung der Sophia oder des Logos ist, wurde bereits im
Zusammenhang der Analyse herausgestellt. In dieselbe Richtung weist die
Rede vom »Erstgeborenen aller Schöpfung«. Nach Prov 8,22 ff. ist die
Weisheit Gottes Erstlingswerk. Sie rühmt sich: »Der Herr schuf mich als
Anfang seiner Wege zu seinen Werken, vor der Zeit gründete er mich am
Anfang, vor der Erschaffung der Erde . . .« (Übersetzung nach LXX). Sir
1,4 betont: »Vor allem ist die Weisheit erschaffen«, und nach Sir 24,9
bekennt sie selbst: »Vor der Zeit schuf er mich zu Anfang«. Philo schließlich kann anstelle der Weisheit den Logos als πρωτόγονος υἱός bezeichnen[222].

Im Unterschied zur Verwendung von εἰκών ist freilich festzustellen:
»πρωτότοκος erstgeboren ist ein *außerbiblisch* selten vorkommendes
Wort und vor LXX überhaupt nicht anzutreffen«[223]. Es gewinnt auch nicht
den Rang eines spekulativen terminus technicus, sondern kann zu allen Zeiten für sehr verschiedene Fälle von Erstgeburt gebraucht werden[224]. Die inhaltliche Näherbestimmung ergibt sich aus dem jeweiligen Zusammenhang. In Kol 1,15 ist dieser mit »aller Schöpfung« ausdrücklich angegeben,
weshalb zu Recht von *Dibelius, Käsemann, Hegermann, Schweizer, Lohse*
und vielen anderen an die kosmologischen Gedanken des Judentums erinnert wird[225]. Dies gilt um so mehr, als für die Fortsetzung V.16a auf die eigentümliche Anschauung vom Schöpfungsmittler hingewiesen werden
kann. Die Weisheit ist nicht nur Gottes Erstlingswerk, sondern ihm auch
eine Hilfe bei der Erschaffung von Himmel und Erde. Nach Sap 7,21 ist sie
»die Werkmeisterin aller Dinge« (vgl. 8,6). Das Lob Gottes und seiner
Weisheit fallen zusammen, wenn Sap 9,1 f. von ihm bekennt: »Der Du das
All mit Deinem Wort geschaffen und durch Deine Weisheit den Menschen
bereitet hast«. In nicht mehr zu überbietender Hochschätzung heißt die
Weisheit schließlich »Deines Thrones Beisitzerin« (Sap 9,4).
Doch so sprechend diese und andere Belege sein mögen und so sicher sie den
religionsgeschichtlichen Hintergrund von Kol 1,15 f. erhellen, ist damit
noch nicht geklärt, was der hymnische Ausdruck »Erstgeborener aller
Schöpfung« genau besagen soll. Auch wenn man von der nicänischen Problematik »genitus non factus« absieht[226], bleibt zu klären, in welchem
Verhältnis der »Erstgeborene« zur übrigen Schöpfung gesehen ist. Liegt der
Akzent auf dem zeitlichen Vorsprung oder auf dem zu respektierenden Vor-

222 Conf. Ling. 63; 146; Somn. I,215; Agric. 51.
223 *Wilhelm Michaelis*, Art. πρωτότοκος, ThWNT VI, S. 872–882, dort S. 872.
224 Vgl. ebd. S. 873–876.
225 *Dibelius-Greeven*, Kolosser, S. 16f.; *Käsemann*, Taufliturgie, S. 40; *Hegermann*,
Schöpfungsmittler, S. 96; *Schweizer*, Kolosser I,15–20, S. 13; *Lohse*, Kolosser, S. 87f.
226 Vgl. dazu *Alfred Hockel*, Christus der Erstgeborene. Zur Geschichte der Exegese von Kol
1,15, 1965, S. 54–60.

rang vor aller Schöpfung? *Lohse* geht sogar noch weiter und macht aus der Frage des Akzentes eine Alternative. Seine Entscheidung lautet: »Mit der Bezeichnung des praeexistenten Christus als πρωτότοκος πάσης κτίσεως soll nicht gesagt werden, daß er als erster geschaffen wurde und damit die Folge des Geschaffenen eröffnete«. »Nicht von einem zeitlichen Vorsprung ist die Rede, sondern von dem Vorrang, der ihm als Schöpfungsmittler vor aller Schöpfung gebührt. Als der Erstgeborene steht er der Schöpfung als Herr gegenüber«[227]. Um diese Bedeutung von πρωτότοκος zu sichern, verweist er auf Ps 89,28 und kann erklären: »Der Erstgeborene ist von Gott zur Herrschaft eingesetzt, vgl. ψ 88,28: καγὼ πρωτότοκον θήσομαι αὐτόν, ὑψηλὸν παρὰ τοῖς βασιλεῦσιν τῆς γῆς«[228]. Auf andere Weise zum selben Ergebnis gelangt *Wilhelm Michaelis*: »Zielt die Wendung auf die Schöpfungsmittlerschaft Christi, dann kann sie nicht gleichzeitig besagen, er sei als das erste Geschöpf geschaffen worden«[229]. »Mithin bleibt nur die Möglichkeit, πρωτότοκος vom Rang zu verstehen: gemeint ist die einzigartige Überlegenheit«. Wichtig ist ihm: »Auch der 1,17a folgende Satz: αὐτός ἐστιν πρὸ πάντων wird die gleiche Übergeordnetheit betonen«[230]; desgleichen handle es sich an der korrespondierenden Stelle V. 18b »letztlich um eine Aussage über Rang und Würde Christi, dies um so mehr, als auch der folgende ἵνα-Satz in diesem Sinn gemeint ist (und) das vorangehende ἀρχή in die gleiche Richtung weist«[231]. Man mag Zweifel hegen, ob damit der Sinn von ἀρχή in Kol 1,18b tatsächlich getroffen ist, zumal *Michaelis* selbst die anvisierte Auferstehung Christi kurz zuvor als »Auftakt für die allgemeine Auferstehung« charakterisiert hat[232]. Doch kann dieser Punkt zunächst zurückgestellt werden. Bezeichnend für die Argumentation von *Lohse* und *Michaelis* ist, daß sie beide den Parallelen aus der Weisheitsliteratur nicht das letzte Wort überlassen. *Lohse* zieht den davidisch-königlichen Psalm 89 heran[233] und legt hier auf den Kontext von πρωτότοκος besonderen Wert. *Michaelis* stützt sich auf den Kontext in Kol 1,15–20. Dieses Vorgehen macht deutlich, daß der Hinweis auf die jüdische Weisheitslehre als Hintergrund von Kol 1,15 noch keine Interpretation bedeutet. Auch ohne daß Psalm 89 bemüht wird, sind die vorliegenden Aussagen vielfältig genug, um von Michaelis in einer Weise gegeneinander ausgespielt zu werden, die den temporal ausgerichteten Formulierungen von Prov 8,23 f., Sir 1,4 und 24,9 ihre Bedeutung raubt. Im übrigen hat der weitgespannte religionsgeschichtliche Kontext schon deshalb nicht das letzte Wort, weil der Text selbst eine Erklärung bringt. Gegeben ist ja nicht ein traditionelles

227 *Lohse*, Kolosser, S. 88.
228 Ebd. S. 88 Anm. 1; ähnlich *Schweizer*, Kolosser I,15–20, S. 14f.
229 *Michaelis*, ThWNT VI, S. 879.
230 Ebd. S. 880.
231 Ebd. S. 879.
232 Ebd. S. 878.
233 Ebenso *Schweizer*, Kolosser I,15–20, S. 14.

und isoliertes Hoheitsprädikat, sondern eine prädikative Aussage mit nachfolgender Erläuterung. Im Unterschied zum Vorgehen von *Michaelis* kann als solche für die Interpretation der hymnischen Aussage jedoch nur V. 16a in Anspruch genommen werden, hat sich doch gezeigt, daß V. 17a und 18d später hinzugekommen sind. Welche Vorstellung die spätere Bearbeitung mit dem Stichwort »Erstgeborener« verband, ist eine Frage für sich. Die authentische Erklärung der hymnischen Rede bringt V. 16a, der verbis expressis feststellt, weshalb und damit auch inwiefern Christus der »Erstgeborene aller Schöpfung« ist. *Lightfoot* hat recht: »We have in this sentence the justification of the title given to the Son in the preceding clause, πρωτότοκος πάσης κτίσεως. It must therefore be taken to explain the sense in which this title is used«[234]. Methodisch ist demnach so vorzugehen, daß zunächst diese Begründung auf ihre Logik und Reichweite untersucht wird. Ob und wie die Aussage dem vermutlichen religionsgeschichtlichen Hintergrund entspricht, wird sich zeigen müssen.

Christus gilt als der Erstgeborene aller Schöpfung, da in ihm das All geschaffen wurde. Wird diese Ausführung von V. 16a beim Wort genommen, setzt sie ohne Zweifel voraus, daß der πρωτότοκος vor dem All gegeben war. Wie könnte er sonst als dessen Ermöglichung angesehen werden! Diese Priorität entspricht dem Prae bzw. πρό, das Prov. 8,23 ff., Sir 1,4 und 24,9 der Weisheit zuerkennen. Allerdings hätte für diese Aussage in Kol 1,16a auch eine bescheidenere Formulierung genügt. Beispielsweise: »denn vor allem wurde er geschaffen« (vgl. Sir 1,4) oder: »denn vor der Zeit wurde er zu Anfang erschaffen« (vgl. Sir 24,9). Der Hymnus sagt anderes und mehr: Nicht »nach ihm«, sondern ἐν αὐτῷ wurde das All geschaffen. Indessen ist damit nicht die Vorstellung vom Schöpfungsmittler als Werkmeister gegeben, wie sie in Sap 7,21 und 8,6 mit Hilfe des Begriffs τεχνῖτις entwickelt ist. Geht man von dieser Anschauung aus, muß das ἐν αὐτῷ instrumental und d. h. gleich δι᾽ αὐτοῦ gedeutet werden[235]. Keine derartige Nötigung besteht, sobald man die Funktion des Schöpfungsmittlers nicht aktiv, sondern passiv faßt und dazu den Sinngehalt des vorangehenden Begriffs εἰκών ausschöpft. Als Modell ist der πρωτότοκος nicht nur der Anfang aller Schöpfung, sondern diese auch *in ihm* konzipiert. Gegen Lohse ist dann daran festzuhalten: Mit der Bezeichnung des praeexistenten Christus als πρωτότοκος πάσης κτίσεως soll durchaus gesagt werden, »daß er als erster geschaffen wurde und damit die Folge des Geschaffenen eröffnete«[236]. Sachlich und etymologisch adäquat wäre die Wiedergabe: Der

---

234 *Lightfoot*, Colossians, S. 148.
235 Vgl. oben S. 36.
236 *Lohse*, Kolosser, S. 88; vgl. *Feuillet*, La Création de l'Univers ›dans le Christ‹ d'après l'Epître aux Colossiens (i.16a), NTS 12 (1965/66), S. 1–9. Er bemerkt zur Weisheit als »modèle«, »miroir« und »plan«: »Tel est en définitive le motif pour lequel la Sagesse, qui se trouve située en dehors et audessus de tous les êtres créés, est cependant d'une façon au point de départ de la série des créatures« (S. 5).

πρωτότοκος πάσης κτίσεως ist das principium der Schöpfung – in des Wortes doppelter Bedeutung. Was schließlich den religionsgeschichtlichen Hintergrund betrifft, kann darauf hingewiesen werden, daß in Prov 8,22 f. ein ähnliches Spiel mit dem Wort ἀρχή begegnet: Die Weisheit wurde ἐν ἀρχῇ und als ἀρχή geschaffen. Die Folgen des Handelns Gottes sind ins Auge gefaßt, wenn dieser Anfang als »Beginn seiner Wege in Richtung auf seine Werke« charakterisiert wird (V.22). Die zeitliche Differenz zwischen dem Anfang und der Fortsetzung kommt in dem wiederholt gesetzten πρό zum Ausdruck (V.23 ff.). Genau auf dieser Linie bewegt sich die Aussage des Hymnus in seiner zweiten und dritten Zeile. Läßt man das Lied für sich selber sprechen, preist es Christus als principium der Schöpfung. Nicht die Rede ist von einer Tätigkeit als Werkmeister und noch weniger von einer daraus abzuleitenden Rolle als princeps. Thema des Hymnus in seiner ersten Strophe ist der urzeitliche Akt der Schöpfung und nicht ein gegenwärtiges Herrschaftsverhältnis. Daß sich derartige Gedanken leicht damit verbinden ließen, liegt auf der Hand und soll im Hinblick auf die Erweiterungen nicht bestritten werden.

Ähnlich steht es mit einem anderen Gedanken, der sich zur Interpretation der ersten Strophe und insbesondere der Formulierung »in ihm« in V.16a anzubieten scheint. Es ist die Vorstellung vom weltumfassenden »Makro-Anthropos«[237]. Zu konstatieren ist das erstaunliche Phänomen, daß in V.15b mit »Erstgeborener« ein terminus begegnet, der der Biologie entlehnt ist, während der Kontext kosmologisch orientiert ist. Von Gott und seinem Erstling wird anthropomorph gesprochen, gleichwohl soll in diesem Erstgeborenen das ganze All geschaffen sein. Daß dabei nicht nur an die Menschen gedacht ist, steht angesichts der neutrischen Formulierung τὰ πάντα und der unterstreichenden Apposition »das Sichtbare und das Unsichtbare« außer Zweifel. Umschrieben ist damit die ganze Fülle und Weite des Kosmos. Zwischen der anthropomorphen Rede vom Erstgeborenen und der kosmologischen Fortsetzung scheint sich eine Kluft aufzutun, in der die Idee, der Erstgeborene sei das Modell der Schöpfung, als Absurdität versinkt. Wie sollte er für das All den Architekturplan abgeben können? Der Widerspruch löst sich auf, sobald man in Anschlag bringt, daß die anthropomorphe Redeweise auch für das All geläufig war und der Kosmos als ein »Leib« vorgestellt werden konnte[238]. Setzt man diese ehemals mythologische, doch längst zum Gemeinplatz gewordene Anschauung voraus, bereitet es keine Schwierigkeiten, daß der Erstgeborene als Modell des Alls angesehen wird. En miniature bildet er das σῶμα ab und ist so ein Mikrokosmos.

Ein unnötiger Schritt ist es dann aber, die Kluft auch noch von der anderen Seite her anzugehen mit der Annahme, schon der »Erstgeborene« sei als jener Makro-Anthropos vorgestellt, dessen Leib der Kosmos ist. Vorschub

237 Vgl. *Käsemann*, Taufliturgie, S. 42.
238 Siehe oben S. 36f.

leistet dieser Auffassung die Wendung »in ihm wurde das All erschaffen«,
V.16a, die nun rein lokal gedeutet werden könnte[239]. Doch ist die Voraussetzung des Mythologumenons in dieser Version nicht nur nicht vonnöten,
sondern geradezu fehl am Platze. Sie wird weder der Rede vom *Erst*gebore-
nen der Schöpfung gerecht noch dem Begriff εἰκών. Der Makro-Anthropos
ist mit dem All identisch und kann deshalb der Schöpfung nicht als »erster«
oder »Modell« vorgeordnet werden. Zudem ist der Sinn des Topos, die or-
ganische Einheit des Kosmos darzutun. Erfaßt werden also gleichbleibende
Verhältnisse, und nicht zufällig ist der Vierzeiler, der vom Leib und Haupt
des Alls tatsächlich spricht (V.18a), im Perfekt und Präsens gehalten. V.16a
dagegen berichtet im Aorist vom Akt der Schöpfung. Von daher ist zu urteilen, daß die erste Strophe des Hymnus wohl im Erstgeborenen der Schöpfung einen Mikro-Kosmos sieht, nach dem die Welt gestaltet wurde, jedoch
nicht den Widerspruch begeht, ihn zugleich als Makro-Anthropos mit dieser Welt zu identifizieren. – Auf der Hand liegt wiederum, daß die hymnische Rede bei oberflächlicher Betrachtung leicht in dieser Richtung fortgeführt werden konnte, zumal wenn entsprechende Formulierungen verbrei-
tet waren und bereit lagen. Hinzu kommt, daß nicht allein V.16a, sondern
in weit größerem Maße die zweite Strophe des Liedes derartige Assoziatio-
nen nahelegt.

Die Interpretation der zweiten Strophe ist sowohl erschwert als auch er-
leichtert durch die einfache Tatsache, daß es sich um den zweiten Teil des
korrespondierend aufgebauten Liedes handelt. Bedenkt man die Lage der
ehemaligen Hörer, bedeutet dies, daß die erste Strophe zunächst allein gehört wurde, die zweite dagegen nie ohne die erste. Ebenso hat die Interpretation der zweiten Strophe nicht nur deren Wortlaut zu beachten, sondern
gleichzeitig die Aussagen der ersten mitzuhören. Denn der parallele Aufbau
des Liedes dürfte kaum als nur formale Spielerei aufzufassen, vielmehr als
korrespondierend im eigentlichen Sinn zu verstehen sein, und das heißt:
Die Aussagen der zweiten Strophe nehmen auf die der ersten unmittelbar
Bezug. Müssen also diese ständig im Ohr behalten und mitbedacht werden,
ist auf der anderen Seite dem Verständnis jener damit schon die Richtung
gewiesen.

Den Auftakt der zweiten Strophe bildet die Bezeichnung Christi als ἀρχή.
Ebenso wie εἰκών, ja sogar noch früher[240], begegnet dieses Stichwort im
Zusammenhang der weisheitlichen Schöpfungslehre als Bezeichnung der
Sophia. Dennoch wird die Aussage von Kol 1,15 nicht etwa wiederholt. Der
Gedanke nimmt sofort eine andere Wendung. Die zweite Zeile rühmt Chri-
stus als »Erstgeborenen von den Toten«. Und so gut in V.15 die Bestim-
mung »aller Schöpfung«, bereits εἰκών betraf, kann hier die Verbindung
ἀρχὴ ἐκ τῶν νεκρῶν hergestellt werden. Die parataktische Struktur der
Zeilen läßt diese Verknüpfung nicht nur zu, sondern fordert sie geradezu

239 Vgl. *Dibelius-Greeven*, Kolosser, S. 12; *Käsemann*, Taufliturgie, S. 41.
240 Prov 8,22.

heraus. Christus ist der Anfang von den Toten und auch in dieser Hinsicht der Erstgeborene.

Als Thema der zweiten Strophe ist damit die Auferstehung von den Toten angeschlagen. Unter der Hand ist indes noch mehr geschehen. Durch die Wahl der Worte »Anfang« und »Erstgeborener« in Anlehnung an V.15 ist das Thema in einen Horizont gerückt, der hermeneutisch von Belang ist. Dem Wortlaut geschieht durchaus Genüge, wenn an Röm 8,29 erinnert wird und erklärt, als Auferstandener sei Christus ein »Erstgeborener unter vielen Brüdern«; mit ihm nehme die Reihe ihren »Anfang«. Dasselbe meint Paulus, wenn er Christus als ἀπαρχή der Entschlafenen bezeichnet (1 Kor 15,20). Die Auslegung der ersten Strophe aufgreifend, könnte formuliert werden: Er wurde als erster auferweckt und eröffnete damit die Folge der allgemeinen Auferstehung[241]. Intendiert ist jedoch eine weit größere Aussage. Von der Auferweckung Christi wird in genau derselben Weise und Terminologie gesprochen wie von der Erschaffung der Welt. Bringt man diese Korrespondenz mit zu Gehör, kommt darin zum Ausdruck, daß die Auferweckung als ein der Schöpfung analoges Geschehen aufgefaßt ist. Der creatio ist die resurrectio in einer Weise gegenübergestellt, die das neue Geschehen als dem alten gleichartig verstehen lehrt. Als gemeinsames Thema beider Strophen könnte somit »Schöpfung und Neuschöpfung« angegeben werden. Handelt die erste Strophe von der creatio ex nihilo, so die zweite von der creatio ex mortuis. Da die Auferstehung der Toten ein Zeichen der Endzeit ist, sind in dieser Abfolge Urzeit und Endzeit einander konfrontiert. Doch damit nicht genug: Ging es in der Urzeit um die creatio mundi, ist die Konsequenz, daß auch die neue Schöpfung eine »Welt« konstituiert. Die Auferweckung Christi gewinnt damit kosmische Ausmaße.

Ob diese Interpretation zu hoch greift, entscheidet sich an der folgenden Zeile. V.19 schickt den christologischen Prädikaten eine Begründung nach und erläutert auf diese Weise, wie sie zu verstehen sind. Der ὅτι-Satz ist das genaue Pendant zu V.16a in der ersten Strophe. Dort ging aus der Begründung hervor, daß mit den weisheitlichen Ehrentiteln nicht allein die Priorität Christi vor der Schöpfung ausgesagt werden sollte, vielmehr zugleich seine vermittelnde Funktion bei der Erschaffung des Alls angesprochen war. Zu prüfen ist daher, ob Ähnliches für die zweite Strophe gilt. Wird Christus nur dafür gepriesen, daß er als erster auferweckt wurde und damit eine Vorzugsstellung innehat? Oder gilt der Lobpreis dem, der als wahrhaft schöpferischer Anfang die Auferweckung anderer einschließt und ermöglicht? Nach Aussage des Hymnus ist Christus der Anfang und Erstgeborene von den Toten, da in ihm die ganze Fülle Wohnung nahm. Diese Erklärung war und ist freilich selbst der Erklärung bedürftig. Denn was ist mit πᾶν τὸ πλήρωμα gemeint? Nach *Hegermann* »die göttliche Wesensfülle, die dem Schöpfungsmittler einwohnt zum Zwecke der Schöpfertätigkeit«[242]; nach

---

241 Vgl. oben S. 44.
242 *Hegermann*, Schöpfungsmittler, S. 107.

Delling »die göttliche Liebes- und Machtfülle«, die »durch den Christus
wirkt und herrscht«[243]; nach *Schweizer* »kann nur an die rettenden Kräfte
Gottes, also an die Fülle seines Gnadenwirkens gedacht sein«[244]. Ähnliche
Formulierungen finden sich bei *Max Meinertz, Alfred Wikenhauser, Ernst
Percy, Josef Gewieß* u. a. m.[245] Ihnen gemeinsam ist, daß das πλήρωμα
im Vorgriff auf Kol 2,9 mehr oder weniger bestimmt mit Gott gleichgesetzt
wird, wie denn auch *Lohse* erklärt: »Darüber kann kein Zweifel bestehen,
daß im Christushymnus mit dem πλήρωμα Gott selbst gemeint ist«[246].
Verschieden angegeben wird dagegen der Sinn dieser Einwohnung Gottes.
Die angeführten Deutungen nennen die Schöpfertätigkeit, das Herrschen
und das rettende Gnadenwirken Gottes. Es ist daher nicht verwunderlich,
daß *Schweizer* feststellen kann: »Die Frage, wann diese Einwohnung statt-
gefunden hat, wird gewöhnlich nicht gestellt, und es bleibt fraglich, ob man
sie überhaupt scharf stellen darf«[247]. Während *Hegermann* erklärt: »Gott
nimmt Wohnung im Schöpfungsmittler«[248], meint *Schweizer* selbst:
»Immerhin ist neben dem Neueinsatz, wo Christus als ›Anfang und Erstgeborener von den Toten‹ bezeichnet wird, doch wohl an die Erhöhung zu
denken«[249]. Die Skala reicht somit vom Schöpfungsmittler über den Auferstandenen bis zum Erhöhten, in dem Gott Wohnung genommen habe.
Für den Hymnus in seinem angenommenen Umfang kann jedoch diese
ganze theo-logische Deutung rundweg abgewiesen werden. Nicht nur daß
Gott bisher nicht genannt wurde und πᾶν τὸ πλήρωμα in der zweiten Strophe die Stelle von τὰ πάντα in der ersten einnimmt. Schwerer wiegt, daß
sich der Hymnus selbst expliziert. Und gegenüber der Briefstelle Kol 2,9 hat
diese authentische Erklärung unbedingt den Vorrang. Das neue Subjekt
wird erläutert durch die Schlußzeile: »sowohl was auf Erden als auch was im
Himmel ist«. Diese Umschreibung, die dem Schluß der ersten Strophe korrespondiert, stellt eindeutig klar, daß mit πᾶν τὸ πλήρωμα die Fülle des
Alls gemeint ist. *Benoit* hat völlig recht, wenn er vom »kosmischen Pleroma« spricht und erklärt: »Das πᾶν τὸ πλήρωμα umfaßt ›das All‹ oder auch
›sowohl was auf Erden als auch was im Himmel ist‹«[250]. Gegen den Ein-

---

243 *Delling*, ThWNT VI, S. 301.
244 *Schweizer*, Kolosser I,15–20,S. 22.
245 *Max Meinertz*, Der Kolosserbrief (HSchNT VII), 1931, S. 23; *Alfred Wikenhauser*, Die
Kirche als der mystische Leib Christi nach dem Apostel Paulus, 1940, S. 188; *Ernst Percy*, Der
Leib Christi in den paulinischen Homologumena und Antilegomena, 1942, S. 51 Anm. 93; *Josef Gewieß*, Die Begriffe πληροῦν und πλήρωμα im Kolosser- und Epheserbrief, in: Vom
Wort des Lebens. Festschrift für Max Meinertz (NTA ErgBd I), 1951, S. 128–141, dort S. 135;
vgl. ferner: *Dibelius-Greeven*, Kolosser, S. 20; *Kehl*, Christushymnus, S. 116.
246 *Lohse*, Kolosser, S. 98; vgl. *Ernst*, Pleroma und Pleroma Christi, S. 86f.: »Wenn der
ursprüngliche Hymnus vom Pleroma spricht, dann meint er damit Gott selbst«.
247 *Schweizer*, Kolosser I,15–20, S. 22.
248 *Hegermann*, Schöpfungsmittler, S. 108.
249 *Schweizer*, Kolosser I,15–20, S. 22.
250 *Benoit*, Leib, Haupt und Pleroma in den Gefangenschaftsbriefen, in: Exegese und Theologie, 1965, S. 246–279, dort S. 272 und S. 273.

spruch von *Gewieß* kann auch *Jacques Dupont* zugestimmt werden, der die Stelle unter der Überschrift »Plénitude cosmique« abhandelt[251]. Auf derselben Linie liegt es, wenn *Hugolinus Langkammer* πᾶν τὸ πλήρωμα als »absolute Fülle des Seins« versteht und ausführt: »In Christus wohnt die ›absolute Seinsfülle‹ und daher findet in ihm alles seine Konsistenz und Einheit«[252]. So befremdlich der Gedanke sein mag, ist es doch die Meinung des Hymnus: In Christus hat das All Wohnung genommen, und zwar nicht im Zusammenhang der Schöpfung und auch nicht bei der Erhöhung, sondern bei der Auferweckung des Erstgeborenen von den Toten.

Um die Vorzugstellung oder »Rang und Würde Christi«[253] auszudrücken, hätte freilich nicht das ganze All bemüht zu werden brauchen. Es hätte beispielsweise genügt zu sagen: »denn er wurde auferweckt vor allen«. Der Hymnus sagt anderes und mehr. Um die Bedeutung der Auferweckung Christi darzutun, wagt er eine Aussage, die alle Vorstellung übersteigt und alle religionsgeschichtlichen Parallelen hinter sich läßt. *Schweizer* hat recht, wenn er auf den ganzen Hymnus zurückblickend feststellt: »Im zweiten Teil wird eine eindeutig christliche Antwort zu geben versucht, die weder in der Stoa noch im hellenistischen Judentum ihre Parallelen hat. Sie gründet in der Auferstehung Jesu, die als Beginn einer Schöpfung zu verstehen ist«[254]. Indessen ist diese Strophe auch christlicherseits erstaunlich genug, und es kann nicht übersehen werden, daß sowohl das hellenistische Judentum als auch die Stoa eine Vorarbeit geleistet haben, die solche Aussage erst möglich machte. Denn einerseits handelt es sich um die Umkehrung des »weisheitlichen« Gedankens der ersten Strophe, andererseits kommt eine Anschauung zum Zuge, wie sie der »stoische« Vierzeiler vertritt.

Wie aus dem Erstgeborenen als Modell und Mikrokosmos das ganze All hervorging, so kehrt es nun in ihn zurück. Zutreffend spricht *Conzelmann* von einer »Rückführung der Welt zu ihrem Ursprung«[255]. Doch ist damit nur die eine Seite der Sache angesprochen. Die Meinung ist ja nicht, daß die Erschaffung des Alls rückgängig gemacht wäre und jetzt nur noch der Mikrokosmos bestünde. Dieser bzw. Christus wird vielmehr durch die Einwohnung des Pleromas – nun in der Tat – zum Makrokosmos oder Makro-Anthropos. Ungeachtet der formalen Übereinstimmung muß das ἐν αὐτῷ

251 *Jacques Dupont*, Gnosis. La connaissance religieuse dans les épîtres de saint Paul, 1949, S. 474; vgl. *Gewieß*, Begriffe, S. 135 Anm. 29. – Der Auffassung von *Dupont* steht *Käsemann*, Taufliturgie, S. 43, nahe, wenn er Pleroma definiert als »die das All umfassende und einigende Fülle des neuen Äons«. Genau besehen ist das ›Umfassen‹ und ›Einigen‹ jedoch die Sache dessen, in dem das Pleroma Wohnung nimmt; der Auferstandene wäre demnach als neuer Äon anzusprechen.
252 *Hugolinus Langkammer*, Die Einwohnung der »absoluten Seinsfülle« in Christus, BZ NF 12 (1968), S. 258–263, dort S. 262.
253 *Michaelis*, ThWNT VI, S. 879; vgl. oben S. 43.
254 *Schweizer*, Kolosser I,15–20, S. 23.
255 *Conzelmann*, Kolosser, S. 136.

der zweiten Strophe etwas anders gedeutet werden als in der ersten. Da vom »Wohnung nehmen« die Rede ist, muß es rein lokal als Ortsbestimmung gefaßt werden. Ebenfalls mit dem Verbum zusammen hängt eine weitere beachtenswerte Nuance. Es handelt sich zwar wie in V.16a um eine Form des Aorists. Im Unterschied zum transitiven κτίζειν beschreibt κατοικεῖν jedoch nicht einen Akt des Schaffens, sondern einen Zustand. Auch der incohative Aorist impliziert, daß mit der Veränderung ein von nun an geltender Zustand beschrieben ist. Die Aussage kommt insofern den unbefristeten Angaben des Vierzeilers nahe. Religionsgeschichtlich gewendet, bedeutet dies, daß die zweite Strophe zum einen die weisheitliche Rede der ersten umkehrt und damit zum andern eine Aussage erreicht, die in der populären stoischen Weltbetrachtung ihre nächsten Parallelen hat. Der entscheidende Unterschied zur stoischen wie zur weisheitlichen Anschauung besteht darin, daß mit Hilfe und im Wechsel ihrer Anschauungsformen die Neue Welt beschrieben wird, wie sie in Christus ihren »Anfang« nahm und im »Erstgeborenen von den Toten« Wirklichkeit wurde. Der Hymnus entfaltet in seiner zweiten Strophe eine christologische Kosmologie, deren Basis die Auferweckung Christi von den Toten ist. Der Sinn dieser umfassenden Explikation ist ein soteriologischer. Kommt Christi Auferweckung von den Toten der Erschaffung einer Welt gleich, ist damit die Möglichkeit der Partizipation gewährleistet. Nicht mehr ausgeführt ist allerdings, wie diese Partizipation zustande kommt. Doch würde solche Applikation auch den Rahmen des Christus-Liedes sprengen und wäre dem Genus hymnischer Rede nicht gemäß. Im Blick auf Phil 2,6–11 hat dies *Günther Bornkamm* in aller Deutlichkeit herausgestellt[256].

Die Interpretation des Hymnus von Kol 1 kann zusammengefaßt werden in einem Rückblick auf die Themen seiner beiden Strophen und ihr gegenseitiges Verhältnis. Mit vielen anderen suchen *Dibelius, Maurer, Conzelmann* und *Gabathuler* den wesentlichen Inhalt des Liedes in das Begriffspaar »Schöpfung und Erlösung« einzufangen. *Dibelius* spricht von der »Parallelität von Schöpfung und Erlösung«[257], *Maurer* vom »Gegenüber von Schöpfung und Erlösung«[258]; *Conzelmann* sieht »zwei parallele Strophen mit analogem Inhalt« und erklärt: »Die erste schildert Christus als den Mittler der Schöpfung, die zweite als den Mittler der Erlösung«[259]; *Gabathuler* legt Wert auf die »Gleichrangigkeit der beiden Strophen« und stellt fest: »Die beiden parallelen Teile betonen ja eben die *Identität* von Schöpfungs- und Erlösungsmittler«[260]. So zutreffend diese Angaben sind, ist damit das Verhältnis der beiden Strophen noch nicht hinreichend scharf er-

256 *Günther Bornkamm*, Zum Verständnis des Christushymnus Phil 2,6–11, in: Studien zu Antike und Urchristentum (BEvTh 28), 1963, S. 177–187, dort S. 184–187.
257 *Dibelius-Greeven*, Kolosser, S. 10; ebenso *Hegermann*, Schöpfungsmittler, S. 116.
258 *Maurer*, Herrschaft Christi, S. 82.
259 *Conzelmann*, Kolosser, S. 136; ähnlich *Schnackenburg*, Aufnahme des Christushymnus, S. 33.
260 *Gabathuler*, Christushymnus, S. 130.

faßt. Dies gilt selbst dann, wenn die vorliegende Analogie oder die Identität von Schöpfungs- und Erlösungsmittler hervorgehoben wird. Es ist bezeichnend, daß *Gabathuler* selbst die Frage aufwirft: »Wie wird aus dem Schöpfungsmittler der Erlöser?«[261] Gefragt werden könnte auch: Weshalb ist eine Erlösung überhaupt erforderlich? Wozu bedarf es eigentlich des Erlösungsmittlers? Von einer Zerstörung seines Werkes als Schöpfungsmittler ist doch mit keinem Wort die Rede! – Fröhliche Urständ feiert mit solchen Fragen jenes Problem, das bereits aus Anlaß des Stichwortes »Versöhnung« erörtert wurde[262]. *Hegermann* sprach von einer »unlösbaren Schwierigkeit des Hymnus«[263], und die Ausscheidung des Vierzeilers einerseits, der Versöhnungsaussage von V.20 anderseits scheint nichts gebessert zu haben. Zur Versöhnung gehört eine vorangehende Zwietracht, die der Vierzeiler rundweg leugnet. Aber setzt nicht auch die Erlösung eine Erlösungsbedürftigkeit voraus, von der der Hymnus schweigt? Angesichts dieser berechtigten Frage ist die Feststellung angebracht: Der Begriff ›Erlösung‹ wird – anders als ›Schöpfung‹ und ›Versöhnung‹ – im ganzen Abschnitt Kol 1,15–20 überhaupt nicht verwendet. Betrachtet man den Passus von der Versöhnung in V.20 als sekundär, spricht der Hymnus zwar in seiner ersten Strophe von der Schöpfung, handelt dagegen an der entsprechenden Stelle der zweiten Strophe vom Erstgeborenen ἐκ τῶν νεκρῶν. In Anlehnung daran wäre der Inhalt des Liedes mit »Schöpfung und Auferweckung« anzugeben. Da die Auferweckung Christi in Analogie zur Schöpfung der Urzeit geschildert ist, kann auch mit *Käsemann* von »Schöpfung und eschatologischer Neuschöpfung« gesprochen werden[264]. In dieser Angabe sind Urzeit und Endzeit einander konfrontiert. Weit davon entfernt, einen heilsgeschichtlichen Abriß zu bieten, fassen die beiden Strophen zwei Geschehnisse ins Auge, die für heilsgeschichtliche Betrachtung Anfang und Ende aller Geschichte darstellen. Mit Recht bemerkt *Gabathuler*: »Die Schöpfung, von der die erste redet, gehört . . . streng genommen nicht in das heilsgeschichtliche Konzept hinein, markiert höchstens dessen Grenzen«[265]. Genau dasselbe läßt sich für die Neuschöpfung behaupten, von der die zweite Strophe redet. Heils- bzw. unheilsgeschichtlich gedacht ist dagegen die Frage, weshalb der Schöpfungsmittler zum Erlösungsmittler werden mußte oder wie es zur Erlösungsbedürftigkeit seines Werkes gekommen sei. Die Frage ist dem Hymnus unangemessen in genau dem Maße, wie das Schema Urzeit–Endzeit kein heilsgeschichtliches ist und keinen Abriß der Geschichte bietet. Interessiert ist es allein an der Endzeit, die mit den für die Urzeit geläufigen Vorstellungen erfaßt werden soll. Die protologischen Aussagen stehen hier im Dienst der eschatologischen. Auf den Hymnus an-

261 Ebd. S. 141.
262 Siehe oben S. 23f.
263 *Hegermann*, Schöpfungsmittler, S. 106.
264 *Käsemann*, Taufliturgie, S. 37.
265 *Gabathuler*, Christushymnus, S. 140.

gewandt, bedeutet dies, daß die erste Strophe der zweiten gegenüber eine
dienende Funktion einnimmt. Es ist dies mehr als die einfache Erkenntnis,
der zweite Teil bringe den Höhepunkt und die entscheidenden Aussagen des
Liedes. Näher heran führt die Einsicht, »daß sich erst von den soteriologischen Aussagen der zweiten Strophe her das rechte Verständnis der kosmologischen Ausführungen im ersten Teil des Hymnus erschließt«. In dieser
Feststellung *Lohses*[266] ist enthalten, daß die zweite Strophe nicht nur das
größere Gewicht hat, sondern darüber hinaus den Skopus des ganzen Liedes
darstellt. Dem Schema Urzeit-Endzeit entsprechend kann zugespitzt behauptet werden: Es geht dem Hymnus gar nicht um »Schöpfung *und* Auferweckung«, sein Anliegen ist die Auferweckung *als* Schöpfung. Das Lied
ist nicht an beiden Akten in gleicher Weise interessiert, geschweige denn an
der dazwischen liegenden Zeit. Es erzählt nicht, daß etwas, das einmal war
und zerstört wurde, nun wiederhergestellt ist. Die Schöpfung ist vielmehr
als »Typos der Neuschöpfung«[267] herangezogen; insofern hat die erste
Strophe dienende Funktion. Ungeachtet der parallelen Ausformung kann
sachlich nicht von einer Gleichrangigkeit gesprochen werden. Das Ziel der
ersten Strophe ist die zweite, die auf diese Weise vorbereitet wird. Bereits
das erste Christusprädikat reißt einen Horizont des Verstehens auf, innerhalb dessen von der Auferweckung Christi gesprochen werden soll. Dank
der Erinnerung an die Schöpfung kann die zweite Strophe eine Theologie
der Auferstehung entfalten, in der die Auferweckung Christi als Beginn einer neuen Schöpfung zu stehen kommt. Entwickelt die erste Strophe eine
kosmologische Christologie, so geschieht dies, um die christologische Kosmologie der zweiten vorzubereiten. Als beide Strophen zusammenschlie-
ßendes Thema kann demnach angegeben werden: »Die Neue Schöpfung in
Christus«!
Es bedarf nur eines flüchtigen Blickes, um festzustellen, daß sich das Lied
mit diesem Thema deutlich von den bekannten Hymnen Phil 2,6–11 und 1
Tim 3,16 unterscheidet. Ihre zentrale Aussage ist die Machtergreifung
Christi. Gepriesen wird seine Erhöhung und der Beginn seiner Herrschaft.
Der Hymnus von Kol 1 ist anders angelegt. Indem Phil 2,6–11 die Erniedrigung und Erhöhung des Erlösers skizziert und 1 Tim 3,16 die ihm auf Erden
wie im Himmel zuteil werdende Huldigung besingt, bedienen sich beide
Lieder der Anschauungsform des Raumes. Kol 1,15–20 dagegen konfrontiert Urzeit und Endzeit. Sofern aber Phil 2,6–11 und 1 Tim 3,16 die Erhöhung als Beginn der Herrschaft Christi darstellen, bedienen sie sich einer
geschichtlichen Kategorie. Kol 1,15–20 dagegen deutet die Auferweckung
Christi als Erschaffung einer neuen Welt und greift damit eine kosmologische Kategorie auf. Nach Phil 2 und 1 Tim 3 hat alle Welt sich Christus unterworfen und wird von ihm regiert; nach Kol 1 hat das All in ihm Wohnung

266 *Lohse*, Kolosser, S. 103.
267 *Kehl*, Christushymnus, S. 116.

genommen und wurde damit neu konstituiert. Übereinstimmung besteht darin, daß jeweils ein weltweites Geschehen ausgerufen wird, und zwar nicht als ferne Hoffnung, sondern als angebrochene Wirklichkeit und heilvolle Gegenwart. Es gilt in gleicher Weise für die beiden anderen Hymnen, wenn *Dibelius* zu Kol 1 feststellt, daß »die vollen Töne der Freude über die *erfolgte* Weltenwende unüberhörbar« seien[268]. Die Konturen des Hymnus von Kol 1,15–20 sind aber verwischt und seine spezifischen Aussagen eingeebnet, wenn *Hegermann* zusammenfaßt: »Er rühmt die Macht, und zwar die kosmische Macht, des Erlösers. Er besingt die Erhöhung und die unvergleichliche Stellung des Heilsträgers im All, und er zeichnet sein Heilswirken als Machtausübung, kosmisches Schöpferwirken«[269]. Zugrunde liegt diesem und ähnlichen Urteilen[270] eine andere Abgrenzung des Hymnus. Im Falle *Hegermanns* ist es die Entscheidung, sowohl den Schluß des Vierzeilers: »und er ist das Haupt des Leibes« als auch V.18d: »damit er von allen der erste werde« dem Hymnus zuzurechnen[271]. Handelt es sich dabei um Erweiterungen des Textes, ist es erst die Bearbeitung des Liedes, die »Machtausübung« und »kosmisches Schöpferwirken« in der angegebenen Weise zusammenschaut.

268 *Dibelius-Greeven*, Kolosser, S. 20; vgl. *Hegermann*, Schöpfungsmittler, S. 109.
269 *Hegermann*, Schöpfungsmittler, S. 123.
270 Vgl. *Käsemann*, Taufliturgie, S. 43; ders., Erwägungen zum Stichwort »Versöhnungslehre«, S. 53; *Gabathuler*, Christushymnus, S. 141; *Wengst*, Formeln und Lieder, S. 177.
271 *Hegermann*, Schöpfungsmittler, S. 92f.

Die Bearbeitung und Deutung des Hymnus

1. Der Kontext Kol 1,12–23*

Die literar- und formkritische Analyse von Kol 1,15–20 ergab, daß der Text nicht nur aus zwei, sondern aus drei Schichten besteht. Der redaktionsgeschichtlichen Betrachtung ist damit die Aufgabe gestellt, das Anwachsen des Textes in zwei Etappen darzustellen und nach Möglichkeit herauszufinden, wer für die verschiedenen Erweiterungen verantwortlich ist. Verständlich wird der Prozeß, wenn sich zeigen läßt, welche Vorstellungen und Absichten im Spiele waren.

Das Ergebnis der Analyse berührt sich mit den Thesen *Käsemanns*, sofern auch er mit einer Entwicklung in drei Phasen rechnet[1]. Sie werden von ihm allerdings völlig anders definiert. Literarkritisch stellt er nur zwei Schichten fest und nimmt für die dritte Phase keine textliche Veränderung mehr an. Nach seiner Meinung wurde ein vorchristlicher Hymnus mittels der Glossen in V.18a und 20b christianisiert, als er in die urchristliche Taufliturgie (V.12 ff.) einging, und der Briefschreiber übernahm den ganzen Komplex der Verse 12–20 als Basis seiner Auseinandersetzung mit den kolossischen Irrlehrern, ohne daß es dazu einer Ergänzung bedurft hätte.

Die Ausgangsposition ist eine andere, wenn bereits der Hymnus eine christliche Komposition darstellte. Auf die Zwischenstufe der Christianisierung in der Gemeindeliturgie kann verzichtet werden. Hält man fest an der Zweischichtigkeit des Textes, ist es das Nächstliegende, für die Interpretation des Hymnus den Verfasser des Briefes verantwortlich zu machen. Unter diesem Gesichtspunkt hat vor allem *Hegermann* den Text exegesiert. Im Unterschied zu früheren Untersuchungen gilt sein Interesse nicht mehr allein oder vorwiegend der fremdartigen Theologie des Hymnus, sondern in gleichem Maße der »Stellungnahme des Paulus«[2]. Der Umfang dieser zweiten Schicht ist allerdings weiter veranschlagt als bei *Käsemann*, da auch *Hegermann* mit einem kürzeren und strenger aufgebauten Hymnus rechnet. Zu den beiden Glossen treten »weitere ›Zwischenspiele‹« in »freier Hymnik«[3]. Verwischt wird dadurch nicht nur der dogmatische Charakter der

---

* Zur leichteren Orientierung ist nach S. 162 ein Faltblatt eingeheftet, das die literarkritischen Entscheidungen im Text markiert.

1 Siehe oben S. 7.
2 *Hegermann*, Schöpfungsmittler, S. 158–199; vgl. dazu *Gabathuler*, Christushymnus, S. 140: »Wirklich ernstgemacht haben mit der Zweischichtigkeit des Hymnus (!) erst H. Hegermann und E. Schweizer, indem sie die Theologie der Vorlage und die des Vf des Col gegenüberstellen.«
3 *Hegermann*, Schöpfungsmittler, S. 91.

Glossen, sondern auch die Tatsache, daß sie den Gedankengang des Abschnittes in eklatanter Weise stören[4]. Sie werden mit weniger eindeutigen und stärker umstrittenen Einschüben zusammengenommen. Zurückhaltender ist hier *Lohse*. Er hält an *Käsemanns* literarkritischer Analyse fest, schließt sich traditions- und redaktionsgeschichtlich jedoch der Meinung an, daß ein christliches Lied vom Verfasser des Briefes redigiert wurde, und zwar eben mittels der beiden auffallenden Glossen. Der Satz, in dem er seine Auffassung des Redaktionsprozesses darlegt, fordert allerdings zum Nachdenken heraus. *Lohse* erklärt: »Abgesehen von den beiden Glossen in V.18a und 20, die deutlich die Theologie des Verfassers des Briefes erkennen lassen, handelt es sich bei allen anderen Wendungen, die man als Zusätze zu einem ursprünglich kürzeren Lied hat ansehen wollen, um Aussagen, die die im Hymnus angelegten Linien weiter ausziehen«[5]. Linien, die im Hymnus angelegt sind, weiter auszuziehen kann ja wohl nicht Sache des Hymnus selber sein. Beim Wort genommen, spricht demnach *Lohse* von einer Bearbeitung, die den beiden Glossen vorausgeht. Seine Auffassung deckt sich insofern mit dem Ergebnis der Analyse, der Text bestehe nicht aus zwei, sondern aus drei Schichten. Sollte es nun richtig sein, daß die beiden Glossen »deutlich die Theologie des Verfassers des Briefes erkennen lassen«, taucht unversehens wieder die Möglichkeit einer liturgischen Bearbeitung des Hymnus auf. Das Ausziehen der Linien hätte die Gemeinde im gottesdienstlichen Gebrauch besorgt und der Briefschreiber die Glossen eingebracht. Wer sich mit diesem Gedanken nicht befreunden mag, hat als Alternative nur noch den Ausweg, in Anlehnung an *Wagenführer* die Glossen später anzusetzen und sie einem frühen Leser des Kolosserbriefes zuzuschreiben. Auf den Schreiber des Briefes ginge dann die zweite Schicht des Textes zurück, und die Glossen wären der von *Rudolf Bultmann* behaupteten »kirchlichen Redaktion« des ersten Johannesbriefes vergleichbar[6]. Es bleibt sich gleich, an welcher Stelle man einsetzt. Geklärt werden muß, wem die Glossen zu verdanken sind, oder aber, woher die erste Bearbeitung des Liedes stammt.

Es scheint das Gegebene zu sein, die Entscheidung durch einen Rekurs auf die Theologie des Briefschreibers herbeizuführen, wie dies *Lohse* tut. Bei genauerem Bedenken erweist sich dieser Weg jedoch als ungeeignet, da die Theologie des Briefschreibers keine Größe ist, mit der ohne weiteres operiert werden könnte. Hat man einmal den Gedanken ins Spiel gebracht, ein früher Leser könnte die Glossen in Kol 1,18a und 20b eingebracht haben, läßt sich nicht mehr ausschließen, daß er an anderen Stellen entsprechend vorging. Weshalb sollte er nicht ganze Arbeit geleistet haben? Der Verweis auf Parallelstellen innerhalb des Briefes wird damit problematisch.

---

4 Vgl. oben S. 6.
5 *Lohse*, Kolosser, S. 82.
6 *Rudolf Bultmann*, Die kirchliche Redaktion des ersten Johannesbriefes, in: Exegetica, 1967, S. 381–393.

Dasselbe gilt freilich auch für den Versuch, die zweite Textschicht in Kol
1,15–20 mit der Theologie des Briefschreibers gleichzusetzen. Gewiß lassen
sich zu der Bearbeitung des Hymnus im weiteren Corpus des Briefes zahlreiche Parallelen aufzeigen. Nahe stehen ihr zum Beispiel die Verse Kol 2,9
und 10. Nur ist nicht auszuschließen, daß solche Formulierungen zunächst
als Bestandteil einer größeren liturgischen Einheit vom Autor übernommen
und später wiederholt wurden. In diesem Falle würde es sich nicht um eigene Wendungen des Briefschreibers handeln. Durch den Verweis auf parallele Ausführungen im übrigen Brief läßt sich also weder entscheiden, wer
für die zweite Schicht in Kol 1,15–20 verantwortlich zeichnet, noch, wie die
dritte einzustufen ist. Es muß ein anderer Weg gefunden werden.
Doch zuvor ist die zurückgelegte Wegstrecke zu vermessen. Die Beobachtung, daß der Hymnus an zwei Stellen doppelt bearbeitet wurde, verdient
zwar besonderes, aber nicht ausschließliches Interesse. Sie fordert eine neue
Sicht des Redaktionsprozesses, sofern die Unterscheidung einer zweiten
von einer ersten bearbeitenden Hand unmittelbar vor die Frage führt, wer
hier am Werk gewesen sein könnte. Ebenfalls von Interesse ist jedoch, wie
hier gearbeitet wurde. Über der rein numerischen Feststellung einer zweifachen Bearbeitung darf die Eigenart der beiden Schichten und damit zusam-
menhängend ihre gegenseitige Abgrenzung nicht zu kurz kommen. Klar ist
die Situation lediglich in V.18a und 20b, da die beiden Glossen in die Bearbeitung der ersten Hand eingesprengt sind und diese ihre Voraussetzung
bildet. Daneben finden sich jedoch Partien einer einfachen Bearbeitung, und
es ist noch nicht entschieden, welcher Hand sie zuzuweisen sind. Es ist ja
nicht gesagt, daß die zweite Hand nur dort eingegriffen hat, wo schon die erste tätig war. Und daß die beiden Glossen den Gedankengang in besonders
auffallender Weise stören, schließt nicht aus, daß ihr Verfasser auf leichte-
rem Terrain auch unauffälliger zu arbeiten verstand. Wieweit die Passagen
einschichtiger Bearbeitung auf ihn oder seinen Vorgänger zurückgehen, ist
demnach eine offene Frage. Kriterien zu ihrer Beantwortung können nur
dort gewonnen werden, wo beide Bearbeitungen zusammenstoßen und sich
deutlich voneinander abheben. Solange keiner der Kommentatoren als Autor des Kolosserbriefes identifiziert ist, muß nochmals auf ein Argumentieren mit verwandten Ausführungen des übrigen Briefes verzichtet werden.
Die Eigenart der beiden Schichten und ihre gegenseitige Abgrenzung kann
nur auf dem sondierten Boden von Kol 1,15–20 erarbeitet werden.
Als erstes läßt sich in V.18 und 20 eine Feststellung zur Technik der Kom-
mentare treffen. Die erste Hand zog mit dem Vierzeiler der Verse 16d–18a
einen vorgegebenen Text heran, dessen Terminologie der des Hymnus na-
hesteht. Berührungspunkte sind »das All«, »erschaffen«, »vor allem« und
»in ihm«. Die zweite Hand dagegen bringt mit τῆς ἐκκλησίας eine Ergänzung, die einer Definition gleichkommt und terminologisch nicht vorbereitet ist.
Ähnlich steht es in V.20, wenn hier die erste Bearbeitung auf einen Text an-

spielt, der in Eph 2 wiederbegegnet. Mit der hymnischen Rede und dem angezogenen Vierzeiler berühren sich die Wendungen »das All«, »durch ihn« und »auf ihn hin«. Die zweite Hand dagegen führt mit διὰ τοῦ αἵματος τοῦ σταυροῦ αὐτοῦ eine nähere Bestimmung ein, deren Terminologie mit der bisher gepflogenen Rede nichts gemein hat. Als charakteristisch kann demnach festgehalten werden: Die erste Bearbeitung bedient sich vorgegebener Formulierungen und geschieht assoziierend, die zweite bemüht sich um Definitionen und geschieht präzisierend. Der Redeweise des Hymnus steht die erste Bearbeitung wesentlich näher.

Nicht zu übersehen ist andererseits, daß auch sie auf dem Wege der Assoziation neue Motive ins Spiel bringt: In V.16d–18a durch die Verwendung von Perfekt und Präsens sowie durch das Stichwort »Bestand haben« und die Wendung »das Haupt des Leibes«; in V.20 durch die Stichworte »versöhnen« und »Frieden stiften« sowie durch die vorgeordnete Erwähnung eines Beschlusses (εὐδόκησεν) in V.19. Der Hymnus wird auf diese Weise recht eigenwillig ausgelegt.

Dem Schöpfungsmittler der ersten Strophe wächst die Aufgabe des Erhalters zu, und er ist nicht mehr nur der primus, sondern auch der princeps aller Schöpfung. Zur Priorität tritt der bleibende Primat, und die Rede vom »Erstgeborenen« gewinnt eine neue Nuance. Die Bearbeitung geht hier deutlich einen Schritt über die hymnische Aussage hinaus.

Umgekehrt führt sie in der zweiten Strophe einen Schritt dahinter zurück und bringt eine Bedingung zur Sprache. Nach Aussage des Hymnus versammelte sich in Christus die ganze Fülle dessen, was auf Erden und im Himmel ist. Diese gewaltige Behauptung kam offenbar schon dem Bearbeiter überraschend. Vom Geschehen der inhabitatio rekurriert er auf den Beschluß dazu, indem er als verbum finitum εὐδόκησεν einführt und davon κατοικῆσαι abhängig sein läßt. Dazuhin sah er sich in der Lage, zum besseren Verständnis des Gedankens etwas beizutragen, das ihm geläufig war. Aus anderem Zusammenhang kannte er den Topos einer weltumspannenden Versöhnung. In seinem Kommentar verbindet er ihn mit dem hymnischen Gedanken einer weltweiten Einwohnung in Christus. Wie immer diese Versöhnung ursprünglich gedacht war, als innerkosmische zwischen verfeindeten Mächten und Bezirken oder als Friedensschluß zwischen Gott und seiner abgefallenen Schöpfung, separat zu klären ist, wie sich der Bearbeiter des Kolosser-Hymnus die Sache in seinem Zusammenhang denkt.

Die verschiedenen Möglichkeiten gegeneinander abwägend, bemerkt *Haupt* zu Kol 1,20: »Jedes Auffällige des Gedankens würde schwinden, wenn die Aussöhnung nicht als eine solche mit Gott, sondern als zwischen den verschiedenen Kreaturen stattfindend gedacht werden könnte«[7]. Sie kann dies, da sich die Einwände gegen solche Deutung entkräften lassen.

---

7 *Haupt*, Kolosser, S. 40.

Vorgegeben ist dem Bearbeiter der Merismus »sowohl was auf Erden als
auch was im Himmel ist« und zuvor die Aussage, daß in Christus die ganze
Fülle Wohnung genommen habe. Dazwischen schiebt er die Stichworte
»versöhnen« und »Frieden stiften«. Das Nächstliegende ist: Er wollte auf
diese Weise zum Ausdruck bringen, daß Irdisches und Himmlisches in
Christus »versöhnt« und »befriedet« zusammenfinden. Seine Voraussetzung scheint zu sein, daß sie bislang geschieden und friedlos waren.
Gegen diese Auffassung der Versöhnung läßt sich anführen, daß εἴτε . . .
εἴτε nicht die dafür angebrachte Formulierung sei, da die Disjunktion keine
wechselseitige Beziehung zur Sprache bringt, vielmehr »von beiden Teilen
ohne Beziehung auf den andern« handelt[8]. Der Einwand hat recht, geht jedoch von falschen Voraussetzungen aus. Die disjunktive Formulierung ist
ein Bestandteil des Liedes, der gar nicht als grammatikalisches Objekt des
eingeschobenen ἀποκαταλλάξαι verwendet ist. Als solches erscheint vielmehr – Himmel und Erde zusammenfassend – τὰ πάντα! Das All sollte versöhnt werden. Da kein Dativ zur Angabe ein.. externen Gegenübers folgt
und die präpoṣitionalen Bestimmungen dem Vermittler gelten, muß angenommen werden, daß der Gegensatz ein interner war und die Versöhnung
in der Tat »als zwischen den verschiedenen Kreaturen stattfindend« gedacht
ist, mit anderen Worten: als innerkosmische Versöhnung. Zur hymnischen
Vorlage, die den Anstoß zu seiner Erläuterung gab, lenkt der Verfasser zurück, indem er sich wiederholt, jedoch im Ausdruck variiert. Mit εἰρηνοποιήσας wählt er ein Verbum, dessen inneres Objekt den durch die Versöhnung erreichten Zustand benennt. Um anzudeuten, daß nicht von einer
weiteren Aktion die Rede ist, setzt der Bearbeiter zu einem Partizipialsatz an
und wiederholt dabei eine der präpositionalen Bestimmungen. Er führt aus:
εἰρηνοποιήσας δι᾿ αὐτοῦ und kann danach die hymnische Schlußzeile
aufnehmen: »sowohl was auf Erden als auch was im Himmel ist«. Ganz im
Sinne der Disjunktion und doch an seiner Vorstellung festhaltend, gibt er zu
verstehen, daß der Friede *sowohl* die irdischen *als auch* die himmlischen
Dinge betrifft. Umschrieben ist damit die Fülle des Alls.
Noch weniger durchschlagend ist der Einwand, daß die innerkosmisch ver-
standene Versöhnung doch wohl vor der gemeinsamen Einwohnung in
Christus genannt sein müßte. In der Tat hat der vorliegende Text die Abfolge »Wohnung nehmen und versöhnen«. Versteht man jedoch mit *Benoit*[9] das καί zwischen den beiden Verben explikativ, was bei einer sekundären
Explikation naheliegt, ergibt sich der Gedanke: Die Einwohnung erfolgte als
Versöhnung. Die Versöhnung des Alls kam genau im Akt der Einwohnung
zustande.– Daß sich schon der Bearbeiter die Sache in dieser Weise zurecht-
gelegt hat, lehren die präpositionalen Bestimmungen in V.20a. Die auf

---

8 Ebd.; vgl. *Wikenhauser*, Leib Christi, S. 216; *Percy*, Die Probleme der Kolosser- und
Epheserbriefe, 1946, S. 93; *Franz Mußner*, Christus, das All und die Kirche. Studien zur
Theologie des Epheserbriefes (TThS 5), 1955, S. 69; *Vögtle*, Zukunft des Kosmos, S. 222.
9 *Benoit*, Leib, Haupt und Pleroma, S. 274.

Christus zielende Rede von der Einwohnung ἐν αὐτῷ fortführend, erklärt der Bearbeiter sehr präzis, daß die Versöhnung des Alls δι'αὐτοῦ und εἰς αὐτόν erfolgen sollte. Also nicht früher und nicht im Blick auf einen anderen, sondern durch Christus und »in ihn hinein«! Das εἰς αὐτόν ist hier genauso lokal zu verstehen wie ἐν αὐτῷ in V.19. Ist Christus demnach Mittler und Ort der Versöhnung – wie auch die Schöpfung in ihm und durch ihn zustande kam –, stellt sich die Frage, wer der Initiator dieses Geschehens ist. Oder in der Sprache des Bearbeiters gefragt, wer den »Beschluß« dazu gefaßt hat und deshalb als »Friedensstifter« gelten kann.

Der Hymnus nannte als Subjekt der Einwohnung »die ganze Fülle« und meinte damit nichts anderes als »das All«. Im Kommentar, der das Stichwort »versöhnen« beibringt, erscheint »das All« als Objekt des Geschehens. Ist Christus, »durch den« alles geschieht, der Mittler, kommt als Auctor nur noch Gott in Frage. Auf seinen Ratschluß geht demnach alles zurück. Er ist das Subjekt zu εὐδόκησεν wie zu ἀποκαταλλάξαι, und auf ihn bezieht sich auch das maskuline Partizip εἰρηνοποιήσας. Dies bedeutet nicht, daß er nun doch als Partner der Versöhnung gedacht wäre. Er ist vielmehr beteiligt als der, von dem die Friedensinitiative ausgeht. Andere sind die Kontrahenten, und nochmals ein anderer wird zum Vermittler, der die Einigung erreicht. In Christus finden die widerstreitenden Teile des Alls versöhnt zusammen.

Literarkritisch betrachtet, heißt dies: Der Bearbeiter hat der zweiten Strophe des Hymnus ein neues Subjekt oktroyiert, indem er die Neuschöpfung in Christus als von Gott beschlossene Versöhnung des Alls zu deuten unternahm. In dieser eigenwilligen Interpretation hat die Streitfrage ihren Ursprung, welches Subjekt in Kol 1,19 f. anzunehmen sei[10]. Die literarkritische Antwort ist: Im Sinne des Hymnus πᾶν τὸ πλήρωμα, im Sinne der ersten Bearbeitung ὁ θεός.

Wenn der Bearbeiter für das von ihm eingebrachte Hauptverbum εὐδόκησεν Gott als Subjekt voraussetzt, muß noch geklärt werden, wie er den beibehaltenen hymnischen Ausdruck »die ganze Fülle« aufgefaßt hat. Die Terminologie des Hymnus und der Satzbau der Bearbeitung sind an dieser Stelle eigentümlich ineinander verwoben. Grammatikalisch sind zwei Möglichkeiten gegeben. Der stehengebliebene Ausdruck πᾶν τὸ πλήρωμα könnte in Verbindung mit dem abgewandelten Verbum κατοικῆσαι seine Rolle als eigenständiges, von Gott unterschiedenes Subjekt bewahrt haben. V.19b wäre dann gegen den sonstigen Sprachgebrauch des Neuen Testaments dem Bearbeiter zu einem von εὐδόκησεν abhängigen A.c.I. geraten: »Er (= Gott) beschloß, daß in ihm (= Christus) die ganze Fülle Wohnung nehme«[11]. Jetzt als Akkusativ bildete πᾶν τὸ πλήρωμα nach wie vor das Subjekt zu κατοικῆσαι. Dagegen spricht jedoch einmal, daß für das Haupt-

10 Siehe oben S. 19–21.
11 Vgl. oben S. 19f.

verbum εὐδόκησεν kein nominales Subjekt verbleibt. Nur der A. c. I. besitzt bei dieser Konstruktion in πᾶν τὸ πλήρωμα ein Nomen als Subjekt; für das Hauptverbum muß das Subjekt ergänzt werden. Zum andern ist der Umstand zu bedenken, daß der ebenfalls von εὐδόκησεν abhängige Infinitiv ἀποκαταλλάξαι anders angeschlossen ist. Hier muß konstruiert werden: »(Er) beschloß, . . . zu versöhnen«. Das Subjekt des Infinitivs ist mit dem des Hauptverbums identisch; ein A.c.I. kommt nicht in Frage. Dieser Bruch im Satzgefüge ist vermieden und die Annahme des analogielosen A.c.I. in V.19 überflüssig, wenn schon der erste Infinitiv in derselben Weise aufgefaßt wird. Auch dann ist »die ganze Fülle« das Subjekt der Einwohnung, jedoch in der Weise, daß der Ausdruck als Nominativ auch schon das nachgestellte Subjekt zu εὐδόκησεν bildet. Als Übersetzung ergibt sich: »Denn in ihm (= Christus) beschloß die ganze Fülle Wohnung zu nehmen«. Da aber das Hauptverbum den Ratschluß Gottes meint, ist die theologische Konsequenz solcher Auffassung des Satzes, daß der Bearbeiter den beibehaltenen hymnischen Ausdruck als Bezeichnung Gottes nahm und die »Fülle« als πᾶν τὸ πλήρωμα – τῆς θεότητος verstand[12]. Letztlich auf ihn geht damit die exegetische Tradition zurück, von der »Wesensfülle Gottes« zu sprechen[13].

Einbringen läßt sich in diese Deutung schließlich auch der Hinweis *Münderleins*, ἐν αὐτῷ εὐδόκησεν bezeichne in traditioneller Weise die Erwählung Christi durch Gott[14]. Genau davon handelt auch der Bearbeiter, wenn er in Anlehnung an den Hymnus behauptet: »In ihm beschloß das (göttliche) Pleroma Wohnung zu nehmen«. – Zwar nicht als grammatikalische Feststellung, wohl aber als inhaltliches Ergebnis kann festgehalten werden, daß im Sinne des Bearbeiters durchweg Gott das Subjekt der Aussagen in Kol 1,19 und 20 ist.

Auf den ersten Blick mag es scheinen, als habe sich der Kommentator von der Aussage des Hymnus ganz erheblich entfernt, wird doch unter seinen Händen aus der Einwohnung des Alls die Einwohnung Gottes in Christus. Nach seinen eigenen Voraussetzungen ist diese Abweichung indes gering. Ebenfalls von seiner Hand stammt die Erläuterung der ersten Strophe durch den stoisch klingenden Vierzeiler. In seiner Gedankenwelt war demnach die Möglichkeit gegeben, Gott und das All in eins zu sehen, genauer: die gesamte Welt als »Leib« mit der Gottheit als »Haupt« in unmittelbare Verbindung zu bringen. Daß der Vierzeiler in seinem jetzigen Zusammenhang von Christus handelt, ist kein Gegenargument, konnte doch nicht ausgemacht werden, ob er auch als christologische Aussage konzipiert und überliefert wurde[15]. Möglicherweise hat ihn erst der Bearbeiter dazu verwandt. Deutlich wird daran, wie leicht die Denkmuster kosmologischer Theologie auch

---

12   Vgl. Kol 2,9.
13   Siehe oben S. 47f.
14   Siehe oben S. 20f.
15   Siehe oben S. 37.

in die Christologie Eingang finden konnten. In denselben Zusammenhang gehört, daß schon der Hymnus in seiner zweiten Strophe Christus als Makrokosmos begreift. Der Bearbeiter hat diese Linie ausgezogen, indem er aufgrund seiner theologischen Voraussetzungen die Einwohnung des Alls als Einwohnung der göttlichen Fülle interpretierte. Diese Einwohnung im Erstgeborenen von den Toten bedeutet für ihn zugleich die weltumspannende Versöhnung.

Eine gänzlich andere Auffassung bringt demgegenüber die zweite Bearbeitung mittels der Glosse zu V.20b zur Sprache. Als erstes ist festzustellen, daß der Bearbeiter zweiter Hand den Text nochmals kompliziert, obwohl er selbst erfaßt haben dürfte, wen sein Vorgänger mit dem Partizip »Frieden stiftend« meinte. Ohne die christologische Angabe »durch ihn« abzuwarten, setzt er hinzu: »durch das Blut seines Kreuzes«. Seiner Vorlage besser entsprochen hätte es zu sagen: »durch das Blut seines Sohnes« oder mit Paulus: »durch den Tod seines Sohnes« (vgl. Röm 5,10). Flüchtig betrachtet, erweckt seine Formulierung den Eindruck, als sei Christus selbst als Friedensstifter angesprochen, wie ja auch Eph 2,15 von ihm zu sagen weiß: ποιῶν εἰρήνην. Solches Mißverständnis liegt um so näher, als noch kurz zuvor die Verse 18b–d in pointierter Weise von der Rolle und Bedeutung Christi handeln. Erlegen sind ihm möglicherweise die frühen Abschreiber B, D*, G, I und andere, die nach der Glosse die ältere Angabe »durch ihn« nicht mehr überliefern und so der irrigen Auffassung zumindest Vorschub leisten. Auf der anderen Seite kann für das Vorgehen des Glossators geltend gemacht werden, daß schon V.20a mit der präpositionalen Bestimmung »durch ihn« Christus auf die Rolle des Mittlers festlegt und damit das »Versöhnen« zu Gottes Vorhaben macht. Daran anknüpfend, konnte der Glossator das folgende Partizip durchaus auf Gott beziehen und mit seinem Einschub lediglich die Absicht verfolgen, Gottes Mittel und Wege präziser anzugeben. Mißverständlich wird seine Angabe erst, wenn sie aus dem vorgegebenen Satzgefüge herausgenommen wird. Beachtet man den syntaktischen Zusammenhang und insbesondere die Tatsache, daß auch in V.20b das »durch ihn« zunächst stehenbleibt, wird deutlich, daß der Glossator nicht nur literarisch, sondern auch theologisch auf der Arbeit seines Vorgängers aufbaut: Literarisch, indem er an das Partizip anknüpft, theologisch, indem er den Wechsel des Subjektes akzeptiert und Gott als eigentlichen Acteur betrachtet.

Gleichwohl gibt er dem vorgefundenen Gedanken durch die scheinbar präzisierende Glosse eine neue Richtung. Sein Hinweis gilt dem Sterben Jesu Christi, durch das Gott Frieden gestiftet habe. Der Hymnus dagegen, und in seinem Gefolge die erste Bearbeitung, handelte vom Auferstandenen, in dem Friede geworden sei. Durch die Glosse wird die Theologie der Auferstehung von der Theologie des Kreuzes überformt.

Die Rede vom »Blut des Kreuzes« geht ferner aus von der Vorstellung einer zu leistenden Sühne und entspricht damit einer alten und verbreiteten Interpretation des Sterbens Christi[16]. Sühne wird jedoch einem gekränkten und fordernden Gegenüber geleistet, sei es durch den Schuldigen, sei es durch einen Stellvertreter. Sie ist eine Form der Genugtuung und stiftet neue Verhältnisse, indem sie einem unerfüllten Anspruch Genüge tut. Nach der Meinung des Glossators wurde der weltweite Friede, von dem seine Vorlage sprach, durch Christi Kreuzesblut erwirkt. Diese nähere Ausführung ist kaum anders zu verstehen, als daß Christi Sühnetod den Frieden mit *Gott* vermittelte und seinem Anspruch Genüge tat. An wen sollte sonst gedacht sein? Aus dem distanzierten, gleichsam neutralen Friedensstifter ist damit ein direkt betroffener geworden. In eigener Sache ergreift Gott die Initiative und findet einen Mittler.

In derselben Weise dürfte der zweite Bearbeiter auch schon den Topos von der Versöhnung des Alls in V. 20a verstanden haben. Will man nicht mit *Griesbach* am Ende der Zeile für εἰς αὐτόν das reflexive εἰς ἑαυτόν lesen, ist zwar von Gott als Partner der Versöhnung verbis expressis noch immer nicht die Rede. Doch ist im Gedanken des Sühnetodes Christi, den der Glossator kaum von der Versöhnung durch Christus unterschieden hat, Gott als Gegenüber vorausgesetzt. Gilt die Glosse in V. 20b dem ganzen Passus von Versöhnung und Friede, hat ihr Verfasser die vorgegebene Aussage erheblich abgewandelt. Aus der innerkosmischen Versöhnung ist die Versöhnung des Alls mit Gott geworden. Aus dem nicht betroffenen Initiator wurde Gott zum Partner der Versöhnung, und Christus bleibt zwar der Mittler der Versöhnung, doch ereignet sie sich nicht mehr als Einwohnung im »Leib« des Auferstandenen, sondern durch das Blut des Gekreuzigten. Daraus ergibt sich, daß der zuvor erwähnte göttliche Beschluß, in Christus Wohnung zu nehmen, bereits den Irdischen betrifft.

So weit sich der zweite Bearbeiter damit von seiner Vorlage entfernt hat, so nahe steht er dem Apostel Paulus. In allen Einzelheiten entspricht seine Auffassung der paulinischen. Vom Frieden schreibt der Apostel Röm 5,1: »Wir haben Frieden mit Gott durch unseren Herrn Jesus Christus«. Wenige Verse später von der Versöhnung: »Wir sind mit Gott versöhnt durch den Tod seines Sohnes« (Röm 5,10). Und sowohl die Erwählung Christi als auch die kosmische Reichweite der Versöhnung ist angesprochen, wenn Paulus – möglicherweise ebenfalls liturgische Formulierungen aufgreifend[17] – in 2 Kor 5,19 erklärt: »Gott war in Christus und versöhnte den Kosmos mit sich«. Der Glossator von Kol 1,20 hätte sich für seine Auffassung durchaus auf den Apostel berufen können.

In gewisser Weise gilt dies auch schon für seine erste Glosse in V. 18a, die den »Leib« Christi mit der Kirche identifiziert. In 1 Kor 12,13 erklärt Paulus im Zusammenhang ekklesiologischer Ausführungen: »Wir sind alle zu einem Leib getauft«. Und unmittelbar vor der Versöhnungsaussage von 2 Kor 5,18 f. greift er den Schöpfungsgedanken auf und stellt in lapidarer Weise

---

16 Vgl. Röm 3,24f.; 1 Kor 11,24; Mk 10,45; 1 Joh 2,2; 1 Petr 2,24.
17 Vgl. dazu *Käsemann*, Erwägungen zum Stichwort »Versöhnungslehre«, S. 50.

fest: »Ist jemand in Christus, ist er Neue Schöpfung« (V.17). Von hier aus läßt sich verstehen, wie der Glossator dazu kommt, in Kol 1,18a den für die Schöpfung gebrauchten Topos vom »Leib« seinerseits auf die Kirche zu beziehen.

Zwischen dieser Deutung von V.18a und seiner Interpretation von V.20 besteht sogar eine Querverbindung. Offen geblieben ist bislang, welche Bedeutung innerhalb der theo-logischen Versöhnungskonzeption des zweiten Bearbeiters die Angabe εἰς αὐτόν (V.20a) gewinnt. Falls sie der Glossator nicht reflexiv genommen und auf Gott bezogen hat, zielt sie ebenso wie die anderen präpositionalen Bestimmungen auf Christus. Gehen ἐν αὐτῷ und δι᾽ αὐτοῦ auf den Irdischen, den Gott erwählte, um durch sein Blut Versöhnung und Frieden zu stiften, könnte bei der Zielangabe εἰς αὐτόν an den ›Leib‹ des Auferstandenen gedacht sein. Während für den ersten Bearbeiter der Auferstandene Mittler und Ort der Versöhnung in einem ist, sofern in ihm die Einwohnung zustande kommt[18], hätte der Glossator eine Unterscheidung getroffen. Als Mittler der Versöhnung gilt ihm der von Gott erwählte Irdische, sofern sein Sühnetod den Frieden stiftet, als Ort der Versöhnung würde dagegen weiterhin der Auferstandene betrachtet, sofern in seinem ›Leib‹ dieser Friede herrscht. Keineswegs preisgegeben ist damit der sühnetheologische Gedanke, daß die Versöhnung letztlich mit Gott erfolgt. Theologie, Christologie und Ekklesiologie sind vielmehr in höchst konsequenter Weise miteinander verbunden: Die Versöhnung mit Gott ist gestiftet durch Christi Sühnetod; erfahrbare Wirklichkeit wird sie im Auferstandenen, dessen ›Leib‹ die neue Schöpfung der Kirche konstituiert. In ähnlicher Weise verbindet Paulus alle drei Momente, wenn er in 2 Kor 5 nach seinen Ausführungen über die neue Schöpfung (V.17) und die Versöhnung mit Gott (V.18 f.) auf sein Amt als Prediger zu sprechen kommt (V.20) und – mit Nachdruck den Sühnegedanken betonend – schließt: »Wir bitten für Christus: Lasset euch versöhnen mit Gott! Er hat den, der von keiner Sünde wußte, für uns zur Sünde gemacht, damit wir in ihm zur Gerechtigkeit Gottes würden« (2 Kor 5,21).

Ganz zum Schluß – in Kol 1,20c – hat allerdings der vorgegebene Text bzw. sein Untergrund der paulinischen Überfremdung nachhaltigen Widerstand entgegengesetzt. Der Hymnus umschrieb die Fülle des Alls mit den Worten: »sowohl was auf Erden als auch was im Himmel ist«. Solange die Versöhnung als eine interne Angelegenheit des Kosmos verstanden wurde, ergab sich daraus keine Schwierigkeit. Wie das Vorgehen des ersten Bearbeiters zeigt, konnte dieser Auffassung die hymnische Schlußzeile integriert werden. Wird dagegen die Versöhnung des Alls dergestalt aufgefaßt, daß sie den Frieden mit Gott bewirkt, stellt sich die Frage, inwiefern das, »was im Himmel ist«, einer solchen Versöhnung bedurfte. *Wambacq* wendet sich ausschließlich dieser Frage zu und stellt schon im Titel seiner Erörte-

---

18 Siehe oben S. 58f.

rung von Kol 1,20 die Verbindung her: »Per eum reconciliare – quae in cae-lis sunt«. Läßt man sich auf die Versöhnungstheologie des Glossators ein, bleibt kaum ein anderer Ausweg, als τὰ ἐν τοῖς οὐρανοῖς auf versöhnungs-bedürftige Engelmächte zu deuten. Ob man dabei mit *Wambacq* an die Ge-setzesengel von Gal 3,19 und Kol 2,14 f. denkt[19] oder mit *Dibelius* an den von Gott abgefallenen Satan und seine Gefolgschaft[20] oder mit *Haupt* an die jüdischen Völkerengel[21], ist eine untergeordnete Frage. Problematisch ist in jedem Fall, daß nun τὰ ἐπὶ τῆς γῆς analog auf die Menschen gedeutet wer-den muß, obwohl sich die neutrische Formulierung gegen solches Ver-ständnis sperrt. Sie sagt mehr und anderes! Im übrigen bleibt die Behaup-tung, daß die Engel mit Gott versöhnt seien, im Neuen Testament ohne Parallele. – Erwachsen ist das Problem aus der literarischen und theologi-schen Mehrschichtigkeit des Textes. Sein hymnischer Untergrund verwei-gert sich an dieser Stelle einem Einverständnis mit der paulinischen Ober-schicht.

Nachdem an den Passagen doppelter Erläuterung des Hymnus sowohl das Vorgehen als auch die theologische Konzeption der Bearbeiter deutlich ge-worden ist, kann nun darangegangen werden, die einfachen Ergänzungen einzustufen. Inwieweit sind sie der ersten Bearbeitung zuzurechnen, wie-weit der zweiten?

Für die Bearbeitung erster Hand hat sich ergeben, daß sie assoziierend ge-schah und der Terminologie wie den Vorstellungen des Hymnus ver-gleichsweise nahe bleibt. An neuen Motiven beigebracht hat sie einerseits den Primat Christi als Haupt der Schöpfung, andererseits den Gedanken ei-ner mit der inhabitatio gegebenen Versöhnung des Alls und dazuhin den Rekurs auf Gott als Initiator des Geschehens. Charakteristisch für die zweite Bearbeitung ist, daß sie definierend die vorgegebenen Aussagen präzisiert und dabei paulinisches Erbe vertritt: Die Versöhnung des Alls hat sich im Blut des Kreuzes ereignet und betrifft das Verhältnis zu Gott, wie es in der Kirche neuerdings erfahren wird.

Nimmt man diese Ergebnisse als Kriterium, können die übrigen Zusätze al-lesamt der ersten Bearbeitung zugewiesen werden. Sie liegen literarisch und theologisch auf derselben Linie.

In V.15 folgt auf die hymnische Eröffnung ὅς ἐστιν εἰκών die Bemerkung τοῦ θεοῦ τοῦ ἀοράτου. Aus dem Urbild der Schöpfung wird damit der Re-präsentant Gottes, und es ergibt sich eine Parallele zu 2 Kor 4,4. Angesichts dieser Nähe zu Paulus könnte man versucht sein, die Bemerkung dem zwei-ten Bearbeiter zuzuschreiben. Andererseits ist es der erste Bearbeiter, der in V.19 und 20 auf Gott rekurriert, und seiner Arbeitsweise entspricht auch die nähere Charakterisierung Gottes als τοῦ ἀοράτου. Aufgenommen ist damit eine Vokabel der vierten Zeile des Hymnus.

In V.16a wird zu τὰ πάντα näher ausgeführt: »im Himmel und auf Erden«.

19 *Wambacq*, »Per eum reconciliare . . .«, S. 39f.   21 *Haupt*, Kolosser, S. 42.
20 *Dibelius-Greeven*, Kolosser, S. 20f.

Terminologisch und sachlich ist dies ein Vorgriff auf die Schlußzeile, der noch vom ursprünglichen Verständnis als disjunktiver Appostion ausgeht. Nach der Erweiterung von V.20, wie sie der zweite Bearbeiter vorfand, war dieser Zusammenhang nicht mehr gegeben. Bei der passiven Formulierung ἐκτίσθη τὰ πάντα, die durch die Anfügung erläutert wird, dürfte der erste Bearbeiter – durchaus sachgemäß – wieder an Gott als handelndes Subjekt gedacht haben.

V.16c trägt zum Verständnis von τὰ ἀόρατα bei: »es seien Throne, Herrschaften, Mächte oder Gewalten«. In der Disjunktion klingt ebenfalls die hymnische Schlußzeile an. Der Gedanke an Mächte und Gewalten und überhaupt an Herrschaftsverhältnisse ist dagegen dem Hymnus fremd. Daß er hier auftaucht in Gestalt einer Aufzählung überirdischer Mächte, entspricht der Fortführung des Hymnus durch den Vierzeiler von V.16d–18a. Aus den Zeilen eins und drei die Konsequenz ziehend, betonen die Zeilen zwei und vier den Vorrang Christi πρὸ πάντων und seine Stellung als »Haupt des Leibes«. Gehören zur Gesamtheit der Schöpfung auch die genannten Mächte, sind sie ihm ebenfalls untergeordnet. Zwischen V.16c und dem unmittelbar anschließenden Vierzeiler besteht somit auch sachlich ein enger Zusammenhang.

In die zweite Strophe ist schließlich die Bemerkung eingeschoben: ἵνα γένηται ἐν πᾶσιν αὐτὸς πρωτεύων (V.18d). Das Hapaxlegomenon variiert den hymnischen Ausdruck πρωτότοκος und läßt zugleich an eine dominierende Stellung als »Erster« denken. Aufgenommen ist damit einerseits die Redeweise des Hymnus und andererseits die Interpretation, die er durch den Vierzeiler erfahren hat. Daß die Erläuterung als Finalsatz eingeschoben ist, entspricht ebenfalls dem Vorgehen des ersten Bearbeiters. In V.19 fügt er das Verbum εὐδόκησεν ein und nennt im folgenden Gottes Intention bei der Erwählung Christi. Auf derselben Linie liegt es, wenn der ἵνα-Satz in V.18d zum Ausdruck bringt, welche Absicht hinter Christi Auferweckung von den Toten stand. Hier wie dort erfolgt die Erläuterung in Gestalt einer Rückblende.

Faßt man nun diese erste Bearbeitung als ganze in den Blick, zeigt sich ein merkwürdiger Sachverhalt. Sie ist einerseits von beachtlicher Geschlossenheit, sofern mehrmals dasselbe Motiv herausgearbeitet ist und zwischen den beiden Strophen des Hymnus sogar Querverbindungen hergestellt sind. Nicht nur V.16c und der anschließende Vierzeiler betonen die Vorrangstellung Christi, sondern ebenso V.18d innerhalb der zweiten Strophe. Auf breiter Front wird hier Christi Priorität, von der der Hymnus sprach, als bleibende Superiorität interpretiert.Bemerkenswert ist ferner, daß in den Einschüben V.16β und 16c die hymnische Schlußzeile anklingt, während innerhalb der zweiten Strophe V.20a und b das Spiel mit den Präpositionen aus V.16d–18a wieder aufnehmen. Die beiden Teile des Hymnus werden dadurch aufs engste miteinander verknüpft und zu einem Aussagenkomplex zusammengezogen.

Auf der anderen Seite kann die Frage aufgeworfen werden, ob sich die Bearbeitung nicht in einen eklatanten Widerspruch verwickelt hat. Ist Christus das Haupt der Schöpfung und hat sie in ihm ihren Bestand, weshalb bedarf es dann noch einer Versöhnung des Alls? Sollte hier tatsächlich eine »unlösbare Schwierigkeit«[22], wenn auch nicht des Hymnus, so doch seiner Bearbeitung vorliegen? Wurde sowohl der Vierzeiler als auch die Versöhnungsaussage von derselben Hand herangezogen, ist an die Adresse des Bearbeiters die alte Frage zu richten: Wie reimt sich beides zusammen?

Die Antwort kann an seinem Vorgehen abgelesen werden. Er hat beide Strophen des Hymnus in derselben Weise kommentiert und auch verstanden. Hier wie dort sah er die Neue Schöpfung gepriesen! – Wenn *Grotius* bereits zu πρωτότοκος πάσης κτίσεως in V.15 bemerkt: »Primus in creatione, nova scilicet« und danach zu τὰ πάντα in V.16d ausführt: »intellige omnia, quae ad novam creationem pertinent«[23], verfehlt er zwar die hymnische Aussage, trifft aber genau die Meinung des Bearbeiters. Der Skopus des Liedes war von Anfang an die Neue Schöpfung. Doch den kunstvollen Aufbau, der Urzeit und Endzeit miteinander konfrontierte, hat der Bearbeiter mißachtet und zerstört.

Indem er die erste Strophe nicht nur durch Einschübe wie die zweite, sondern außerdem durch den angehängten Vierzeiler erläutert, gibt er dem ersten Teil ein deutliches Übergewicht. Indem aus Christi Priorität sein bleibender Primat gegenüber der Schöpfung wird, kommt ferner ein Sachverhalt zur Sprache, der endgültig ist und genauso von der Neuen Schöpfung gilt. Der Bearbeiter hat demnach den Skopus seiner Vorlage durchaus erfaßt. Er hat jedoch übersehen, daß die beiden Strophen das Verhältnis von Typ und Antityp, von Schöpfung und Neuschöpfung widerspiegelten. Bereits die erste Strophe, der im Aufbau des Hymnus eine dienende Funktion zukam, nahm er als Hauptaussage und interpretierte sie im Sinne der zweiten. Aus der ehemals protologischen Aussage wird unter seiner Hand eine eschatologische. Durch die Aufzählung der Mächte in V.16c ergibt sich eine Parallele zur zweiten Strophe des Philipper-Hymnus, deren Thema ebenfalls die eschatologischen Machtverhältnisse sind. Daß der Bearbeiter zwischen den beiden Teilen seiner Vorlage nicht unterschieden hat, wird schließlich daran deutlich, daß er in V.16aβ und 16c der hymnischen Schlußzeile vorgreift und umgekehrt mit V.18d und 20 auf seine Interpretation der ersten Strophe zurückgreift. Nicht nur literarisch, sondern auch sachlich entsteht so ein zusammenhängender Komplex von Aussagen über die Neue Schöpfung.

Bestätigt wird diese Auslegung durch die Erläuterungen zur zweiten Strophe. Ist bereits die erste für die Neue Schöpfung in Beschlag genommen, kann die zweite nichts eigentlich Neues mehr bringen. Dem entspricht, daß der Bearbeiter in V.18d seinen Gedanken vom Primat Christi wiederholt

22 Vgl. oben S. 23 und S. 51.
23 *Grotius*, Annotationes II, 1, S. 672 und S. 673.

und aufs Ganze gesehen zum zweiten Teil seiner Vorlage weniger zu bemerken hat als zum ersten. Noch bezeichnender ist jedoch, daß dort, wo er eingreift, sein Verfahren ein anderes ist. Beide Einschübe zur zweiten Strophe erläutern die hymnische Aussage in Form einer Rückblende und wissen eine Absicht zu nennen. Nachdem der Bearbeiter in der ersten Strophe vorgeprellt ist und bereits von den neuen Verhältnissen gehandelt hat, trägt er jetzt nach, wie es zu diesen gekommen ist und wer sie letztlich heraufgeführt hat. Er rekurriert auf Gottes Heilsplan. Christus wurde als erster von den Toten auferweckt, damit er in allem der »Erste« werde. Dahinter stand – so der umformulierte ὅτι-Satz – die Entscheidung Gottes, in Christus Wohnung zu nehmen und durch ihn das All auf ihn hin zu versöhnen. Christi Rang als ἐν πᾶσιν πρωτεύων ist von seiner Position πρὸ πάντων und der Stellung als »Haupt« nicht zu unterscheiden. Ebensowenig führt die Rede von der Versöhnung über das bisher Gesagte hinaus. Daß der Bearbeiter das Stichwort »versöhnen« aufnimmt, geschieht im Zusammenhang seines Rekurses auf Gottes Beschluß. Zur Sprache kommt damit nicht ein Geschehen, das trotz der Stellung Christi als »Haupt« noch vonnöten gewesen wäre. Zurückgeblendet ist vielmehr auf jene Entscheidung Gottes, die solche neue Ordnung zum Ziel hatte. Eben durch die Versöhnung auf ihn hin wurde Christus zu dem, der das All zusammenhält und so das Haupt des Leibes ist. Sachlich gehen V.19 und 20, die von Gottes Beschluß handeln, der ersten Strophe voraus, die nach der Interpretation des Bearbeiters schon die neue Wirklichkeit besingt. Beachtet man die besondere Struktur seiner Erläuterungen zur zweiten Strophe, darf verneint werden, daß er sich in einen Widerspruch verwickelt habe.

Sein Hinweis auf den Ratschluß Gottes entspricht auch insofern der Interpretation der ersten Strophe, als deren Thema eine Ordnung ist, die letztlich Gott heraufgeführt hat. Der Nachtrag in V.19 und 20 behält nicht nur die Form des begründenden ὅτι-Satzes bei und nimmt damit V.16a auf. Er gilt auch genau jenem Subjekt, das als handelndes hinter den passiven Formulierungen ἐκτίσθη τὰ πάντα (V.16a) bzw. ἔκτισται (V.16d) steht und bereits in V.15 vom Bearbeiter als ὁ θεὸς ὁ ἀόρατος namhaft gemacht ist.

Zu fragen bleibt noch, in welcher Weise die V.16c aufgeführten Engelmächte von der Versöhnung betroffen sind. Eigens genannt sind sie in V.20 nicht mehr. Objekt zu ἀποκαταλλάξαι ist lediglich τὰ πάντα. Nimmt man die Fortsetzung hinzu, erscheinen als unmittelbar betroffen der irdische und der himmlische Bezirk, sofern hier neuerdings Friede herrscht. Andererseits umfaßt die Neue Schöpfung, die das Ergebnis der Versöhnung ist und in Christus ihr Haupt hat, laut V.16c auch die »Throne«, »Herrschaften«, »Mächte« und »Gewalten«. Daraus braucht indes nicht gefolgert zu werden, daß sie ebenfalls versöhnt worden wären. Denkbar ist ebenso, daß sie unterworfen wurden und so der Weg frei wurde, das von ihnen beherrschte All in der Pax Christi zu vereinen. Es hätte dann seinen guten Grund, daß die Mächte zwar in V.16c genannt sind, da hier der Kontext an der Herrschaftsstellung Christi interessiert ist, nicht aber in V.20, der als Gottes Absicht die innerkosmische Versöhnung nennt. Dank der Unterwerfung aller Machthaber konnte das All versöhnt werden.

Die andere Auffassung, daß auch die unsichtbaren Mächte versöhnt wurden, gewinnt freilich an Boden, sobald die weltweite Versöhnung im Gefolge des Sühnetodgedankens als Versöhnung des Alls mit Gott verstanden wird. Eingebracht hat diesen Gedanken die Glosse in V.20b. Im übrigen muß nun aber dem zweiten Bearbeiter zugestanden werden, daß er seiner Vorlage näher steht, als es zunächst den Anschein hatte. Was ihm vorlag, war ja nicht mehr der zweiteilige Hymnus, vielmehr der Hymnus samt Bearbeitung. Ebnete bereits sein Vorgänger das Gefälle des Liedes ein und deutete die erste Strophe auf die Neue Schöpfung, wird es verständlicher, daß der Glossator in V.18a seinen Hinweis auf die Kirche anbringt. Und bediente sich schon der erste Bearbeiter in V.19 und 20 des Kunstgriffs einer Rückblende, kann die hier eingeschobene Erinnerung an Christi Sühnetod nicht als verspätet und deplaziert beurteilt werden. Daß der Hinweis auf die Kirche zu früh komme, während die Erinnerung an das Kreuzesblut reichlich spät erfolge[24], gilt nur im Blick auf den Hymnus. Schiebt sich dazwischen eine erste Bearbeitung, gelten für den Glossator andere Bedingungen. Ihm vorgegeben war ein kommentierter Text – auf den er eingegangen ist! Daß er eine andere Soteriologie vertritt als seine Vorlage, bleibt davon unberührt und kann als Grund seines Eingreifens angesehen werden.

Noch nicht entschieden ist mit dieser Interpretation, wer denn nun die beiden Bearbeitungen durchgeführt hat. Verteilen sie sich auf die anonyme Gemeinde und den Verfasser des Kolosserbriefes oder auf den Briefschreiber und einen späteren Glossator? Im ersten Fall müßte geklärt werden, wozu ein derart bearbeiteter Hymnus im Leben der Gemeinde diente. *Käsemann* denkt an die Taufliturgie. Im zweiten Falle müßte sich zeigen lassen, daß der Kolosserbrief auch andernorts von einer späteren Hand korrigierend bearbeitet wurde. Für seine Auslegung ergäbe sich damit eine neue Situation.

Es liegt nahe, in die Untersuchung als nächstes Stück die Verse Kol 1,12–14 einzubeziehen. Sie stellen eine Art Einleitung des Hymnus dar und haben mit seiner Bearbeitung und Deutung sicherlich zu tun. Die Frage ist: in welcher Weise? Nimmt das Präludium die Motive der ersten oder der zweiten Bearbeitung vorweg?

V.12 fordert zur Danksagung auf gegenüber dem Vater. Diese Blickrichtung entspricht dem Anliegen der ersten Bearbeitung, auf Gott als den Initiator des Heilsgeschehens hinzuweisen und die Christologie des Hymnus theologisch zu verankern.

V.13 bekennt, daß dieser Vater »uns erlöst hat aus der Macht der Finsternis

---

24 Vgl. oben S. 5f.

und versetzt in das Reich des Sohnes seiner Liebe«. Bezeichnend ist, daß die Erlösung als Befreiung von einer Macht und Eingliederung in einen neuen Herrschaftsbereich aufgefaßt ist. In V.15–20 geht die Betonung der Herrschaftsstellung Christi zusammen mit der Aufzählung der Mächte wiederum auf das Konto der ersten Bearbeitung. Die Affinität wird noch enger, wenn man die Bezeichnung Christi als τοῦ υἱοῦ τῆς ἀγάπης zur Sprache der Taufe rechnet[25] und sich daran erinnert, daß auch die Formulierung ἐν αὐτῷ εὐδόκησεν in V. 19 mit der Taufe zusammengebracht werden kann[26]. Eingebracht wurde sie ebenfalls durch den Bearbeiter erster Hand. Anspielungen auf die Taufe dürften auch in anderen Stichworten des Präludiums gegeben sein. So behauptet *Käsemann* bereits für die Wendung vom »Erbteil der Heiligen im Licht« (V.12) eine Beziehung zur Taufe[27], und im Blick auf V.13 schließt sich Lohse solcher Auffassung an, wenn er schreibt: »Die Aoriste ἐρρύσατο und μετέστησεν deuten auf die Taufe als das Ereignis hin, durch das der Herrschaftswechsel vollzogen wurde, indem wir der Gewalt der Finsternis entrissen und in die βασιλεία des geliebten Gottessohnes versetzt wurden«[28].

V.14 schließt inhaltlich aufs beste daran an. Der Satz definiert die Erlösung als ἀπολύτρωσις und interpretiert diesen Begriff als τὴν ἄφεσιν τῶν ἁμαρτιῶν. Daß auch die Vergebung der Sünden zur christlichen Taufbotschaft gehört, braucht kaum eigens gesagt zu werden. Dennoch bereitet dieser letzte Vers des Praeludiums erhebliche Schwierigkeiten. Sie sind literarkritischer Art und betreffen sowohl die Zuordnung zu den Erweiterungen des Hymnus als auch den Zusammenhang mit den einleitenden Versen 12 und 13. Die Apposition »die Vergebung der Sünden« vertritt ein Verständnis der Taufe, das in den bisherigen Anspielungen noch nicht angeklungen ist. Nicht unbedingt dasselbe gilt für den so interpretierten Begriff ἀπολύτρωσις. *Dibelius* bemerkt dazu: »Das Wort ἀπολύτρωσις könnte hier die ursprüngliche Bedeutung ›Loskaufung‹ haben (s.zu Rm 3,24), wenn nämlich auf das Bild der redemptio ab hostibus angespielt ist. In der Tat wäre sowohl die feindliche Macht genannt, die die Besiegten zu Sklaven gemacht hat (ἐξουσία τοῦ σκότους), als auch das Vaterland, in das zurückgekehrt sie ihre Freiheit wiedererlangt haben (βασιλεία τοῦ υἱοῦ τ. ἀγ. αὐτοῦ)«[29]. In dieser Auslegung bleibt V.14a genau auf der Linie, die V.12 und 13 eingeschlagen haben. Sobald jedoch die Fortsetzung in Gestalt der Apposition in den Blick kommt, nimmt der Gedanke eine andere Richtung.

25 Vgl. *Käsemann*, Taufliturgie, S. 43f.; *Lohse*, Kolosser, S. 74; *Peter von der Osten-Sakken*, »Christologie, Taufe, Homologie« – Ein Beitrag zu Apc Joh 1,5f., ZNW 58 (1967), S. 255–266, dort S. 258.
26 Vgl. *Münderlein*, Erwählung, S. 267, und oben S. 20.
27 *Käsemann*, Taufliturgie, S. 44.
28 *Lohse*, Kolosser, S. 74.
29 *Dibelius-Greeven*, Kolosser, S. 9.

Die Rede von der Vergebung der Sünden bringt gleichsam in letzter Minute
einen neuen Aspekt der Taufe zur Sprache.
Auf dieselbe Differenz stößt der Versuch, V.14 mit der Bearbeitung des anschließenden Hymnus in Verbindung zu bringen. Versteht man ἀπο
λύτρωσις als Freilassung aus der Gewalt einer feindlichen Macht[30], bewegt
sich die erste Hälfte des Satzes zusammen mit V.12 und 13 im Vorstellungshorizont der ersten Bearbeitung. Der Gedanke der Sündenvergebung
ist dagegen mit der Vorstellung von Christi Herrschaft und der Unterordnung aller anderen Mächte nicht ohne weiteres gegeben. Näher liegt es, die
»Vergebung der Sünden« mit dem Hinweis auf Christi Sühnetod in V.20
zusammenzubringen. Diese Zusammengehörigkeit empfindet auch
Schnackenburg, weshalb er V.14 von V.12 u. 13 absetzt und zu überlegen
gibt, ob er nicht »ähnlich interpretierend wie die Zusätze zum Christushymnus (vgl. auch V.22) hinzugefügt wurde«[31]. Die Analyse von V.15–20
hat allerdings ergeben, daß der Sühnetodgedanke durch die zweite Bearbeitung eingebracht wurde. Unter diesen Umständen ist zu erwägen, ob nicht
in V.14 zumindest die Apposition »die Vergebung der Sünden« ebenfalls
von der Hand des Glossators stammt. Vorgegangen wäre er in derselben
Weise wie in V.18a, stellt doch auch sein Einschub »der Gemeinde« eine interpretierende Apposition zum vorhergehenden Stichwort dar. Daß sich
V.15 unmittelbar an 14a anschließen läßt, liegt auf der Hand. Ohnedies
nimmt ὅς ἐστιν . . . den relativen Anschluß ἐν ᾧ ἔχομεν . . . wieder auf –
ein Zusammenhang, der durch die Apposition V.14b eher gestört als klargestellt wird.
Betrachtet man die Interpretation des Begriffs ἀπολύτρωσις als Glosse, ist
freilich die Verfasserfrage noch immer nicht geklärt. Denn strittig ist, auf
wen die Vorlage des Glossators zurückgeht. *Käsemann* rechnet die Verse
12–14 zum Bestand der Gemeindeliturgie, die der Briefschreiber en bloc
übernommen habe. *Eckart* will dazuhin die Verse 9–11 in die Taufliturgie
einbeziehen[32]. Schließt man sich dieser Auffassung des Überlieferungsprozesses an, ist es der Briefschreiber, der die Glossen eingebracht hat. Andere
Ausleger bezweifeln jedoch, daß schon V.12–14 einem durchgehenden liturgischen Zusammenhang angehören, ohne deshalb zu bestreiten, daß
traditionelle Formulierungen aufgenommen sind. So erklärt *Bornkamm*:
»Es muß die Feststellung genügen, daß der Text 1,12–14 das Taufgeschehen
zum Inhalt hat und 1,15–20 diesem zugeordnet ist«[33]. *Deichgräber* urteilt:
»Paulus arbeitet mit überkommenem Material, freilich ohne einen im
strengen Sinne liturgischen Text zu zitieren«[34]. Und auch *Lohse* meint:

---

30 Vgl. *Friedrich Büchsel*, Art. ἀπολύτρωσις, ThWNT IV, S. 354–359, dort S. 354.
31 *Schnackenburg*, Aufnahme des Christushymnus, S. 43.
32 *Eckart*, Beobachtungen, S. 99; ders., Urchristliche Tauf- und Ordinationsliturgie (Col
    1,9–20 Act 26,18), ThViat 8 (1961/62), S. 23–37, dort S. 25.
33 *Bornkamm*, Bekenntnis im Hebräerbrief, S. 196 Anm. 19a (S. 197).
34 *Deichgräber*, Gotteshymnus und Christushymnus, S. 80.

»Die Verse 12–14 handeln – unter Aufnahme überlieferter Wendungen – vom Taufgeschehen, stellen aber keinen durchgehenden liturgischen Zusammenhang dar«. »Wahrscheinlicher ist es, daß der Verfasser des Briefes verschiedene Traditionsstücke miteinander verband und durch den von ihm hergestellten Zusammenhang zugleich anzeigte, wie der Christushymnus verstanden werden soll«[35]. Sind die Verse 12–14 das Werk des Briefschreibers, kann eine Glosse, die hier möglicherweise eingeschoben ist, nur von einem frühen Leser der Epistel stammen. Weitergeführt hat die Untersuchung von V.12–14 also nur insofern, als sich zeigen ließ, daß die Motive von V.12–14a der ersten Bearbeitung des Hymnus nahe stehen, die Apposition in V.14b dagegen formal und inhaltlich den späteren Glossen entspricht. Von wem diese kurzen, aber theologisch gewichtigen Bemerkungen stammen, läßt sich solange nicht entscheiden, als hinsichtlich der Partien keine Klarheit herrscht, die dem Glossator vorgegeben waren.

Einfacher liegen die Dinge in jenem Abschnitt, der auf den Hymnus folgt. Daß mit Kol 1,21 der Briefschreiber das Wort ergreift, ist unumstritten. Die breit formulierte Anrede markiert einen deutlichen Einschnitt, und *Lohmeyer* kann zugestimmt werden: »Mit unmittelbarer Anrede wendet sich dieser Teil wieder an die kolossischen Gläubigen«[36]. Charakteristisch für den Stil des Abschnittes ist die Anreihung verwandter Begriffe durch »und«. In V.21: »Fremde und Feinde«, in V.22: »heilig und unsträflich und untadelig«, in V.23: »gegründet und fest und unbeweglich«. Die nächsten Parallelen dazu finden sich im Eingang des Briefes: Kol 1,6: »Frucht bringend und wachsend«; »ihr habt gehört und erkannt«; 1,9: »betend und bittend«; »mit aller Weisheit und geistlicher Erkenntnis«; 1,10: »Frucht bringend und wachsend«; 1,11: »Geduld und Langmut«. Eine weitere Gemeinsamkeit mit den ersten Sätzen des Briefschreibers ergibt die Beobachtung, daß die Verse 21–23 ein einziges Satzgefüge bilden, das klare Absätze vermissen läßt. Zu Recht bemerkt *Conzelmann*: »Diese Verse sind wieder Prosa«[37].

Um so erstaunlicher ist es, daß sich bei genauerer Betrachtung des Abschnittes altbekannte Fragen wieder melden. Sie betreffen zum einen das Subjekt des Satzgebildes, zum andern die Verwendung des zweimal begegnenden Pronomens αὐτός und erinnern an Probleme, die sich der Analyse von V.19 und 20 stellten.

Lohse erklärt: »Subjekt zu ἀποκατήλλαξεν ist Gott«[38], und er kann an dieser Deutung auch in V.22b festhalten: »Gott vollzog die Versöhnung mit dem Ziel, παραστῆσαι ὑμᾶς ἁγίους καὶ ἀμώμους καὶ ἀνεγκλήτους κατ-

---

35 *Lohse*, Kolosser, S. 77 Anm. 1; vgl. ferner: *Dibelius-Greeven*, Kolosser, S. 11; *Schweizer*, Kirche als Leib Christi, S. 293 Anm. 1.
36 *Lohmeyer*, Kolosser, S. 69; vgl. *Lohse*, Kolosser, S. 104.
37 *Conzelmann*, Kolosser, S. 140.
38 *Lohse*, Kolosser, S. 107 Anm. 1.

ἐνώπιον αὐτοῦ«[39]. Daß »vor ihm« in diesem Zusammenhang das Angesicht Gottes meint, läßt sich mit zahlreichen ähnlichen Formulierungen belegen, die das Darbringen von Opfern oder das Erscheinen vor Gottes Gericht zum Thema haben. *Lohse* verweist u.a. auf Hebr 9,14 und Röm 12,2, beziehungsweise auf 1 Kor 8,8; 2 Kor 4,14; Röm 14,10 und 2 Tim 2,15. Problematisch an seiner Bestimmung des Subjektes ist jedoch, daß unmittelbar auf das Verbum »er hat versöhnt« die nähere Angabe folgt: ἐν τῷ σώματι τῆς σαρκὸς αὐτοῦ διὰ τοῦ θανάτου. Mehrere Textzeugen wiederholen sogar das Personalpronomen und setzen es nach τοῦ θανάτου ein zweites Mal. In beiden Verbindungen kann es nur auf Christus gehen, da ohne Zweifel sein Fleischesleib und sein Sterben in den Blick gefaßt ist. *Von Hofmann* war der Meinung, daß es dieser Umstand »doch gar zu unmöglich macht, Gott das Subjekt sein zu lassen«[40]. Wie schon in V.19 und 20[41] bestimmt er Christus als Subjekt des Satzes[42] und deutet dementsprechend auch V.22: »Sie sind ihm nun – denn auf ihn und nicht auf Gott bezieht sich κατενώπιον αὐτοῦ –, wozu er sie gemacht hat, sind heilig und anklagefrei in seinen Augen«[43]. Weniger konsequent ist *Büchsel*. Er konstatiert, »daß ἀποκαταλλάσσω sowohl Gott bzw. das πλήρωμα Kol 1,20 als auch Christus Kol 1,22; Eph 2,16 zum Subjekt hat«[44] und bemerkt zur Verwendung des Pronomens in Kol 1,22, daß »das erste αὐτοῦ nur auf Christus, das zweite nur auf Gott gehen kann«[45].
Die Kontroverse mutet an wie ein Nachspiel zum Streit um V.19 und 20, mit dem einzigen Unterschied, daß nicht mehr drei Subjekte – das Pleroma, Gott und Christus[46] – zur Debatte stehen, sondern lediglich die beiden letzten: Gott und Christus. In V.20 ergab sich, daß die Streitfrage jenem Glossator zu verdanken ist, der in die Darlegung von Gottes Versöhnungsbeschluß und Friedensplan die christologische Angabe einschob: »durch das Blut seines Kreuzes«. Auch in der Kontroverse um V.22 ist es der Hinweis auf Christi leibliches Sterben, der den eigentlichen Anstoß bildet. Der Gedanke liegt deshalb nahe, es könnten hier dieselben literarischen Verhältnisse gegeben sein. Hinzu kommt, daß die Rede vom »Leib seines Fleisches« recht ungewöhnlich ist[47] und fast einer Tautologie gleichkommt. »Die Wendung scheint, so klangvoll sie auch sein mag, die weitgehende Sinngleichheit beider Wörter zu übersehen«[48].

39 Ebd. S. 107.
40 *Von Hofmann*, Kolosser, S. 30.
41 Siehe oben S. 21.
42 Ebenso *Ewald*, Kolosser, S. 341.
43 *Von Hofmann*, Kolosser, S. 34.
44 *Büchsel*, Art. ἀποκαταλλάσσω, ThWNT I, S. 259.
45 Ebd. Z. 37.
46 Vgl. oben S. 21f.
47 Vgl. *Dibelius-Greeven*, Kolosser, S. 22. Als Parallelen können nur Sir 23,17 (LXX) und Hen 102,5 genannt werden.
48 *Lohmeyer*, Kolosser, S. 70f.

Setzt man die zweite Hälfte des Doppelausdrucks und die folgende Angabe »durch den Tod« einmal probeweise in Klammern, tun sich überraschende Perspektiven auf. Ohne Schwierigkeiten kann an Gott als durchgehendem Subjekt des Satzes festgehalten werden. Ausgerichtet auf das in V.22b genannte Ziel hat er die Versöhnung ins Werk gesetzt. Näherhin gilt: Jene, die einst Fremde und Feinde waren, hat er versöhnt ἐν τῷ σώματι. Angesprochen sind die Gläubigen von Kolossae. Bleiben nun die Worte »Fleisch« und »Tod« aus dem Spiel, kann die Angabe ἐν τῷ σώματι auch anders als auf Christi Todesleib gedeutet werden. Die Präposition ἐν erlaubt es, hier an jenen ›Leib‹ zu denken, in dem die Versöhnten ihren neuen Ort haben. Der Vierzeiler in V.16d–18a verwendet denselben Ausdruck für die Schöpfung, die Christus zu ihrem Haupte hat, und beschrieben ist damit jene neue Welt, die zurückgeht auf Gottes Entschluß zur Versöhnung des Alls. Gibt man diesem Gedanken einer innerweltlichen Versöhnung auch in V.22 Raum, erledigt sich unversehens eine weitere Schwierigkeit des Verses. V.22b nennt als Ziel von Gottes versöhnendem Handeln: »daß er euch hinstelle heilig und unsträflich und untadelig vor ihm«. Wird Gott schon bei der Versöhnung als Gegenüber begriffen, fällt das Ziel mit der Tat zusammen. Mit Haupt müßte zugestanden werden: »Nun aber ist die Versöhnung . . . nichts anderes, als das παραστῆσαι ἁγίους, so daß der Gedanke wesentlich tautologisch würde«[49]. Ein wirklicher Fortschritt des Gedankens ergibt sich dagegen, wenn die Versöhnung eine interne Angelegenheit des Kosmos ist. Wie V.21 hervorhebt, betrifft sie auch die angeredeten Leser. Als Glieder der versöhnten, neuen Welt haben sie ihre Vergangenheit als Fremde und Feinde hinter sich gelassen und kommen nunmehr fehllos und untadelig vor Gott zu stehen.

Deutlich dürfte sein, daß dieses Verständnis der Versöhnung, bei dem Gott nicht in unmittelbarer Weise Partner, sondern schöpferischer Initiator ist, in seiner Struktur dem Gedanken der innerkosmischen Versöhnung von V.20a entspricht. Zwar ist dort mit τὰ πάντα der gesamte Kosmos in den Blick gefaßt, während in V.21 f. nur von versöhnten Menschen die Rede ist. Doch erklärt sich dieser Unterschied daraus, daß die Verse 21–23 eben ad homines zu explizieren suchen, was zuvor im Zusammenhang des Lobpreises zur Sprache kam. »Mit den Worten καὶ ὑμᾶς wird neu angesetzt, um der Gemeinde zu zeigen, daß die Botschaft von der alle Welt betreffenden Versöhnung ihr gilt«[50]. Im übrigen ist die kosmische Weite des Gedankens keineswegs völlig preisgegeben. Denn in V.23 wird »der Raum, in dem die Frohbotschaft erklingt, als die ganze κτίσις unter dem Himmel beschrieben. Die kosmische Weite des Christusgeschehens, wie sie im Hymnus entfaltet wurde, wird damit auf das aller Welt geltende Evangelium bezogen«[51].

49 *Haupt*, Kolosser, S. 48.
50 *Lohse*, Kolosser, S. 104; vgl. *Kehl*, Christushymnus, S. 22; *Wengst*, Formeln und Lieder, S. 172.

Entschließt man sich angesichts dieser Perspektiven und aufgrund der dargelegten grammatikalischen Probleme, die probeweise eingeklammerten 6 Worte als Glosse dem ursprünglichen Text des Abschnittes abzusprechen, hat dies weitreichende Konsequenzen. Denn es sind diesmal eindeutig Sätze des Briefschreibers, die glossiert wurden. Und der zu ἐν τῷ σώματι angebrachte Zusatz τῆς σαρκὸς αὐτοῦ διὰ τοῦ θανάτου kann auch nicht als beiläufige und unbedeutende Ergänzung abgetan werden, korrespondiert er doch aufs genaueste den beiden Glossen in V.18a und 20b. Mit anderen Worten, doch genauso eindeutig wie in V.20b, wird auf Christi Tod verwiesen. Wie dort ist die Folge ein grundlegender Wandel im Verständnis der Versöhnung: Durch Christi Sterben wurde Gott versöhnt. Ἐν τῷ σώματι kann in Verbindung mit »seines Fleisches« nicht mehr lokal verstanden werden, sondern gewinnt instrumentalen Sinn und rückt damit auf eine Linie mit »durch den Tod«. Ebenfalls der Präposition »durch« bedient sich die Glosse zu V.20b im Anschluß an das Partizip »Frieden stiftend«. Außerdem ergibt sich eine Beziehung zur nachträglichen Interpretation von V.18a. *Lohse* hat recht, wenn er zu V.22 ausführt: »Durch den Zusatz τῆς σαρκός ist der Leib als der physische Körper gekennzeichnet, der dem Leiden unterworfen ist (vgl. 2,11). Damit ist Christi in den Tod gegebener Leib eindeutig unterschieden von der Kirche, die der Leib des erhöhten Herrn ist«[52]. Notwendig wurde solche Unterscheidung allerdings erst für den, der in V.18a die Deutung auf die Kirche tatsächlich vollzog. Um des Sühnetodgedankens willen mußte nun in V.22 klargestellt werden, daß im unmittelbaren Anschluß an das Verbum »er hat versöhnt« natürlich der andere Leib, der fleischliche und sterbende, gemeint war. Der Zusatz wiederholt also nicht nur die Anmerkung zu V.20b, sondern nimmt gleichzeitig die Glosse zu V.18a korrespondierend auf. Daß von derselben Hand auch die Apposition V.14b stammen dürfte, wurde bereits dargetan. Stellt man die verschiedenen Anliegen dieser glossa continua zusammen, so zeigt sich, daß sie durchweg paulinische Interessen vertritt. Die Erlösung wird als Vergebung der Sünden interpretiert, der Leib Christi auf die Kirche gedeutet und die Versöhnung mit Christi Tod am Kreuz zusammengebracht. Zwar nicht durchweg in der Terminologie, wohl aber der Sache nach ist hier das Erbe des Apostels lebendig.

Um so schwerer wiegen die literarkritischen Feststellungen. Die zusammenhängende Glossierung erweist sich in V.18 und 20 als zweite Bearbeitung des Christushymnus und überlagert in V.22 den Text des Briefschreibers. Die paulinischen Korrekturen sind also jünger als der Kolosserbrief. Aufgrund ihrer Zusammengehörigkeit gilt dies für die Glossen zu V.18 und 20 so gut wie für den Einschub in V.22. Daraus ergibt sich umgekehrt, daß vom Verfasser des Kolosserbriefes nur die erste Bearbeitung des Hymnus

---

51 *Lohse*, Kolosser, S. 109f.
52 Ebd. S. 107.

stammen kann. Dem späteren Glossator erschien sie in genau derselben Weise ergänzungsbedürftig wie die ad homines gewendeten Ausführungen der Verse 21–23. Da zwischen der ersten Bearbeitung des hymnischen Textes und dem Introitus der Verse 12–14a deutliche Querverbindungen bestehen, ist auch diese präludierende Einleitung als Beitrag des Briefschreibers anzusehen. Ergänzt wurde sie wiederum durch den Glossator, der bereits in V. 14b eine andere Auffassung der Erlösung anmeldet und damit seinen Glossen zu V. 20 und 22 vorgreift. Alle diese Glossen sind nicht das Werk des Briefschreibers, sondern eines späteren Lesers der Epistel. Und was *Käsemann* für eine Taufliturgie der Gemeinde hielt, ist – abgesehen von den Glossen – die literarische Komposition des Autors der Epistel. Den überlieferten Hymnus, der die Neue Schöpfung in Christus besang, rückte er in den theologischen Horizont der Taufe, indem er mittels traditioneller Taufterminologie ein Prooemium gestaltete und die hier aufgenommenen Gedanken auch zwischen den Zeilen des Hymnus zur Geltung brachte. Nicht auszuschließen ist, daß der Christushymnus seinen »Sitz im Leben« tatsächlich im Taufgottesdienst der Gemeinde hatte. Doch in der vorliegenden Fassung ist der »liturgische« Kontext das überlegte Werk des interpretierenden Briefschreibers. Sein Prooemium ist formuliert als Dank an Gott, den Vater, und handelt von der Befreiung der Gläubigen aus der Macht der Finsternis und von ihrer Versetzung in das Reich des geliebten Sohnes. Dem entspricht in der fortlaufenden Bearbeitung des Hymnus die Betonung der Herrschaftsstellung Christi (V. 17a, 18a, 18d), die Aufzählung der ihm untergeordneten Mächte (V. 16c) und der zweifache Hinweis auf Gott, der als unsichtbarer in Christus gegenwärtig ist (V. 15a) und auf dessen Heilsratschluß die neue Ordnung der Welt zurückgeht (V. 19 f.).

Charakteristisch für die Arbeitsweise des Verfassers ist, daß er nicht nur in V. 12–14a traditionelles Gut aufgreift, sondern ebenso in V. 16d–18a in Gestalt des Vierzeilers. Wie noch zu zeigen sein wird, gilt dies auch für die Vorstellung, daß die Neue Welt, von der zunächst nur die zweite Strophe des Hymnus handelte, durch einen Akt innerkosmischer Versöhnung zustande kam[53]. Nach Aussage des Vierzeilers hat der neu konstituierte Kosmos Christus zu seinem »Haupte« und kann deshalb als sein »Reich« angesehen werden, von dem V. 13 spricht. Aufs Ganze gesehen, besteht das Verfahren des Verfassers darin, daß er größere und kleinere Stücke seiner Überlieferung so zusammenstellt, daß sie sich gegenseitig interpretieren. Dieses kunstvolle Mosaik erweckt schließlich den Eindruck, es werde eine zusammenhängende Liturgie zitiert.

Indem der Briefschreiber in V. 21 f. die kolossischen Gläubigen darauf anspricht, daß sie selbst von der ἐν τῷ σώματι vollzogenen Versöhnung betroffen sind, wendet er den zuletzt eingeführten Gedanken unmittelbar an und lenkt gleichzeitig zurück zu seiner Aufforderung, Gott zu danken.

---

53 Siehe oben S. 25 und unten S. 135.

Am befremdlichsten an diesen Ausführungen des Briefschreibers ist, daß
der gesamte Kosmos als Neue Schöpfung unter Christus gilt und die kolossischen Gläubigen ohne Vorbehalt dieser neuen Welt zugezählt werden. In
hymnischem Überschwang scheint der Verfasser die irdischen Realitäten
aus dem Blick zu verlieren und im Vorgriff auf das Eschaton den Gegnern
des Paulus, auf die der erste Korintherbrief eingeht, näher zu stehen als dem
Apostel. Genau an dieser Stelle hakt denn auch der Glossator ein und bringt
als befremdeter Leser seine paulinischen Korrekturen an. *Käsemann* kann
erklären: »Es gibt keinen Weg zur Schöpfung außer dem Weg über die und
in der Vergebung«[54]. Er trifft damit genau die Meinung des Glossators, der
die Apposition V.14b formuliert. Dasselbe gilt für den Satz *Lohses*: »Der
erhöhte Herr übt hier und jetzt sein Regiment über alle Welt aus als das
Haupt seines Leibes, der die Kirche ist«[55]. Wiedergegeben ist damit die Auffassung des Glossators, der zu V.18a die Notiz τῆς ἐκκλησίας anbringt und
auf diese Weise Christi Herrschaft über den Kosmos für hier und jetzt ein-
schränkt auf den Bereich der Kirche. Auf derselben Linie liegt seine Interpretation der Versöhnung durch die Einschübe in V.20 und 22. Christi Sühnetod bereinigt das Verhältnis zwischen Gott und Menschen. Im Zuge dieser Interpretation wird die kosmologische Begrifflichkeit von V.20, wo
nicht nur τὰ πάντα, sondern auch Himmel und Erde genannt sind, zur rhe-
torischen Plerophorie, während in V.22 der ebenfalls kosmologische terminus »Leib« einen gänzlich anderen, auch von V.18a unterschiedenen Sinn
gewinnt.
Der Behauptung, daß in V.18a nicht der Verfasser des Kolosserbriefes, sondern ein Glossator die Gleichsetzung σῶμα = ἐκκλησία vollzogen habe,
wird entgegengehalten werden, daß sie ebenso in Kol 1,24 begegnet. Der
Tatbestand ist nicht zu bestreiten. Die Rede vom »Leib« Christi wird am
Ende von V.24 präzisiert durch den Relativsatz: »welcher die Gemeinde
ist«, woran sich mit V.25 ein zweiter Relativsatz anschließt: »deren Diener
ich geworden bin«. Rekapituliert ist damit zum einen die Gleichung von
V.18a, zum andern die »apostolische Selbstaussage« von V.23. Aber ist mit
dieser Feststellung tatsächlich widerlegt, daß der Briefschreiber den Begriff
»Leib« für den gesamten Kosmos verwendete und dementsprechend auch
die Christusherrschaft als uneingeschränkt weltweite verstand? Die interpretierenden Relativsätze könnten auch eine nachträgliche Korrektur seiner
umfassenden Konzeption darstellen.
Zu denken gibt jedenfalls, daß Kol 2,10 erneut von Christus zu sagen weiß:
»der das Haupt jeder Macht und Gewalt ist«, und Kol 3,11 geradezu
triumphierend feststellt: πάντα καὶ ἐν πᾶσιν Χριστός. Daß dies hier und
jetzt nur für die Kirche gelte, ist nicht hinzugesetzt. Geht man sodann der
Verwendung des Begriffes »Leib« in Kol 2,17; 2,19 und 3,15 nach, ergibt

---

54 *Käsemann*, Taufliturgie, S. 51.
55 *Lohse*, Kolosser, S. 95.

sich, daß er ungeschützt gebraucht wird und die aus 1,18 und 1,24 bekannte Einschränkung fehlt. In seiner Abhandlung »Christusherrschaft und Kirche im Kolosserbrief« konstatierte denn auch *Lohse*: »An den anderen Stellen des Briefes, an denen der Begriff σῶμα wiederkehrt, dient er dazu, die Herrschaft Christi über alle Welt zu verkündigen«[56]. Am klarsten ist die kosmische Bedeutung in 2,19. *Dibelius* bemerkt: »Hier ist sie noch durch die Formulierung πᾶν τὸ σῶμα bekräftigt«[57]. Zudem läßt der Zusammenhang ein anderes Verständnis gar nicht zu. Kritisiert wird in V. 18 die Verehrung von Engeln. Schlüssig ist diese Kritik, wenn den Engeldienern entgegengehalten wird, »daß das All ohne jede Ausnahme dem Christus als seiner κεφαλή untergeben sei: damit wird der Engeldienst für den, der ἐν Χριστῷ ist, überflüssig, irrig, lästerlich. Dagegen hat es kaum einen Sinn, σῶμα hier auf die Gemeinde zu beschränken und Pls den ›Irrlehrern‹ in Kolossae mit dem Hinweis begegnen zu lassen, daß die gesamte Gemeinde ohne Ausnahme von ihrem Haupte geleitet und gefördert werde«[58]. *Dibelius* ist schwer zu widersprechen. Gilt aber Christus in 2,19 als Haupt des Alls, ist die Einschränkung von 1,18a – ἡ κεφαλὴ τοῦ σώματος τῆς ἐκκλησίας – außer acht gelassen. Dies gilt auch dann, wenn in 2,19b anläßlich des Begriffes σῶμα die Einschränkung auf die Kirche wieder vorausgesetzt wird. Auf diese Weise möchte *Schweizer* wenigstens die Fortsetzung des Satzes ekklesiologisch deuten. »Christus ist also Haupt über die Welt, aber nur die Kirche ist sein Leib, dem alle Kraft des Wachstums von ihm zuströmt«[59]. Mißachtet ist hier, daß Haupt und Leib komplementär zusammengehören und der Leib nicht etwas anderes sein kann als der gesamte Bereich, der dem Haupte zugeordnet ist. Dies bedeutet für Kol 2,19: Nicht die Kirche, sondern die Welt, »der Kosmos ist das σῶμα Χριστοῦ, der Leib Christi«. *Wagenführer* ist darin recht zu geben[60].
Seine Feststellung ist allerdings von größerer Tragweite, als ihm selbst bewußt wurde. *Wagenführer* betrachtete zwar in 1,18a die Worte »der Gemeinde« als Glosse eines frühen Lesers[61], hielt jedoch an der Ursprünglichkeit von 1,24 fest. Nach seiner Meinung war es diese nachfolgende Definition des Briefschreibers, die den Zusatz zu 18a hervorrief[62]. Wenn aber der Briefschreiber in seinem polemischen zweiten Kapitel eine ganz andere Auffassung entwickelt, darf bezweifelt werden, daß in 1,24 die Notiz, der Leib sei die Kirche, ebenfalls von seiner Hand stammt.
Weitere Beobachtungen verstärken solchen Zweifel. »Die Kirche wird nir-

56 *Lohse*, Christusherrschaft und Kirche im Kolosserbrief, NTS 11 (1964/65), S. 203–216, dort S. 206.
57 *Dibelius-Greeven*, Kolosser, S. 36.
58 Ebd.
59 *Schweizer*, ThWNT VII, S. 1074; vgl. *Lohse*, Kolosser, S. 179.
60 *Wagenführer*, Bedeutung Christi, S. 62.
61 Siehe oben S. 6.
62 *Wagenführer*, a.a.O., S. 63.

gendwo im Kolosserbrief als eigenständiges Thema behandelt«[63]. Doch damit nicht genug: Abgesehen von Kol 1,18 und 24 erscheint der Begriff ἐκκλησία nur noch in den Schlußgrüßen des Briefes – und hat hier eine andere Bedeutung. In Kol 4,16 wird er für die örtliche Gemeinde von Laodizea gebraucht, in Kol 4,15 ist gar nur eine Hausgemeinde damit bezeichnet. Besonderes theologisches Gewicht scheint der Begriff nicht zu haben. Hinzu kommt schließlich eine Eigentümlichkeit von Kol 1,25. Der Hinweis auf die Kirche wird unmittelbar aufgenommen durch den Relativsatz: »deren Diener ich geworden bin«, und scheint so im Kontext gut verankert zu sein. Die Formulierung stellt jedoch eine Dublette dar zu 1,23c: »dessen Diener ich, Paulus, geworden bin«. Hier allerdings gilt der Apostel als Diener des Evangeliums, das ἐν πάσῃ κτίσει verkündet wird. Kol 1,25 macht ihn zum Diener der Kirche. Nach dem Urteil von *Heinrich Julius Holtzmann* »bietet die erste Stelle das Original (οὗ und Παῦλος), die zweite die diesmal recht schwerfällige Wiederholung«[64]. Überflüssig ist diese Wiederholung auch insofern, als V.25 unmittelbar danach ohnehin auf den heilsgeschichtlichen Auftrag zu sprechen kommt, der dem Apostel zuteil geworden ist. Diese Fortsetzung läßt sich mühelos mit dem Hauptsatz von V.24 verbinden.

Alle diese Beobachtungen legen es nahe, in Kol 1,24 f. den auf Christi »Leib« zielenden Relativsatz: »welcher die Gemeinde ist«, samt der Bemerkung: »deren Diener ich geworden bin«, als eine Glosse anzusehen, die nachträglich in den Brieftext eingeschoben wurde. Für den Autor der Epistel bedeutet dies: Ebenso wie in 2,19 gebrauchte er den Begriff »Leib« für die gesamte Schöpfung unter Christus.

Zurückzuführen ist dieser Sprachgebrauch auf den Vierzeiler der Verse 16d–18a. Die Schlußzeile verwendet das Bild vom Haupt des Leibes und faßt damit zusammen, was zuvor über das All und über jenen ausgeführt wurde, durch den und auf den hin das All geschaffen ist. Er ist vor allem, und das All hat in ihm seinen Bestand, folglich kann er als ἡ κεφαλὴ τοῦ σώματος betrachtet werden. – Der Briefschreiber deutete diese Sätze christologisch und rückte sie in einen Zusammenhang, der die Neue Schöpfung zum Thema hat, wie sie Gott in Christus heraufzuführen beschloß. Folgerichtig wurde Christus zum Haupt der Neuen Schöpfung, die dann in Anlehnung an den Vierzeiler auch als sein »Leib« bezeichnet werden kann. Wie V.20 nachträgt, war es ein Akt der Versöhnung, durch den die Neue Schöpfung in Christus zustande kam.

Der Verfasser des Kolosserbriefes hat diese Konzeption konsequent und ohne Abstriche durchgehalten, so verschieden die Elemente sind, die er dafür verwandte. Nach Kol 2,19 wächst der Leib Christi in Verbindung mit seinem Haupte τὴν αὔξησιν τοῦ θεοῦ. Dieser Hinweis auf Gott entspricht dem Anliegen des Briefschreibers, sowohl in 1,12–14 als auch in 1,19 Gott

---

63 *Lohse*, Christusherrschaft und Kirche, S. 204.
64 *Heinrich Julius Holtzmann*, Kritik der Epheser- und Kolosserbriefe, 1872, S. 126.

als Initiator des Heilsgeschehens herauszustellen. Daß die Rede vom »Leib«
nicht der alten, sondern der neuen, eschatologischen Schöpfung gilt, macht
insbesondere Kol 2,17 deutlich. Allem Überholten, das nur ein Schatten des
Kommenden war, wird der Leib Christi als die neue Wirklichkeit geradezu
abrupt gegenübergestellt. In Kol 3,15 schließlich kommt der Verfasser auf
den »Frieden Christi« zu sprechen und erinnert seine Leser: εἰς ἣν καὶ
ἐκλήθητε ἐν ἑνὶ σώματι. Ganz entsprechend ergab sich als ursprüngliche
Aussage von Kol 1,21 f., daß Gott die ehedem Fremden und feindlich Ge-
sinnten ἀποκατήλλαξεν ἐν τῷ σώματι. Trotz der verschiedenen Verben
liegt derselbe Gedanke vor, denn für Gottes Tat der Versöhnung in Christus
findet sich Kol 1,20b als zweite Formulierung: »Frieden stiftend durch ihn«.
Kol 1,21 f. und 3,15 verwenden die doxologische Aussage homiletisch und
sprechen die Gemeinde darauf an, daß die Versöhnung bzw. der neue Friede
ihre Wirklichkeit ist. Die Gemeinde ist zwar nicht mit dem Leib Christi
identisch, wie der Glossator meint. Doch gehört sie ἐν τῷ σώματι der
Neuen Schöpfung unter Christus an.
Wie es dazu gekommen ist und worauf sich diese Zugehörigkeit gründet, ist
eine Frage, die der Verfasser im zweiten Kapitel seines Briefes eingehend
erörtert. Die an die Taufe erinnernden Formulierungen von Kol 1,12–14
können als ein erster Hinweis genommen werden.

2. Die Anspielungen in Kol 2,9–15*

Es bedarf nur eines flüchtigen Blickes, um festzustellen, daß in Kol 2,9 und
10 eine ganze Reihe von Begriffen erscheint, die zuletzt im Zusammenhang
von Kol 1,15–20 eine zentrale Rolle spielten. Zu nennen sind κατοικεῖν und
πᾶν τὸ πλήρωμα, sodann ἀρχή und ἐξουσία, ferner ἡ κεφαλή und doch
wohl auch σωματικῶς, da immerhin die Möglichkeit besteht, daß das Adverb dem Begriff σῶμα von Kol 1,18 entspricht. Dennoch können die beiden
Verse nicht ohne weiteres als authentischer Kommentar des Briefschreibers
seinen früheren, stark traditionell bestimmten Ausführungen an die Seite
gestellt werden. Denn Kol 2,9 und 10 gehören zu einem Abschnitt, der
ebenfalls literarkritische Fragen aufgibt. In höchst eigentümlicher Weise
wechseln die verschiedensten Stilarten ständig miteinander ab. Wieweit
hier tatsächlich der Briefschreiber das Wort ergreift und wieweit er neuerdings vorgegebene Formulierungen aufnimmt, muß erst geklärt werden.
Dazuhin ist nicht auszuschließen, daß auch im zweiten Kapitel des Briefes
ein Glossator am Werk gewesen sein könnte. Daß in Kol 2,9–15 »Anrede,
Bericht und Wirstil fast unentwirrbar durcheinandergehen«, ist unbestreitbar und einleuchtend auch *Schilles* Folgerung: »Wenn jedoch Stilmischung

---

*Zur leichteren Orientierung ist nach S. 162 wieder ein Faltblatt eingeheftet, das die literarkri-
tischen Entscheidungen im Text markiert.

ein Anzeichen für die Verarbeitung eines Zitates ist, drängt gerade dies in die Analyse«[65].

In einer Anmerkung seines Aufsatzes »Exegetische Beobachtungen zu Kol 1,9–20« äußert *Eckart*: »Es ist beobachtenswert, daß die Liturgie Kol 2,6–15 unserem Text formal und inhaltlich sehr ähnlich ist«[66]. Sollte der ganze Abschnitt Kol 2,6–15 tatsächlich eine Liturgie darstellen, müßte darauf verzichtet werden, hier die Theologie des Briefschreibers und seine Interpretation der Tradition auszumachen. Er hätte lediglich zitiert, was ihm die Praxis des Gottesdienstes vorgab. Doch nicht zuletzt die Ähnlichkeit mit Kol 1 läßt solche Auffassung fragwürdig erscheinen. Es müßte angenommen werden, daß in der Gemeinde des Briefschreibers zwei formal und inhaltlich sehr ähnliche Liturgien im Gebrauch waren und daß der Verfasser es sich nicht verdrießen ließ, alle beide in sein Schreiben aufzunehmen. Sein eigener Anteil am Kolosserbrief wäre in den beiden ersten Kapiteln sehr gering zu veranschlagen. Davon abgesehen, hat die Analyse von Kol 1,12–20 nicht bestätigt, daß hier eine ganze Liturgie aufgenommen wurde. Noch weniger dürfte solches für Kol 2,6–15 zutreffen. Der Abschnitt läßt nicht nur eine mit Kol 1,12–20 vergleichbare Gliederung vermissen, er enthält auch unverkennbar prosaische Passagen. Dazuhin leiten die Verse 6–8 eine polemische Auseinandersetzung ein, die in V. 17 ff. fortgeführt wird und offenbar den aktuellen Anlaß des Briefes ausmacht. Zwischen die allgemein gehaltene Einleitung und die detaillierte Polemik der Verse 16 ff. schieben sich als Passus eigener Art die Verse 9–15. Ihre Aufgabe ist, in der Polemik noch einmal innehaltend, die Basis klarzustellen, von der aus die Auseinandersetzung geführt wird. Daß dieser ganze Zusammenhang einer Liturgie entstammt, ist unwahrscheinlich.

Andererseits ist es durchaus denkbar, daß sich der Briefschreiber für seine theologische Grundlegung auf Traditionen der Gemeinde berufen hat, die er mehr oder weniger wörtlich anzuführen wußte. Das Durcheinander der Stilformen einerseits und die Nähe des Abschnittes zu Kol 1,15–20 andererseits legen solche Vermutung nahe. Wenn auch keine geschlossene Liturgie, könnte der Verfasser doch größere oder kleinere liturgische Bruchstücke aufgenommen haben. Er wäre dann nicht anders verfahren als im ersten Kapitel. Zu prüfen ist also, wo solche Anleihen gegeben sind.

Schille hat den Abschnitt stilkritisch untersucht und als Ergebnis einen Christus-Hymnus vorgelegt, den er zur Gattung der »Kreuz-Triumph-Lieder« rechnet und als »Tauflied« deutet[67]. Mit Ausnahme von V. 12 findet er Teile dieses Hymnus in allen Versen des Abschnittes. Zusammengesetzt ergeben sie als Vorlage des Briefschreibers und liturgischen Lobpreis Christi:

---

65 *Schille*, Hymnen, S. 32.
66 *Eckart*, Beobachtungen, S. 103 Anm. 83.
67 *Schille*, Hymnen, S. 43.

(V.9)   »In ihm wohnt all die Fülle der Gottheit leibhaftig,
(10b)   der das Haupt aller Macht und Gewalt ist
(11b)   durch das Ablegen des Fleischesleibes,
(13b)   der uns erlassen hat all die Sünden,
(14)   der löschte die Handschrift wider uns mit den Paragraphen,
        und er nahm sie aus der Mitte,
        heftete sie ans Kreuz,
(15)   zog aus die Mächte und die Gewalten,
        stellte (sie) zur Schau in Öffentlichkeit,
        führte sie im Triumph an ihm (scil. dem Kreuz)«[68].

Einleuchtend an *Schilles* Analyse ist, daß alle Partien, die in direkter Anrede formuliert sind, dem Briefschreiber zufallen. So V.10a, 11a, 12 und 13a. Ebenfalls dem Verfasser des Kolosserbriefes zugewiesen wird allerdings in V.14 der Relativsatz ὃ ἦν ὑπεναντίον ἡμῖν, was bedeutet, daß er sich hier unversehens des Wir-Stils bedient hätte. Indessen sind unmittelbar zuvor die »hymnischen« Zeilen 13b und 14a in gleicher Weise persönlich formuliert und könnten den Stil des Briefschreibers beeinflußt haben.

Kritischer zu beurteilen ist die Kehrseite dieser Analyse. Alle Sätze, die nach seiner Meinung nicht vom Verfasser stammen, addiert *Schille* kurzerhand zu einem Hymnus. Dem Briefschreiber war es um eine theologische Begründung zu tun. Konnte er dazu nicht auch verschiedene Texte zitieren oder anklingen lassen? Seine Basis wäre dadurch nur breiter geworden. Von *Schille* wird diese Möglichkeit nicht ernsthaft in Betracht gezogen. Den gesamten Textbestand, der nach Abzug der spezifisch brieflichen Sätze verbleibt, betrachtet er als zusammenhängenden Christus-Hymnus. Sowohl der Inhalt als auch der Stil und nicht zuletzt die Form dieses Liedes lassen jedoch Zweifel aufkommen, ob hier tatsächlich ein ursprünglicher Zusammenhang gegeben ist.

Was den Inhalt betrifft, muß ein Hysteron-Proteron festgestellt werden. Bereits die zweite Zeile gilt der überragenden Stellung des Erhöhten. Er ist das Haupt aller Macht und Gewalt. Danach kommen sein Fleichesleib, die Vergebung der Sünden und Christi Kreuz in den Blick. Erst die Schlußzeilen sind dann dem Triumph gewidmet, in dem Christi Herrschaft über die Mächte und Gewalten begründet ist.

Zum Stil ist zu bemerken, daß er keineswegs einheitlich ist. Die ersten drei Zeilen sind im objektiven Er-Stil gehalten, es folgen zwei als persönliches Bekenntnis formulierte Zeilen im Wir-Stil, und die restlichen fünf Zeilen sind wieder eine reine Doxologie.

Noch weniger überzeugend ist der formale Aufbau. Insgesamt umfaßt *Schilles* Kreuz-Triumph-Lied zehn Zeilen. Eine Gliederung, die mit Kol 1,15–20, Phil 2,6–11 oder 1 Tim 3,16 vergleichbar wäre, sucht man aller-

---

68 Vgl. ebd. S. 31. *Schille* bietet den ganzen Abschnitt in deutscher Übersetzung.

dings vergebens. Von einem Aufbau in Strophen ist nichts zu erkennen, und auch die Zeilenführung ist nicht gerade bestechend. *Schille* äußert sich denn auch sehr vorsichtig: »Die Doppelzeilen treten oft in den Parallelismus membrorum syntheticus«. Auf den Beginn des Liedes kann er freilich nicht verweisen, da er den Auftakt V.9 vom übrigen Hymnus absetzt und erklärt: »Formal hebt sich eine Themazeile von der hymnischen Ausführung ab, ohne daß ein deutlicher Zusammenhang zwischen beidem bestünde«[69].

Die Fortsetzung bilden V.10b und 11b:

»der das Haupt aller Macht und Gewalt ist
durch das Ablegen des Fleischesleibes«.

Darin eine Doppelzeile zu sehen ist schon dadurch erschwert, daß der aus V.11 stammende Teil weder ein Subjekt noch ein Prädikat enthält, vielmehr lediglich eine präpositionale Bestimmung beibringt. Sie läßt sich außerdem mit dem Vordersatz nur schwer verbinden und erweckt dadurch Zweifel, ob sie tatsächlich dazugehört. Denn das Prädikat von V.10b lautet ἐστίν und nicht ἐγένετο, wie die Verknüpfung Schilles eigentlich erfordern würde. Bestärkt werden solche Zweifel durch die Beobachtung, daß der aus V.11 entnommene Passus sich den dortigen Ausführungen des Briefschreibers, die von der Beschneidung handeln, wesentlich besser einfügt. Schon *Deichgräber* hat deshalb moniert: »Besonders anfechtbar ist die Lösung der Worte ἐν τῇ ἀπεκδύσει τοῦ σώματος τῆς σαρκός aus dem Zusammenhang in V.11, in dem sie als Interpretation der Christusbeschneidung guten Sinn geben. Schille verbindet sie unmittelbar mit V.10b, wohin sie wirklich nicht passen und wo sie auch syntaktisch ziemlich beziehungslos in der Luft hängen«[70].

Nicht minder problematisch ist der Übergang zur vierten Zeile:

»der uns erlassen hat all die Sünden«.

Durch das Personalpronomen ἡμῖν kommt ein neues Element ins Spiel. Der Hymnus wird zum Bekenntnis. Dazuhin ist nicht recht deutlich, an welche der vorangehenden Aussagen das Participium coniunctum eigentlich anknüpft. Sehr viel deutlicher ist der Zusammenhang mit den folgenden Zeilen. Mit χαρισάμενος beginnt eine Reihe von Partizipien, die sich bis V.15 fortsetzt; im Mittelpunkt dieses Abschnittes stehen Aussagen über Christi Kreuz, und *Schille* betont selbst: »Inhaltlich und formal bilden die Verse 13b–15 eine Einheit«[71]. Indirekt ist damit zugestanden, daß zur vorausgehenden dritten Zeile nur eine lockere Verbindung besteht.

69 Ebd. S.37.
70 *Deichgräber*, Gotteshymnus und Christushymnus, S. 167f.
71 *Schille*, Hymnen, S. 33.

Zu fragen ist dann allerdings, ob die ersten drei Zeilen überhaupt dem angenommenen Kreuz-Triumph-Lied zuzurechnen sind. Nach *Schilles* eigenem Urteil steht das erste Kolon als »Themazeile« voran, ohne daß zwischen ihr und der hymnischen Fortsetzung ein deutlicher Zusammenhang bestünde. Zwischen der zweiten und der dritten Zeile ist die Verbindung aus syntaktischen Gründen problematisch, und die folgende vierte Zeile gehört einem neuen Zusammenhang an. Es ist dies in der Tat »ein recht brüchiger Text, den man keineswegs als einheitlichen Hymnus ansprechen kann«[72]. Das Urteil zieht die Frage nach sich, wie es um die Bruchstücke bestellt ist. Bei der dritten Zeile ist der hymnische Charakter bereits fraglich geworden. Die präpositionale Bestimmung ist in V. 11 fest verankert und kann zu den Partien direkter Anrede gerechnet werden, die vom Briefschreiber stammen dürften. Anders steht es mit den beiden ersten Zeilen. Sollten wenigstens sie dem Hymnus angehören? Dagegen spricht, daß V. 10b den Aussagen von V. 14 und 15 vorgreift und gleichzeitig mit V. 13b formal und inhaltlich so wenig gemein hat, daß eine direkte Verbindung nicht in Frage kommt. Einen Zusammenhang stellen erst die prosaischen Sätze V. 11–13a her. Zu prüfen ist demnach, ob die beiden Zeilen ein unabhängiges Zitat darstellen. Der Eindruck, daß in Kol 2,9 und 10b liturgisches Gut verarbeitet ist, beruht allerdings weniger auf der Form als auf der Begrifflichkeit der Sätze, die an Kol 1,15–20 erinnert. Formal wirkt V. 9 einigermaßen überladen, und V. 10b bildet kein adäquates Gegenstück dazu. Nicht richtig ist dagegen, daß zwischen beiden kein erkennbarer Zusammenhang bestünde. Er ist freilich von besonderer Art und tritt erst im Rückblick auf Kol 1,15–20 deutlich zutage. Die beiden Zeilen verwenden eine Reihe von Begriffen, die auch dort nahe beieinander stehen, wiewohl sie verschiedenen Vorlagen angehören. Dieser Umstand macht es unwahrscheinlich, daß in Kol 2,9 f. ein anderer liturgischer Text aufgenommen ist, der dieselben Stichworte auf engstem Raum vereinigt bot. Nimmt man noch die unbefriedigende Form der Sätze hinzu, liegt es näher, V. 9 und 10b zusammen mit dem persönlich gehaltenen V. 10a dem Briefschreiber zuzuweisen. Zurückgreifend auf die Zitatenkombination von Kol 1 untermauerte er die Polemik, zu der V. 6–8 die Einleitung darstellen[73].
Ebenfalls von ihm stammen die Verse 11–13a. Nicht auszuschließen ist, daß er auch hier traditionelle Wendungen und Begriffe aufnahm. Dem Stil der Verse 6–8 entsprechend sind die Sätze jedoch durchweg in der zweiten Person Plural an die Leser des Briefes gerichtet. Anders wird dies mit V. 13b. Schon für συνεζωοποίησεν ὑμᾶς bieten P[46], B und andere die Lesart συνεζωοποίησεν ἡμᾶς. *Lohmeyer* hält sie für die ältere, doch schließt er nicht aus, sie könnte auch »unter dem Einfluß des folgenden ημιν stehen«[74]. Si-

72 *Deichgräber*, a.a.O., S. 167.
73 Vgl. *Lohse*, Ein hymnisches Bekenntnis in Kolosser 2,13c–15, in: Mélanges Bibliques en hommage au R. P. Béda Rigaux, 1970, S. 427–435, dort S. 428.
74 *Lohmeyer*, Kolosser, S. 101 Anm. 5.

cher eine Angleichung an die Fortsetzung ist der Verzicht auf das Personalpronomen bei D, G, P und anderen. Daß auch P[46] und B um einen ausgeglichenen Text bemüht sind, zeigte sich bei der Untersuchung von Kol 1,15–20[75]. Der Verdacht liegt deshalb nahe, daß sie in derselben Weise Kol 2,13 »verbesserten«.

Unzweifelhaft im Wir-Stil formuliert ist der Partizipialsatz V.13b, dem sich V.14 anschließt. Schon *Lohmeyer* hat diesen Wechsel scharf empfunden. Er bemerkt: »Mit neuen stilistischen Mitteln beginnt Paulus den Sieg Christi zu schildern«. Nach seiner Meinung ist es im »orientalischen Psalmenstil« begründet, »daß Paulus das Objekt ›euch‹ durch das umfassendere ›uns‹ ersetzt. Diese syntaktische Irregularität bezeichnet scharf den Anfang hymnischer Redeweise. Zudem begegnen hier zahlreiche seltene Worte, und fast kein Verbum trägt den sonst aus paulinischen Briefen vertrauten Sinn«[76]. Dieselben Beobachtungen führen bei *Wengst* zu der These, daß in Kol 2,13–15 »ein Stück Taufliturgie« aufgenommen sei[77]. Er verlegt den Stilwechsel allerdings noch weiter zurück als *Lohmeyer* und findet bereits zu Beginn von V.13a liturgische Formulierungen. Traditionell seien die Worte:

καὶ ὄντας ἡμᾶς νεκροὺς τοῖς παραπτώμασιν
συνεζωοποίησεν (ὁ θεὸς) σὺν Χριστῷ[78].

Da in Kol 2,13 durchweg καὶ ὑμᾶς . . . überliefert ist, nimmt er an, daß der Briefschreiber zunächst »in Fortsetzung der Anrede von vv 11 f. die zweite Person setzte, bei der weiteren Zitierung jedoch in die erste Person der Vorlage überging«[79]. Festzustellen ist, daß die beiden Zeilen im Unterschied zu den später aus V.14 und 15 erhobenen kein paulinisches Hapaxlegomenon bieten. Um sie als Traditionsgut zu erweisen, argumentiert *Wengst* denn auch nicht mit ihrer Singularität, sondern verweist auf Parallelen. In der Tat: Nicht minder abrupt als Kol 2,13 beginnt Eph 2,1 mit: »Und euch, die ihr tot waret . . .« Nach einer Abschweifung nimmt sodann V.5 den Gedanken wieder auf und erklärt mit fast denselben Worten wie Kol 2,13: »Und uns, die wir tot waren durch die Übertretungen, hat er mit Christus lebendig gemacht«. Die Übereinstimmung ist deutlich. Aber ist darum »der Schluß unausweichlich, daß hier und dort auf ein Traditionsstück zurückgegriffen wird, das mit καὶ ὄντας κτλ begann«[80]? Wie *Werner Ochel* vorgeführt hat, vermag die Annahme einer Bearbeitung des Kolosser-Briefes im Epheser-Brief den Einsatz von Eph 2,1 und 5 anders zu erklären. Der

75 Vgl. oben S. 39f.
76 *Lohmeyer*, a.a.O., S. 114.
77 *Wengst*, Formeln und Lieder, S. 186.
78 Ebd. S. 190.
79 Ebd. S. 189.
80 Ebd. S. 188.

Briefschreiber hat sich an Kol 2,13 angelehnt[81]. Und was diese Formulierung betrifft, ist an den entsprechenden Anfang von Kol 1,21 zu erinnern. *Lähnemann* hat recht: »Der etwas eigentümliche Anschluß in 2,13 – καὶ ὑμᾶς νεκροὺς ὄντας . . . συνεζωοποίησεν ist nicht für ein vorgegebenes Lied, sondern für den Verfasser des Kolosserbriefes kennzeichnend, wie die parallele Konstruktion in 1,21 f. zeigt«[82]. Läßt sich also aus V.13a noch keine Vorlage erheben, ist es das Gegebene, auch den Wechsel vom Ihr- zum Wir-Stil dort zu belassen, wo er textkritisch gesichert ist. Erst der Partizipialsatz in V.13b ist eindeutig nicht mehr als Anrede formuliert. Die damit gegebene Zäsur ist auch *Schille* nicht entgangen, und er ist sich bewußt, daß die ersten Zeilen seines Hymnus sehr viel fragwürdiger sind als die mit V.13b anhebende Fortsetzung. Er stellt immerhin selbst die Frage: »Darf man wenigstens in V.13b–15 ein Stück des gesuchten Liedes erkennen?« und meint kurz darauf: »Wenn in Kol 2 überhaupt ein Lied verarbeitet wurde, dann hier«[83]. *Lähnemann* ist der Auffassung, daß »kein vorbriefliches Lied, sondern Argumentation des Verfassers« vorliege. Er muß indes zugeben: »Da andererseits der gehobene Stil dieser Verse offenkundig ist, ist die (vielleicht unerwartete) Frage zu stellen, ob hier so etwas wie ›hymnische Polemik‹ vorliegt oder gar ein Beispiel dafür, daß in der frühen hellenistischen Gemeinde (d. h. an unserer Stelle: vom Verfasser des Kolosserbriefes) gedichtet wurde!«[84] Näher bei *Schille* stehen *Deichgräber* und *Lohse*. Auf die kurzen Partizipialsätze hinweisend, erklärt *Deichgräber*: »In diesem Schlußteil wird man am ehesten mit der Aufnahme hymnischen Gutes rechnen dürfen«. Er fährt allerdings fort: »Eine klare Zeilenführung wird jedoch auch hier nicht erkennbar«[85]. Weniger skeptisch ist *Lohse*. In seinem Kommentar bietet er den Abschnitt in kolometrischer Anordnung und vertritt die Auffassung, »daß in V.14–15 ein in hymnischen Wendungen gehaltenes Bekenntnisfragment vorliegt«[86]. Den Schluß von V.13 rechnet er nicht dazu, sondern betrachtet ihn als vorausgeschickte Formulierung des Briefschreibers. »Wahrscheinlich ist dieser Satz gemeinchristlichen Bekenntnisses vom Verfasser des Kolosserbriefes an den Anfang gestellt worden, um die für ihn entscheidende Aussage von der Vergebung der Sünden (vgl. 1,14; 2,13a; 3,13) hervorzuheben und durch die hymnischen, gleichförmig gebauten Sätze der beiden folgenden Verse zu erläutern«[87]. Beachtung verdient, daß in V.14 und 15 *Lohses* Bekenntnis und die Taufliturgie von *Wengst* mit einer geringfügigen Ausnahme über-

---

81 *Werner Ochel*, Die Annahme einer Bearbeitung des Kolosser-Briefes im Epheser-Brief in einer Analyse des Epheser-Briefes untersucht, 1934, S. 42f.
82 *Lähnemann*, Kolosserbrief, S. 126 Anm.67 (S. 127).
83 *Schille*, Hymnen, S. 32 und S. 33.
84 *Lähnemann*, Kolosserbrief, S. 126 Anm. 67 (S. 127).
85 *Deichgräber*, Gotteshymnus und Christushymnus, S. 168.
86 *Lohse*, Kolosser, S. 160; vgl. ders., Ein hymnisches Bekenntnis, S. 431f.
87 *Lohse*, Ein hymnisches Bekenntnis, S. 432; vgl. ders., Kolosser, S. 160.

einstimmen. Beide gewinnen aus den Schlußversen des Abschnittes zwei
Dreizeiler mit je einem Hauptverb und zwei flankierenden Partizipialsätzen. *Wengst* übernimmt dabei eine weitere Variante von P⁴⁶, B und kann so
auch das zweite Verbum ἐδειγμάτισεν mit καὶ einführen[88]. Diesen sechs
Zeilen voraus geht bei ihm freilich keine Formulierung des Briefschreibers,
sondern ein weiterer Dreizeiler, den er aus V.13 gewinnt.
Die Zusammenstellung der verschiedenen Thesen dürfte deutlich machen,
daß sich auf den Schluß des Abschnitts zu ein gewisser Consensus anbahnt.
Ob sich die Vorlage exakt bestimmen läßt und ob im einzelnen die Auffassung von *Schille, Wengst* oder *Lohse* die besseren Argumente für sich hat,
ob ein Hymnus, ein Stück Taufliturgie oder ein Bekenntnis vorliegt und ob
mit *Schille* Christus oder mit *Wengst* und *Lohse* Gott als Subjekt anzunehmen ist, wird noch zu prüfen sein. Zunächst jedoch verdient festgehalten zu
werden: Der Abschnitt Kol 2,9 ff. kann tatsächlich als authentischer Kommentar zu Kol 1 gelesen werden. Ist erst ab V.13b oder 14 mit einer zusammenhängenden Vorlage zu rechnen, können die vorangehenden Formulierungen für den Briefschreiber in Anspruch genommen werden – es sei denn,
der Gedankengang würde sich in Widersprüche verwickeln, die ein neuerli-
ches Eingreifen des Glossators verraten.
Als Exegese des Briefschreibers sind in erster Linie die Verse 9 und 10 anzusehen. Aus gegebenem Anlaß spielt der Autor hier auf jene Texte an, die er
in Kol 1 zitiert hat, und gibt so zu erkennen, wie er sie verstand und verstanden wissen wollte. Querverbindungen zum ersten Kapitel des Briefes sind
indes auch weiterhin zu notieren. Die anschließenden Verse 11–13a handeln verbis expressis von der Taufe und erinnern damit an die Anspielungen
auf die Taufe in Kol 1,12–14 und 19. Das Verhältnis hat sich umgekehrt:
Wurde in Kol 1 ein Christus-Hymnus direkt zitiert und auf die Taufe angespielt, so wird in Kol 2 auf den Hymnus angespielt und die Taufe direkt behandelt. Ebenfalls in diese Betrachtung einzubeziehen ist der Schlußteil des
Abschnittes. Auch ohne eine genaue Analyse läßt sich erkennen, daß sein
Thema der Triumph über die Mächte und Gewalten ist. Ähnliche Gedanken
bringen in Kol 1 die Parenthese 1,16c – »es seien Throne, Herrscher,
Mächte oder Gewalten« – und der Einschub 1,18d – »damit er von allen der
erste werde« – zur Sprache. Wenn der Briefschreiber dafür in Kol 2 einen
überlieferten Text aufbietet, entspricht dies genau seinem eben beobachte-
ten Vorgehen. Der Triumph, der im ersten Kapitel nur gestreift wurde,
kommt im zweiten verbis expressis zur Sprache. Eine Umkehrung ergibt
sich insofern, als Kol 2, 9 und 10 auf die Zitate in Kapitel 1 zurückgreifen,
während Kol 1,16c und 18d das Zitat in Kapitel 2 vorwegzunehmen scheinen. *Eckart* hatte also gar nicht so unrecht, als er feststellte, die beiden Texte
seien »formal und inhaltlich sehr ähnlich«[89]. Nur handelt es sich weder hier

---

88 *Wengst*, Formeln und Lieder, S. 190 Anm. 37. Er bietet damit denselben Text wie *Lohmeyer*, Kolosser, S. 101 Anm. 6.
89 *Eckart*, Beobachtungen, S. 103 Anm. 83; vgl. oben S. 80.

noch dort um eine Liturgie. Kol 2, 9–15 ist ebenso wie Kol 1,12–20 eine literarische Komposition des Briefschreibers.
Auch im Detail ist seine Arbeitsweise aufschlußreich. Kol 2,9 und 10 entnehmen dem bereits zitierten Hymnus die bezeichnenden Stichworte κατοικεῖν und πᾶν τὸ πλήρωμα. Terminologisch weniger charakteristisch, doch ebenfalls von dort entlehnt sind die Wendungen »in ihm« und »welcher ist«. Dazuhin gebrauchte der Vierzeiler von 1,16d–18a κεφαλή und σῶμα. Im ersten Kapitel des Kolosserbriefes treten diese Begriffe aufgrund einer Zusammenstellung verschiedener Vorlagen nebeneinander auf. In Kol 2,9 f. sind sie in eine zusammenhängende Periode eingegangen, die zu 2,8 eine Begründung liefert. Gleichsam als Summe der vorgenommenen Addition ergibt sich in 2,9 die Aussage, σωματικῶς wohne in Christus πᾶν τὸ πλήρωμα. Doch damit nicht genug: Die Analyse von Kol 1,15–20 erbrachte, daß in V.19 bei der Bearbeitung des Hymnus das ursprüngliche Subjekt »die ganze Fülle« in den Schatten der Rede von Gottes Ratschluß geriet. Im Zuge der Umgestaltung des Satzes wurde aus πᾶν τὸ πλήρωμα praktisch eine Bezeichnung Gottes[90]. Dem entspricht in Kol 2,9 die Formulierung: »die ganze Fülle der Gottheit«. Weiterhin ergab sich, daß zusammen mit dem Vierzeiler auch schon V.16c in den Hymnus eingeschoben wurde. Der Vierzeiler betont Christi überragende Stellung und bezeichnet ihn als das »Haupt«. V.16c steuert eine Aufzählung der verschiedenen Mächte und Gewalten bei. Den ganzen Komplex bringt Kol 2,10b auf die knappe Formel: »welcher das Haupt jeder Macht und Gewalt ist«. Alle diese Formulierungen greifen nicht nur auf die liturgischen Vorlagen zurück, sondern spiegeln zugleich die in Kol 1 vorgenommene Zuordnung. Kombiniert sind jeweils Begriffe und Wendungen, die verschiedener Herkunft sind. Keine Spur hinterlassen haben lediglich der Hinweis auf die Kirche (1,18a) und die Erinnerung an Christi Kreuzesblut (1,20b). Daß diese Erweiterungen des Hymnus in der Reprise Kol 2,9 und 10 nicht berücksichtigt sind, kann als Bestätigung dafür genommen werden, daß sie mit den Interessen des Briefschreibers nichts zu tun haben und erst später hinzugekommen sind. Nicht dasselbe gilt für den ebenfalls übergangenen Passus von der Versöhnung (1,20a), denn daran knüpfen bereits die brieflichen Ausführungen Kol 1, 21ff. an.
Erweist die Literarkritik Kol 2,9 und 10 als konsequente Wiederaufnahme von Kol 1,15–20, sind die beiden Verse auch entsprechend auszulegen. Konsequenzen hat dies zunächst für die Interpretation von κατοικεῖ und σωματικῶς. Es ist verfehlt, hier die Inkarnation angesprochen zu finden und etwa mit *Benoit* festzustellen: »Seitdem wohnt die Gottheit in einem menschlichen Leib«[91], oder mit *von Hofmann*, es sei »das Große und Wunderbare dies, daß ein leiblich Lebender alles in sich schließt, was Gott, der da Geist

---

90 Siehe oben S. 60.
91 *Benoit*, Leib, Haupt und Pleroma, S. 275.

ist, zu Gotte macht«[92]. Ebenfalls an den irdischen Jesus denkt *Schweizer*. Er behauptet: »σωματικῶς bezeichnet hier also die Körperlichkeit, in der Gott dem Menschen in der Welt, in der er lebt, begegnet. Es bezeichnet also gerade die volle Menschlichkeit Jesu«[93]. Gegen diese Deutung spricht die Präsensform κατοικεῖ. Die Kolosser werden auf gegenwärtig bestehende Verhältnisse angesprochen! Auch V.10b bekennt von Christus im Präsens: »welcher das Haupt jeder Macht und Gewalt ist«. Gegenwärtig ist aber der Auferstandene und Erhöhte, nicht der menschlich Irdische. Kol 1 bestätigt solche Blickrichtung. Es ist der »Erstgeborene von den Toten«, von dem der Hymnus zu sagen weiß, das Pleroma habe in ihm Wohnung genommen. Die Bearbeitung führt diese Einwohnung auf den Ratschluß Gottes zurück, behält jedoch die Ausrichtung des Satzes auf den Erstgeborenen von den Toten bei. Nach Gottes Heilsplan sollte in Christus als neuem Anfang und Erstling von den Toten das ganze Pleroma Wohnung nehmen. Was der Hymnus im Aorist verkündet und die Bearbeitung als Gottes Ratschluß dartut, ist die Realität, in der die Glaubenden leben. Wenn der Briefschreiber im Zusammenhang der Auseinandersetzung von Kol 2 das Präsens verwendet, ist er nur konsequent. Denn eben das ist seine Basis: Christus ist das Haupt aller Macht und Gewalt, und in ihm wohnt das ganze Pleroma. Daß letzteres σωματικῶς der Fall sei, darf dann freilich nicht auf die Inkarnation gedeutet werden. *Lohmeyer* hat recht: »Fülle hat erst der Auferweckte empfangen«. Als Konsequenz ergibt sich: »Dann kann auch diese Fülle nur darum in ihm ›leiblich‹ wohnen, weil er das Haupt eines ›Leibes‹, d. h. Herr des versöhnten Alls geworden ist«[94]. Das Adverb σωματικῶς entspricht somit genau der Verwendung des Begriffes σῶμα, die in 1,18; 1,22; 1,24; 2,17 und 2,19 zu beobachten war[95]. Die adverbiale Bestimmung ist in ihrer Bedeutung fest fixiert. Weder steht sie für die volle Menschlichkeit Jesu noch meint sie in allgemeinerem Sinn nur »wirklich«[96] oder »wesenhaft«[97]. Vielmehr bringt der Briefschreiber in einer Abbreviatur zum Ausdruck: Die Einwohnung des Pleromas in Christus ist gegeben in Gestalt jenes »Leibes«, der in Christus seinen Bestand hat. Gemeint ist die Neue Schöpfung!
V.10a bringt die Anwendung des Gedankens; sie lautet kurz und bündig: καὶ ἐστὲ ἐν αὐτῷ πεπληρωμένοι. Deutlich ist, daß die partizipiale Formulierung das Stichwort πλήρωμα von V.9 aufnimmt. Dennoch bereitet die Auslegung Schwierigkeiten. Im Deutschen wird das Partizip zumeist mit »erfüllt« wiedergegeben. Nicht zu umgehen ist dann natürlich die Frage, womit die Angesprochenen erfüllt sind. Welches Objekt muß vorausgesetzt werden? Ist ganz allgemein »der Empfang des Heils hier als Erfülltsein be-

92 *Von Hofmann*, Kolosser, S. 65.
93 *Schweizer*, ThWNT VII, S. 1075; ebenso *Lähnemann*, Kolosserbrief, S. 118.
94 *Lohmeyer*, Kolosser, S. 106.
95 Siehe oben S. 76ff.
96 Vgl. *Dibelius-Greeven*, Kolosser, S. 29.
97 Vgl. *Lohse*, Kolosser, S. 151 Anm. 4.

zeichnet«, wie *Lohse* meint[98]? Konkreter könnte auch daran gedacht sein, daß Christus selbst die Glaubenden erfüllt, so daß mit *Haupt* zu erklären wäre:»Wenn sie Christus haben, haben sie alles«[99]. Oder sollte umfassend von »Gottes ungemessenen Gaben« die Rede sein, wie *Dellings* Interpretation voraussetzt:»Ihr seid schlechthin erfüllt durch ihn als den Gebenden«[100]? Die Antwort fällt schwer, da der Satz hierzu keine weiteren Angaben macht. Zudem wohnt allen diesen Auskünften die Tendenz inne, das Partizip πεπληρωμένοι in einer Weise aufzufassen, die mit πᾶν τὸ πλήρωμα wenig zu tun hat. Der unmittelbare Zusammenhang mit V.9 droht verlorenzugehen. Konsequenterweise sprechen *Delling* und *Lohse* von einem »Wortspiel« und gewinnen damit die Freiheit, die verbale Formulierung von der nominalen inhaltlich abzusetzen. Zu Recht stellte jedoch schon *von Soden* fest:»Die Correspondenz von πεπληρωμένοι und πλήρωμα verlangt dieselbe Beziehung des Formalbegriffs«[101]. Betroffen ist davon auch die Auskunft, Christus erfülle die Glaubenden. Daß hier ebenfalls eine Verschiebung des Gedankens stattfindet, wird nur verschleiert, wenn *Lohmeyer* formuliert:»Christus ist nur deshalb ›Fülle‹, weil er für alle Erfüllung bedeutet«[102]. V.9 behauptet ja nicht, daß Christus die Fülle ist, sondern daß sie in ihm wohnt.

Einen anderen Weg schlägt *Dibelius* ein. Die Frage, womit die Gläubigen erfüllt sind, beantwortet er damit, daß er als inneres Objekt noch einmal τὸ πλήρωμα ins Spiel bringt. Als Übersetzung bietet er an:»Ihr seid dieser Fülle teilhaftig geworden in ihm«[103]. Aber hatte Haupt so unrecht, als er gegen diese Möglichkeit einwandte, man würde »dann ein καὶ ὑμεῖς erwarten«[104]? Außerdem ergibt sich eine sehr komplizierte Vorstellung. Die Gläubigen sind nicht nur mit dieser Fülle erfüllt und gleichen darin Christus, sie sind dazuhin »in ihm« und insofern der Fülle gleich, die ebenfalls in Christus wohnt. Die Angabe ἐν αὐτῷ in V.9 lokal, in V.10 dagegen instrumental zu deuten, besteht kein Anlaß. Es ist im Gegenteil zu überlegen, ob nicht die Anschauung, in Christus wohne das Pleroma, geradlinig und unverspielt auch die Fortsetzung bestimmt, in ihm seien die Gläubigen πεπληρωμένοι.

Hält man sich weniger an das, was ergänzt werden kann, als an das, was dasteht, eröffnet sich eine sehr einfache Möglichkeit. Gegeben ist die Angabe ἐν αὐτῷ und das Partizip πεπληρωμένοι. Was hindert eigentlich daran, die Verbindung herzustellen: In ihm seid ihr eingefüllt? Doch nur das Empfinden, im Blick auf Menschen sei diese Auflösung des Partizips unangebracht.

---

98 *Lohse*, a.a.O., S. 152.
99 *Haupt*, Kolosser, S. 83.
100 *Delling*, Art. πληρόω, ThWNT VI, S. 285–296, dort S. 291.
101 *Von Soden*, Kolosser, S. 46.
102 *Lohmeyer*, Kolosser, S. 107.
103 *Dibelius-Greeven*, Kolosser, S. 28ff.
104 *Haupt*, Kolosser, S. 83.

Indessen ist die Vorstellung keineswegs so befremdlich, wie sie zunächst erscheinen mag. Durchaus geläufig und im paulinischen Schrifttum vielfach
belegt ist die Anschauung: Die Glaubenden leben ἐν Χριστῷ. Die Umkehrung, daß Christus im Glaubenden lebt und ihn gleichsam ausfüllt, begegnet nur gelegentlich[105]. Daß die Formulierung Kol 2,10a ungewöhnlich ist,
soll nicht bestritten werden. Doch ist in Rechnung zu stellen, daß der Briefschreiber nicht frei formuliert, sondern Auslegung treibt. Die Wahl des
Verbums πληροῦσθαι ist veranlaßt durch die hymnische Rede vom
πλήρωμα in Christus. V.9 führt sie der Applikation halber noch einmal an.
Nach heutigem usus wäre das Partizip πεπληρωμένοι in Anführungszeichen zu setzen. Zuzugeben ist, daß die Übersetzung »in ihm seid ihr eingefüllt« anstößig klingt. Ihr Recht besteht lediglich darin, daß sie ihrerseits
das anvisierte Stichwort »Fülle« aufzunehmen sucht. Weniger Befremden
dürfte es auslösen, wenn V.10a wiedergegeben wird: »und ihr seid in ihm
integriert«. Handelt V.9 von der Neuen Schöpfung, ist solche Wiedergabe
durchaus sachgemäß. Denn welchen Sinn hätte es, Anteil an der Neuen
Schöpfung zu *haben*? Entscheidend ist es, Teil der Neuen Welt zu *sein*, ihr
anzugehören oder eben: ihr integriert zu sein!
Nach Aussage des Hymnus, auf den Kol 2,9 zurückgreift, ist die neue
Schöpfung Wirklichkeit geworden in Christus. V.10b führt den Gedanken
unmittelbar fort: »welcher das Haupt jeder Macht und Gewalt ist«. Daß der
Satz auf den Vierzeiler von 1,16d–18a und seinen Vorspann in 16c anspielt,
wurde bereits vermerkt. Beachtung verdienen noch die Umstände, unter
denen dies geschieht. Kol 2,9 greift im wesentlichen auf 1,19 zurück. V.10b
lehnt sich an 1,16c–18a an. In Kol 2 ist also die Reihenfolge gegenüber Kol
1,15–20 umgekehrt. Die späteren Ausführungen werden zuerst zitiert, die
vorausgehenden folgen nach, und ohne Unterschied verwendet der Briefschreiber das Präsens. Die traditionellen Aussagen auf verschiedene Zeiten
zu beziehen liegt ihm offenbar fern. Wie könnte er sonst die Reihenfolge
umkehren! Von Bedeutung ist dies deshalb, weil Kol 1,19 eine Aussage der
zweiten Strophe des Hymnus näher erläutert, während 1,16c–18a die erste
Strophe ergänzen. Der Hymnus handelte in zwei deutlich korrespondierenden Strophen von Schöpfung und Erlösung, genauer: von Schöpfung und
eschatologischer Neuschöpfung, die einander im Schema von Urzeit und
Endzeit antitypisch gegegenübertreten[106]. Die Erweiterung der ersten
Strophe um den Vierzeiler verdirbt nicht nur die formale Korrespondenz, es
erhebt sich auch unausweichlich die Frage, weshalb es einer Neuschöpfung
eigentlich bedarf; V.17b und 18a betonen doch nachdrücklich, daß das All in
Christus seinen Bestand hat und er das Haupt des Leibes ist. Ein Zerwürfnis
ist nirgends auch nur angedeutet.
Die Interpretation von Kol 1,15–20 führte zu der These: Bereits der erste
Bearbeiter des Hymnus mißachtete den antitypischen Aufbau und bezog

---

105 Z. B. Gal 2,20.
106 Siehe oben S. 51f.

beide Strophen auf die Neue Schöpfung; die unüberbietbaren Aussagen im
Anschluß an die erste Strophe sind als Schilderung der neuen Wirklichkeit
zu verstehen. – Bei genauerer Betrachtung erwiesen sich die Erläuterungen
zur zweiten Strophe als Rückblenden, die nachträglich zur Sprache bringen,
wie die neue Welt zustande kam[107]. Späterhin ergab sich, daß die in sich
schlüssige Bearbeitung vom Verfasser des Kolosserbriefes vorgenommen
wurde[108].

Die Anspielungen in Kol 2,9 und 10 bestätigen diese These in allen Einzelheiten. Um darzutun, mit welchen Gegebenheiten die Gemeinde zu rechnen hat, greift der Briefschreiber zurück auf Kol 1,15–20. Dabei macht er
keinen Unterschied zwischen den Formulierungen der erweiterten ersten
Strophe und den Stichworten der zweiten Strophe des Hymnus. Um die gegenwärtig bestehenden Verhältnisse theologisch in den Griff zu bekommen, bemüht er sowohl Kol 1,19 als auch 1,16c–18a. Mit Recht bemerkt
Robinson schon zu 1,18a, die Wiederaufnahme in 2,10 zeige, »that it is un-
derstood of redemption (cf. also 2,19), not of creation«[109]. Die Zeile deshalb
an das Ende der zweiten Strophe umzustellen, besteht freilich kein Anlaß.
Es ist zwar richtig, daß in Kol 2 zuerst von der Einwohnung des Pleromas in
Christus die Rede ist und erst danach von Christi Vorrangstellung als
»Haupt«. Doch stellt der Briefschreiber damit nur jene Reihenfolge her, die
auch in Kol 1,15–20 intendiert ist. Denn der Sache nach geht auch die Rückblende von Kol 1,19 der Schilderung des neuen Zustandes, die in 1,18a ihren
Höhepunkt hat, voraus. Die Reprise in Kol 2,9 und 10 löst diese Verschrän-
kung auf.

Weder Kol 1,15–20 noch Kol 2,9 und 10 führen aus, weshalb die Leser des
Briefes davon ausgehen dürfen, der Neuen Schöpfung in Christus anzugehören. Kol 2,10a weist wohl darauf hin, daß sie Christus eingegliedert sind.
Wie es dazu kam, wird jedoch nicht gesagt. Vers 9 und 10 machen Aussagen
im Perfekt und Präsens.

Anders wird dies mit V.11. Anknüpfend an die soteriologische Zwischen-
bemerkung von V.10a, wendet sich der Briefschreiber wieder direkt an seine
Leser – und formuliert nun im Aorist. Seine Absicht ist, ihnen vor Augen zu
führen, worauf sich ihre Zugehörigkeit zu Christus gründet. Er erinnert sie
an ihre Taufe. Das Stichwort fällt zwar erst in V.12. Der Zusammenhang
macht jedoch deutlich, daß damit auch das Thema des vorangehenden Verses angegeben ist. »Die Taufe wird hier Beschneidung genannt, von dieser
aber zugleich unterschieden als περιτομὴ ἀχειροποίητος«[110]. Unmittelbar
an seine Ausführungen über Christus anschließend, erklärt der Briefschreiber seinen christlichen Lesern: »In ihm seid ihr auch beschnitten worden
mit einer nicht mit Händen gemachten Beschneidung«. Dabei geht es ihm

---

107 Siehe oben S. 67.
108 Siehe oben S. 74f.
109 *Robinson*, Formal Analysis, S. 281.
110 *Lohse*, Kolosser, S. 153.

nicht in erster Linie um eine Polemik gegen die alttestamentliche Beschneidung. Selbstverständlich rangiert die »nicht mit Händen gemachte Beschneidung« der Taufe höher als die äußerliche Beschneidung[111]. Doch wird die Parallelität zwischen beiden näher ausgeführt und die Analogie der jüdischen Beschneidung für die Interpretation der Taufe theologisch fruchtbar gemacht. Wie die Fortsetzung des Satzes darlegt, geschah mit den Christen Entsprechendes »im Ablegen des Fleischesleibes«. Die nachfassende Apposition »in der Beschneidung Christi« bringt den Gedanken schließlich auf eine knappe Formel: Sie unterzogen sich der Beschneidung Christi. *Von Hofmann* hält sich genau an die einzelnen Schritte des Gedankenganges, wenn er feststellt: »Ihre Beschneidung, heißt es, eine Beschneidung nicht durch Menschenhand, ist damit geschehen, daß sie des Fleischesleibes ledig wurden, daß sie die Beschneidung Christi empfingen«[112].

Besondere Aufmerksamkeit verdient in V.11 die Begriffsverbindung σῶμα τῆς σαρκός. Dieselbe Kombination begegnete in Kol 1,22 und erwies sich als Ergebnis einer Glossierung des Textes. Erst nachträglich wurde der Begriff »Leib« durch den Genitiv »des Fleisches« näher bestimmt und einigermaßen gewaltsam für den irdischen Leib Christi in Anspruch genommen. Der Verfasser des Kolosserbriefes hatte vom neuen »Leib« des Auferstandenen gesprochen[113].

Diese Entstehung der Parallele läßt Zweifel aufkommen, ob der ungewöhnliche Doppelausdruck in Kol 2,11 tatsächlich auf den Briefschreiber zurückgeht. Mehr als die skeptische Frage bringt der Hinweis auf 1,22 allerdings nicht ein, denn in 2,11 liegt der Fall anders. Den Genitiv »des Fleisches« als späteren Zusatz anzusehen, besteht keinerlei Anlaß. Vom Fleisch zu sprechen, wenn die Beschneidung zur Debatte steht, ist durchaus sachgemäß. Im Unterschied zu Kol 1,22 gewinnt der Satz auch keinen anderen Sinn, wenn auf die Angabe »des Fleisches« verzichtet wird. Zudem ist sie gedeckt durch die spätere Rede von der »Unbeschnittenheit des Fleisches« (V.13). Den Genitiv τῆς σαρκός als Glosse auszuscheiden kommt folglich nicht in Frage.

Eher ist umgekehrt zu überlegen, ob nicht der Begriff σῶμα nachträglich eingeschoben sein könnte. Im übrigen Brief verwendet ihn der Verfasser geradezu als terminus technicus für die Neue Schöpfung unter Christus als ihrem Haupte. Handelt er von der menschlichen Leiblichkeit, bezeichnet er sie kurzerhand als σάρξ[114]. Bemerkenswert ist ferner, daß V.13 die Kolosser lediglich an die »Unbeschnittenheit des Fleisches« erinnert und den Begriff »Leib« nicht wiederaufnimmt. Weshalb dies? Ist hier nicht dasselbe Geschehen in den Blick gefaßt? So gut wie vom »Ablegen des Fleischesleibes« könnte doch auch von der »Unbeschnittenheit des Fleischesleibes« ge

111 Vgl. dazu Mk 14,58 und 2 Kor 5,1.
112 *Von Hofmann*, Kolosser, S. 68.
113 Siehe oben S. 73.
114 Vgl. Kol 1,24; 2,1; 2,5; 2,23.

sprochen werden. Fragen kann man sich allerdings schon bei V.11, wie angebracht solche Rede eigentlich ist. Soviel ist sicher: Eine Beschneidung, die nicht weniger meint als das Ablegen des ganzen Fleischesleibes, hat mit der alttestamentlichen nicht mehr viel gemein. Bereits *von Hofmann* zweifelt deshalb:»Und dennoch soll der Apostel den Ausdruck ἀπέκδυσις τοῦ σώματος τῆς σαρκός im Hinblicke auf die jüdische Beschneidung gebrauchen, die nur an einem Theile des Leibes geschah?«[115] Der Unterschied wäre nicht ganz so augenfällig und die Analogie weniger strapaziert, wenn die Beschneidung der Christen nur als ἀπέκδυσις τῆς σαρκός bezeichnet würde. Wenigstens der Schein einer Entsprechung wäre gewahrt, wenngleich der Sache nach die zurückhaltende Formulierung nicht minder umfassend zu deuten wäre. Auch ein »Ablegen des Fleisches« ist mehr, als die Rede von der Beschneidung erwarten läßt. Wer sein Fleisch ablegt, der stirbt, und durchaus folgerichtig handelt der anschließende Vers 12 vom Begrabenwerden. Die Analogie der Beschneidung zerbricht demnach so oder so: offenkundig, wenn vom Leib des Fleisches, etwas mehr verschleiert, wenn nur vom Fleisch gesprochen wird. Der Grund dafür ist in der Sache zu suchen, der die Formulierungen letztlich gelten. Geklärt werden muß folglich, im Hinblick worauf sie gewählt sind und ob hier möglicherweise ein Unterschied zu V.13 besteht, der im Blick auf die Kolosser nur von der »Unbeschnittenheit des Fleisches« spricht. Die Frage verschlingt sich mit der anderen, was in V.11 der zusammenfassende Ausdruck »die Beschneidung Christi« genau besehen meint.

Insgesamt bestehen drei Möglichkeiten, die sich auf zwei verringern, wenn man *Haupt* zustimmt: »Darunter ist nun keinenfalls der an Christo vollzogene jüdische Beschneidungsritus zu verstehen, da ja gerade von einer andersartigen Beschneidung als der jüdischen hier die Rede sein soll«[116]. Auch wenn diese Deutung ausscheidet, bleibt zu klären, ob der Genitiv τοῦ Χριστοῦ ein genetivus objectivus oder auctoris ist. Es könnte ja in übertragenem Sinn an eine Beschneidung gedacht sein, die an Christus vollzogen wurde. Daß eine von ihm ausgehende Beschneidung nur in übertragener Bedeutung gemeint sein kann, liegt angesichts des Vordersatzes auf der Hand.

Im zweiten Falle wäre die »Beschneidung Christi« eine Umschreibung der Taufe, die im Namen Christi geübt wird und die alttestamentliche Beschneidung ersetzte. Dem Gedanken einer περιτομὴ ἀχειροποίητος genau entsprechend, stünde der Ausdruck περιτομὴ τοῦ Χριστοῦ für die Praxis der Taufe, »welche für die Christen dasselbe, nur in tieferem Sinne und vollkommenerem Maße ist wie für die Juden die Beschneidung«[117]. In dieser Weise versteht *Haupt* die nachfassende Apposition.

Im ersten Falle, für den sich *von Soden* entscheidet, »ist Christus das Ob-

115 *Von Hofmann*, Kolosser, S. 68.
116 *Haupt*, Kolosser, S. 87.
117 Ebd. S. 88.

jekt, an welchem die Beschneidung vollzogen ist, nämlich περιτομή in dem eben ausgeführten Sinn von ἀπέκδυσις τοῦ σώματος τῆς σαρκός«[118]. Die unmittelbar vorausgehende Formulierung aufnehmend, stünde der Ausdruck für Christi Tod am Kreuz. *Haupt* meint zwar, es habe »die Bezeichnung des Todes Christi als einer Beschneidung desselben etwas Undurchsichtiges und Hartes«[119]. Doch vertritt auch *Lohmeyer* diese Deutung und erklärt mit Nachdruck: »An Christus ist die Beschneidung geschehen, er hat ›den fleischlichen Leib abgelegt‹; sein Tod ist also das von Gott gesetzte Zeichen und die von Gott gesetzte Wirklichkeit der ›unsichtbaren‹ Beschneidung«[120].

Beide Auslegungen machen verständlich, weshalb in Kol 2,11 f. aus der Beschneidung unversehens ein Sterben wird. Ob die verschlüsselte Rede von der »Beschneidung Christi« direkt auf Christi Tod am Kreuz oder allgemeiner auf die christliche Taufe zielt, in jedem Falle ist der Sache nach ein Sterben gemeint. Letztlich geht es sogar um dasselbe Sterben, doch wird es von verschiedenen Seiten in den Blick gefaßt.

Schon Paulus kann die Gemeinde von Rom daran erinnern: Die Taufe ist ein Sterben und Begrabenwerden mit Christus. Er bekennt: »Alle, die wir auf Christus getauft sind, sind auf seinen Tod getauft. Wir sind also mit ihm begraben durch die Taufe« (Röm 6,3 f.). Daß auch dem Schreiber des Kolosserbriefes diese Vorstellung vertraut ist, zeigt in 2,12 die Formulierung: »mit ihm begraben in der Taufe«. Noch deutlicher und in ganz anderer Realität tritt der Tod ins Blickfeld, wenn die »Beschneidung Christi« eine Chiffre für seinen Kreuzestod ist, der dann selbst das von Gott gestiftete Zeichen wäre.

Der Unterschied besteht darin, daß einmal mittelbar, das andere Mal unmittelbar von Christi Tod die Rede ist. Bei der soteriologischen Deutung kommen zuerst die Glaubenden in den Blick, die christologische Deutung rückt Christi eigenen Tod in den Vordergrund. Die Folge ist eine verschiedene Zuordnung der Apposition zum Vordersatz. Nach *Haupt* präzisiert die Formulierung »in der Beschneidung Christi« den Hinweis: »Ihr seid beschnitten worden mit einer nicht mit Händen gemachten Beschneidung«. *Von Soden* und *Lohmeyer* dagegen betonen den Zusammenhang mit der Angabe: »im Ablegen des Fleischesleibes«, die sie ebenfalls christologisch verstehen. Von Christus kann in der Tat gesagt werden, er habe den Leib des Fleisches abgelegt. Insofern ist die auffallende Begriffsverbindung durchaus angebracht. Gleichzeitig ist jedoch festzustellen, daß sich bei dieser Deutung eine Differenz zu V.13 auftut. Denn von der »Unbeschnittenheit des Fleisches« ist nicht im Blick auf Christus die Rede; angesprochen sind hier ausschließlich die Kolosser. Ohne Zweifel greift die Charakterisierung ihres vormaligen Zustandes zurück auf V.11. Sie korrespondiert dem Hinweis:

118 *Von Soden*, Kolosser, S. 47.
119 *Haupt*, Kolosser, S. 88.
120 *Lohmeyer*, Kolosser, S. 109; *vgl. Lähnemann*, Kolosserbrief, S. 122.

»Ihr seid beschnitten mit einer nicht mit Händen gemachten Beschneidung«. Noch stringenter wäre der Zusammenhang, wenn auch die Apposition: »in der Beschneidung Christi« die an ihnen vollzogene Beschneidung meinte und auf ihre Taufe ginge. Indessen ist nicht zu bestreiten, daß die vorangehende Formulierung »im Ablegen des Fleischesleibes« der christologischen Deutung des problematischen Ausdrucks Vorschub leistet. Doch läßt sich diese Argumentation auch umkehren. Könnte nicht genauso die christologische Deutung des Ausdrucks der Kombination σῶμα τῆς σαρκός Vorschub geleistet haben? In Kol 1,22 geht sie nicht auf den Briefschreiber zurück. Sie ergab sich, als ein Glossator es für nötig erachtete, nachdrücklich an Christi Tod am Kreuz zu erinnern. Dasselbe Interesse hätte ihn hier geleitet. Die anderen Umstände verlangten allerdings ein anderes Vorgehen. Sein Ausgangspunkt war dort die Angabe: »er hat versöhnt«, hier stieß er auf die Wendung: »Beschneidung Christi«. Ohne auf den Kontext viel Rücksicht zu nehmen, deutete er beide Aussagen im Sinne jener theologia crucis, die ihn zuvor schon bei Kol 1,20 eingreifen ließ. In Kol 1,22 war ihm der Begriff »Leib« vorgegeben, den er durch den Genitiv »des Fleisches« näher definierte. Kol 2,11 handelte bereits vom Fleisch, und er brauchte nur den Begriff »Leib« vorzuschalten, um dieselbe Formulierung zu erhalten. Während für den Briefschreiber die »Beschneidung Christi« eine Umschreibung der christlichen Taufe war, machte der Glossator einen direkten Hinweis auf die Kreuzigung daraus. – Zunächst ist dies kaum mehr als eine Vermutung. Es wird sich zeigen müssen, ob weitere Beobachtungen sie bestätigen.

Anders als Kol 1,12–14 und 2,11 handelt der folgende Vers 12 unverschlüsselt von der Taufe. Er nennt sein Thema beim Namen und greift dazuhin bekannte Taufaussagen auf. *Lohse* stellt fest: »Die Formulierung des Satzes schließt sich an Wendungen der urchristlichen Tauflehre an, wie sie auch Röm 6,4 f. vorliegen«[121]. Zu nennen sind in erster Linie die Komposita mit σύν. Wie wichtig sie dem Verfasser sind, geht daraus hervor, daß er auch in V. 13 ein Verbum dieser Art benützt und das Präfix sogar als selbständige Präposition wiederholt. Insgesamt erscheint das σύν viermal. Ebenso wie in Röm 6,4–8 ist durchweg eine Gemeinsamkeit der Leser mit Christus anvisiert. In geradezu stereotyper Redeweise wird ihnen vor Augen geführt, daß sie an seinem Geschick Anteil haben. Was ihm geschah, ist auch ihnen widerfahren, und zwar ἐν τῷ βαπτίσματι. Im Unterschied zu Röm 6 gilt dies ohne Vorbehalt. Sie wurden mit Christus begraben und mit ihm auferweckt. Paulus formuliert hier zurückhaltender und spricht vom neuen Leben der Getauften als Verpflichtung und Verheißung. Am deutlichsten kommt dieser eschatologische Vorbehalt in Röm 6,8 zum Ausdruck: »Sind wir aber mit Christus gestorben, glauben wir, daß wir auch mit ihm leben werden«. Das Futur und die Feststellung »wir glauben« setzen den Nachsatz

---

121 *Lohse*, Kolosser, S. 155.

deutlich vom Vordersatz ab. Ebenfalls futurisch handelt V.5 von der Auferstehung der Getauften. Demgegenüber erklärt der Schreiber des Kolosserbriefes seinen Lesern im Aorist: »Ihr seid mitauferweckt«. Auch *Lohse* konstatiert: »Im Gegensatz zu Röm 6,5 f. wird gesagt, die Auferstehung sei in der Taufe tatsächlich schon geschehen«[122]. Daß der Briefschreiber auf diese Aussage besonderen Wert legt, zeigt die Fortsetzung in V.13. Im Blick auf Gott, der Christus von den Toten erweckt hat, betont der Verfasser im Aorist Aktiv: »Er hat euch mit ihm lebendig gemacht«. Ohne Einschränkung ist er demnach der Auffassung: »In der Taufe erlebt der Gläubige die Tat Gottes an Christus als an ihm geschehen«[123].
Weniger klar ist die Syntax von Vers 12. Man kann darüber streiten, ob das Relativum ἐν ᾧ auf die Taufe oder auf Christus zu beziehen ist. Nimmt es den unmittelbar vorausgehenden Ausdruck ἐν τῷ βαπτίσματι auf oder das Personalpronomen αὐτῷ, das in Fortführung von V.11 für Christus steht? Für die erste Auflösung spricht, daß sie grammatikalisch korrekt den letzten Begriff, der vom genus her möglich ist, als Beziehungswort nimmt. Der andere Vorschlag übergeht das Neutrum βάπτισμα, deutet ἐν ᾧ maskulinisch und gewinnt auf diese Weise eine Parallele zum Anschluß von V.11 an V.10. Hier ist mit ἐν ᾧ eindeutig Christus gemeint. *Lohmeyer* ist der Ansicht, dieselbe Formulierung in V.12 sei »um dieser Korrespondenz zum ersten Relativsatz willen wohl nicht auf die ›Taufe‹, sondern auf Christus zu beziehen«[124]. *Von Soden* dagegen urteilt: »Die Analogie von συνταφῆναι und συνεγερθῆναι verlangt, daß auch das mit ἐν angeschlossene Moment dasselbe sei, also die Beziehung des ᾧ auf βαπτίσματι, wogegen die bloß formale Analogie mit ἐν ᾧ 11 belanglos ist«[125]. Wie immer man die Frage entscheidet, sachlich ergibt sich kein nennenswerter Unterschied. Denn daß συνηγέρθητε eine Gemeinsamkeit mit Christus ins Auge faßt, steht angesichts der anderen Komposita außer Zweifel. Und daß sie in der Taufe begründet ist, lehrt in jedem Fall der partizipiale Vordersatz. Insofern besteht wenig Anlaß, sich gegen die grammatikalisch näherliegende Auflösung zu entscheiden. Zudem ist in Rechnung zu stellen, daß der Verfasser den Satz nicht aus eigenen Stücken, sondern in Anlehnung an traditionelle Taufaussagen formuliert. Unter diesen Umständen ist es sehr wohl denkbar, daß er ungeachtet der parallelen Wendung in V.11 mit ἐν ᾧ in V.12 sein neues Stichwort βάπτισμα aufnahm.
Ein weiterer Satz der Tradition, der direkt auf Christus zielt, steht hinter der Bezeichnung Gottes als τοῦ ἐγείραντος αὐτὸν ἐκ νεκρῶν. Ähnliche Formulierungen finden sich Röm 4,24; Röm 8,11; 2 Kor 4,14 und 1 Thess 1,10. Daß statt eines Namens oder Titels in Kol 2,12 nur das Personalpronomen

---

122 Ebd. S. 156.
123 *Lohmeyer*, Kolosser, S. 111.
124 Ebd.; vgl. *Haupt*, Kolosser, S. 89; *Ewald*, Kolosser, S. 377; *Lohse*, Kolosser, S. 156 Anm. 4.
125 *Von Soden*, Kolosser, S. 47f.

erscheint, ist durch den Zusammenhang bedingt und hat Parallelen in Gal 1,1 und 1 Petr 1,21. Die soteriologische Anwendung der christologischen Formel folgt auf dem Fuße mit καὶ ὑμᾶς zu Beginn von V.13. Der Verfasser wendet sich sofort wieder seinen Lesern zu.
Auf den ersten Blick hat es den Anschein, als wollte V.13a die Ausführungen von V.11 und 12 in knapper Form zusammenfassen. Die Anrede ὑμᾶς entspricht den Feststellungen in der zweiten Person Plural. Die Charakterisierung νεκροὺς ὄντας ist vorbereitet durch das Partizip »mitbegraben«. Die Vorstellung einer Beschneidung, die V.11 bestimmte, taucht auf in der Erinnerung an die »Unbeschnittenheit des Fleisches«, und das für V.12 charakteristische συν- kehrt wieder in der Formulierung συνεζωοποίησεν ὑμᾶς σὺν αὐτῷ. Das einzige neue Motiv des Satzes bringt der Hinweis auf die »Übertretungen«. Aufgenommen und näher ausgeführt wird es durch den anschließenden Partizipialsatz V.13b, der unversehens zum Wir-Stil übergeht. Doch bereits der Dativ τοῖς παραπτώμασιν kommt überraschend und droht den Zusammenhang mit V.11 und 12 zu sprengen. Denn die Verbindung νεκροὺς ὄντας τοῖς παραπτώμασιν bringt eine Vorstellung ins Spiel, die nach den bisherigen Ausführungen nicht zu erwarten stand. Ob man den Dativ als dativus causae faßt[126] oder mit den Textzeugen P^{46}, A, C, 𝔎, D, G und pm die Präposition ἐν einfügt[127], spielt keine Rolle. So oder so meint der Ausdruck einen länger dauernden Zustand, während V.11 und 12 den Akt des Sterbens und Begrabenwerdens ins Auge faßten. Bemerkenswert ist die Variante höchstens insofern, als sie erkennen läßt, daß der Dativ schon den ältesten Abschreibern zu schaffen machte. Sachlich ändert sie nichts daran, daß der Gedanke eine unerwartete Wendung nimmt. *Dibelius* hat recht: In V. 13 sind »die Leser nicht mehr als συναποθανόντες in der Taufe, sondern als νεκροί in den Sünden vorgestellt, und der bei συνζωοποίησεν vorausgesetzte Tod ist der vorchristliche Zustand der Leser[128]. Noch knapper formuliert *Conzelmann*: »In V.11 f. ist die Taufe ein Sterben. Hier aber ist der Zustand vor der Taufe ein Totsein«[129]. Je nach gusto kann man den Wechsel der Vorstellung leichter oder schwerer nehmen. Einfach macht es sich *Haupt*, wenn er schreibt: »Nach der Beweglichkeit seines Geistes faßt P. den Begriff des Todes hier anders als vorher. Vorher war die Taufe als ein Sterben mit Christo dargestellt, hier wird das bisherige Leben als ein Todeszustand gefaßt«[130]. *Lohmeyer* spricht von einem »Wortspiel, das durch die verschiedenen Bedeutungen des Wortes ›tot‹ möglich wird«[131]. Nach *Dibelius* findet eine »Verschiebung des Bildes« statt[132], die *Conzelmann* schlicht als »Inkonsequenz« bezeichnet[133]. Fast

126 Vgl. *von Soden*, a.a.O., S. 48; *Lohse*, Kolosser, S. 161.
127 Vgl. *von Hofmann*, Kolosser, S.74.
128 *Dibelius-Greeven*, Kolosser, S. 31.
129 *Conzelmann*, Kolosser, S. 144; vgl. *Lähnemann*, Kolosserbrief, S. 123.
130 *Haupt*, Kolosser, S. 92.
131 *Lohmeyer*, Kolosser, S. 113.
132 *Dibelius-Greeven*, Kolosser, S. 31.

schon ausfällig erklärt *Edvin Larsson*, daß »der Apostel ganz plötzlich mit einem Todesbegriff laboriert, der in absolutem Gegensatz zur Vorstellung vom sakramentalen Tod steht«[134].
Das Problem wird noch verschärft durch die Beobachtung, daß in V.20 alsbald wieder die erste Auffassung zu Wort kommt, von den darauf aufbauenden Ermahnungen des dritten Kapitels ganz zu schweigen. Von der Polemik zur Paränese übergehend, macht der Verfasser in Kol 2,20 die Voraussetzung: »Wenn ihr mit Christus gestorben seid . . .« Aufgenommen ist damit die Tauflehre von V.11 f., derzufolge die Leser den Tod Christi an sich erfuhren. Ist es denkbar, daß der Briefschreiber dazuhin der Auffassung war, sie seien schon aufgrund ihrer Sünden tot gewesen? Genau genommen würde dies bedeuten, daß sie zweimal starben: einmal in ihren Sünden, das andere Mal in der Taufe. Oder auf die Spitze getrieben: Mit Christus starben nicht Lebende, sondern Tote. Die Vorstellung ist grotesk. Wie aber wäre V.13a anders zu verstehen?
Beachtung verdient zunächst eine Kleinigkeit. Der Beginn des Verses erinnert deutlich an die Anrede in Kol 1,21, ist mit dieser aber nicht ohne weiteres gleichzusetzen. *Conzelmann* meint: »Wieder einmal werden das Einst und das Jetzt gegenübergestellt (s. zu 1,21)«[135]. Seltsamerweise sucht man die beiden Worte, auf die er abhebt, in Kol 2,13 vergebens. Die Adverbien »einst« und »jetzt« erscheinen zwar in 1,21 f., nicht dagegen in 2,13. Der Unterschied ist um so bemerkenswerter, als der Verfasser in diesem Punkt sorgfältig zu formulieren scheint. Nach einer Aufzählung verschiedener Laster in Kol 3,5 erinnert er seine Leser: »in denen auch ihr einst gewandelt seid, als ihr darin lebtet«. Und er fährt fort mit: »Jetzt aber . . .« (3,7 f.). Nicht nur die Zeitangaben, sondern auch der Umstand, daß er für die überholte Vergangenheit seiner Leser unbedenklich das Verbum »leben« verwendet, lassen es fraglich werden, daß in Kol 2,13 die Anrede »und euch, die ihr tot waret« auf dieselbe Vergangenheit anspielt. Sollte das Adjektiv »tot« vielleicht doch den Gedanken von V.12 fortführen und dem Partizip »mitbegraben« entsprechen? Das Fehlen der Angabe »einst« wäre dann sachlich begründet, da nicht der vorchristliche Zustand der Leser, sondern ihr Totsein in der Taufe zur Sprache käme. Für συνηγέρθητε und συνεζωοποίησεν würde dieselbe Voraussetzung gelten: Das Sterben in der Taufe.
Was die Dative τοῖς παραπτώμασιν καὶ τῇ ἀκροβυστίᾳ τῆς σαρκός betrifft, ist daran zu erinnern, daß in Röm 6 formal entsprechende Formulierungen begegnen. In Röm 6,2: »wir sind der Sünde gestorben«, in V.10: »was er gestorben ist, ist er der Sünde gestorben«, und V.11 konstruiert sogar das Adjektiv νεκρός mit folgendem Dativ. Paulus erklärt: »Seht euch an als solche, die der Sünde tot sind, aber Gott in Christus Jesus leben«. Auch

133 *Conzelmann*, Kolosser, S. 144.
134 *Edvin Larsson*, Christus als Vorbild. Eine Untersuchung zu den paulinischen Tauf- und Eikontexten, 1962, S. 83.
135 *Conzelmann*, Kolosser, S. 144; vgl. *Lähnemann*, Kolosserbrief, S. 125.

sein Bekenntnis in Gal 2,19 kann angeführt werden:»Ich bin durch das Gesetz dem Gesetz gestorben«. In allen diesen Fällen handelt es sich um einen dativus commodi bzw. incommodi; er bezeichnet das Gegenüber, dessen Interessen berührt sind. Dieselbe Konstruktion in Kol 2,13 anzunehmen bereitet allerdings Schwierigkeiten. Während Paulus von der Sünde im Singular spricht und sie geradezu als »persönliches Wesen« und versklavende Macht auffaßt[136], erscheint in Kol 2,13 der Plural τοῖς παραπτώμασιν. Nicht nur die Etymologie des Begriffs, sondern auch der folgende Partizipialsatz:»der uns alle Übertretungen vergeben hat«, macht deutlich, daß damit die einzelnen Verfehlungen gemeint sind, die auf das Konto des Menschen gehen. Bereits die altkirchlichen Abschriften P[46], A, C, ℜ, D, G haben deshalb die Verbindung νεκροὺς ὄντας τοῖς παραπτώμασιν nicht als Parallele zu Röm 6,11 aufgefaßt, vielmehr die Präposition ἐν eingefügt. Mit der neueren Auslegung übereinstimmend, nehmen sie den Ausdruck als Beschreibung des vorchristlichen Zustandes der Leser.

Miterfaßt wird von dieser Interpretation die zweite Angabe τῇ ἀκροβυστίᾳ τῆς σαρκός, obwohl sie offensichtlich an die Umschreibung der Taufe in V.11 anknüpft. Stünde der zweite Dativ allein, könnte er mühelos in Analogie zu Röm 6,11 gedeutet werden. Der Zusammenhang mit V.11 würde solche Deutung unmittelbar nahelegen. Zum Ausdruck käme, daß die Leser in der »Beschneidung« der Taufe dem Unbeschnittensein des Fleisches starben und aus diesem Todeszustand mit Christus zu neuem Leben erweckt wurden. Ohne auch nur im geringsten vom Thema abzuweichen, würden Kol 2,11–13a vom Sterben und Auferwecktwerden in der Taufe handeln. In V.11 stünde das Sterben im Mittelpunkt, in V.12 Gottes Tat der Auferweckung, und V.13a würde beide Aspekte in einem Satz zusammenfassen.

Im Wege steht dieser Deutung der causative Dativ τοῖς παραπτώμασιν, an den sich in V.13b die Aussage von der Vergebung der Übertretungen anschließt. *Von Soden* bemerkt dazu:»Der Fortschritt des Gedankens entspricht genau demjenigen von 1,12 f. zu 14«[137]. Er hat recht. Die Situation ist frappierend ähnlich. Auch die Verse 1,12–14 handeln in traditionellen Wendungen von der Taufe. Dem folgenden Hymnus gehen sie als eine Art Prooemium voraus, während die Taufaussagen von 2,11 13 an die hymnischen Anspielungen in V.9 und 10 anschließen. Beide Male kommt der Hinweis auf die Sündenvergebung einigermaßen unvermittelt. Sofern von der Taufe die Rede ist, kann er zwar als sachgemäß gelten, doch ist hier wie dort die Differenz zu den vorangehenden Ausführungen nicht zu übersehen. Die Analyse von Kol 1,12–14 ergab, daß V.14b von jenem Glossator stammen dürfte, der auch Kol 1,18 und 20 nachträglich überarbeitete[138]. Sollte auf dieselbe Weise der Fortschritt des Gedankens in 2,13 zustande ge-

---

136 *Bultmann*, Theologie des Neuen Testaments, 1958³, S. 245.
137 *Von Soden*, Kolosser, S. 49.
138 Siehe oben S. 69f.

kommen sein? Er bahnt sich an in V.13a, da der Dativ τοῖς παραπτώμασιν
den Partizipialsatz vorbereitet. Es wäre demnach halbe Arbeit, nur diesen
Partizipialsatz als Glosse auszuscheiden. Hinzuzunehmen ist die vorausei-
lende Angabe in V.13a mitsamt dem weiterführenden καί, das die Verbindung zum zweiten Dativ herstellt. Welche Perspektiven sich auftun, wenn
auf die Erwähnung der Übertretungen verzichtet wird, wurde bereits dargelegt. V.13a bringt in konsequenter Weise die verschlungenen Darlegungen
von V.11 und 12 zum Abschluß. Es muß weder ein »Wortspiel« noch eine
»Verschiebung des Bildes« angenommen werden; ebensowenig ist von einer »Inkonsequenz« oder gar einem »absoluten Gegensatz« zu sprechen,
und auch die apostolische »Beweglichkeit des Geistes« braucht nicht ins Feld
geführt zu werden. Der Verzicht bringt nur Gewinn und macht nicht zuletzt
verständlich, weshalb im Unterschied zu 1,21 und 3,7 in Kol 2,13a die Zeit-
angabe »einst« fehlt. Unter der Taufe wurden die Leser νεκροὶ τῇ ἀκροβυστίᾳ.
Was den Partizipialsatz V.13b betrifft, kann darauf hingewiesen werden,
daß er schon insofern schlecht mit V.11–13a harmoniert, als anstelle der
zweiten Person Plural plötzlich die erste erscheint und die Anrede zum Bekenntnis wird. Um den Satz dennoch für den Briefschreiber zu retten, kann
die Aufforderung von Kol 3,13 angeführt werden: »Wie der Herr euch vergeben hat, so (vergebet) auch ihr!« Indessen ist dies kein stärkeres Gegenargument, als es die Parallele zu 1,18a in 1,24 und der Rückgriff auf 1,20b in
V.22 waren. Kol 3,14 schließt jedenfalls nicht an diese Aufforderung, sondern an die vorausgehenden Mahnungen an.
Beachtung verdient außerdem eine andere Parallele zu Kol 2,13b. Sie findet
sich bei Paulus in 2 Kor 5,19. Die Untersuchung von Kol 1,15–20 erbrachte,
daß die Glosse zu V.20b hinsichtlich der Versöhnung eine Auffassung vertritt, wie sie der Apostel in 2 Kor 5, 18 ff. entwickelt[139]. Bezeichnenderweise
kommt er in diesem Zusammenhang auch auf die »Übertretungen« zu sprechen. Die offenbar traditionelle Aussage, in Christus habe Gott die Welt
versöhnt, erläutert Paulus durch den Nachsatz: »indem er ihnen ihre Übertretungen nicht anrechnete«. Der Hinweis auf die Verfehlungen, die Gott
vergeben hat, ist also Bestandteil genau jener theologischen Konzeption, die
bei der Überarbeitung von Kol 1,20 Pate gestanden hat und ebenso die
Glosse zu 1,22 bestimmt. Dieses Zusammentreffen macht vollends wahrscheinlich, daß Kol 2,13 von derselben Hand überarbeitet wurde, die schon
in Kapitel 1 paulinisch interpretierend eingriff. Für alle diese Zusätze ist es
charakteristisch, daß sie zwar nicht exakt die Formulierungen des Apostels
verwenden, doch stets paulinische Intentionen verfolgen. Der Partizipialsatz Kol 2,13b ist von derselben Art. Kompliziert ist die Situation durch den
Umstand, daß auch für die Ausführungen, die dem Glossator vorlagen, auf
Parallelen bei Paulus verwiesen werden kann. Doch ist Röm 6,2 ff. ebenso

---

139 Siehe oben S. 62f.

wie 2 Kor 5,17 ff. ein Abschnitt, in dem der Apostel seinerseits vorgegebene Aussagen verarbeitet. Im Blick auf den Kolosserbrief ist festzustellen, daß sein Verfasser vor allem diesen Traditionen verpflichtet ist, während der Glossator im Rahmen seiner Möglichkeiten die paulinische Interpretation vertritt.

Im Unterschied zu Paulus versteht der Autor des Kolosserbriefes die Versöhnung in Christus als ein kosmisches Geschehen, das die gesamte Schöpfung erfaßt. Er versucht nicht, die Versöhnung des Kosmos auf die Versöhnung der Menschen mit Gott zu reduzieren, der ihnen ihre Sünden vergibt, und er schreckt auch nicht davor zurück, seinen Lesern zu schreiben, ihre Auferstehung sei bereits geschehen. Sind sie in der Taufe mit Christus gestorben, wurden sie auch mit ihm auferweckt. Die Analogie durch einen eschatologischen Vorbehalt in zwei ungleiche Hälften zu zerlegen, liegt ihm fern, ohne daß er deshalb die Möglichkeit einbüßen würde, seine Leser zu ermahnen. Er tut dies unter der Voraussetzung: »Wenn ihr mit Christus gestorben seid . . .« (Kol 2,20), und kann ebenso erklären: »Seid ihr nun mit Christus auferweckt worden, so suchet, was droben ist« (3,1). Noch nicht entschieden ist, inwieweit der Briefschreiber für die Verse 2,14 und 15 eine Vorlage verwendet hat und welcher Art sie war[140]. Ausgeschieden ist lediglich die These von *Wengst*, es liege ein Stück Taufliturgie vor. Die Basis dieses Urteils bildete ein erster Dreizeiler, den *Wengst* aus den vermeintlich traditionellen Formulierungen in V.13a und dem Partizipialsatz von V.13b zusammensetzte. Wie er selbst betont, ist es vor allem dieser erste Teil des liturgischen Stückes, der auf die Taufe als Sitz im Leben schließen läßt[141]. Nachdem sich jedoch gezeigt hat, daß der Grundbestand von V.13a auf den Briefschreiber zurückgeht und der »gemeinchristliche« V.13b sogar noch später angesetzt werden muß, ist die These einer speziellen Taufliturgie ihrer wichtigsten Stütze beraubt. Da in V.14 und 15 die Vorlage von *Wengst* mit dem Bekenntnisfragment *Lohses* bis auf ein zusätzliches καί übereinstimmt[142], kann sich die weitere Untersuchung auf die Kontroverse zwischen *Lohse* und *Schille* konzentrieren.

Schille weist die beiden Verse seinem Kreuz-Triumph-Lied zu und betrachtet lediglich den Relativsatz ὃ ἦν ὑπεναντίον ἡμῖν in V.14b als späteren Zusatz[143]. In seiner Kritik an *Schilles* Rekonstruktion gibt auch *Deichgräber* zu, daß in diesem Schlußteil des Abschnittes am ehesten mit der Aufnahme liturgischen Gutes zu rechnen sei. Er stellt fest: »Der Anredestil hört auf, jetzt ist nur noch die Rede von dem, was Gott in Christus getan hat. An die Stelle des etwas überladenen Stils in V.11–13 treten kurze Sätze mit Partizipien bzw. finiten Verben«[144]. *Lohse* hat sich *Deichgräbers* Einwände gegen

---

140 Siehe oben S. 86.
141 *Wengst*, Formeln und Lieder, S. 191.
142 Siehe oben S. 85f.
143 *Schille*, Hymnen, S. 33.
144 *Deichgräber*, Gotteshymnus und Christushymnus, S. 168.

die Analyse *Schilles* weitgehend zu eigen gemacht[145] und rechnet nur in
V.14 und 15 mit einer liturgischen Vorlage[146]. Den Partizipialsatz in V.13
setzt er davon ab und weist ihn dem Briefschreiber zu. Ob es sich um eine
Bemerkung des Autors oder des Glossators handelt, spielt für die Rekonstruktion der liturgischen Vorlage keine Rolle. So oder so ist der Satz später
hinzugekommen. Ebenfalls auf das Konto des Briefschreibers setzt *Lohse*
die Angabe τοῖς δόγμασιν in V.14 und verweist dazu auf die Frage τί
. . . δογματίζεσθε in Vers 20[147]. Den Relativsatz ὃ ἦν ὑπεναντίον ἡμῖν
hält er dagegen für älter[148].
Doch nicht nur der Umfang des Stückes ist zwischen *Lohse* und *Schille* kon-
trovers, sondern auch seine Gattung. *Lohse* versteht es als Bekenntnisfragment und nimmt Gott als Subjekt der traditionellen Aussagen an, da auch
der vorausgehende Satz V.13 von Gottes Handeln spricht. Er betont: »Nicht
Christus, sondern Gott ist Subjekt dieser und der folgenden Aussagen«[149].
Schille findet einen Christus-Hymnus und nimmt in V.13 einen still-
schweigenden Subjektwechsel an, da die folgenden Verse »vom Erlöser
Christus reden«[150]. Einig sind sie sich darin, daß persönliches Bekenntnis
und hymnischer Lobpreis Hand in Hand gehen. Das Pronomen der ersten
Person Plural in V.14a wird von beiden der liturgischen Vorlage zugerechnet; bei *Schille* kommt noch der persönlich formulierte Partizipialsatz von
V.13b hinzu, während nach *Lohse* der Relativsatz in V.14 dem Briefschreiber vorgegeben war.
Es ist dieselbe Münze, nur nach der anderen Seite gewendet, wenn *Lohse*
das Stück als »ein in hymnischen Wendungen gehaltenes Bekenntnisfragment« charakterisiert[151], und *Schille* meint: In V.13b–15 »sprechen der er-
zählende Er- und der Bekenntnisstil für ein Erlöserlied«[152]. Weshalb er das
Stück gleichwohl nicht unter seine Rubrik »a) Bekenntnisartige Erlöserlie-
der« einordnet, sondern zu »b) Kreuz-Triumph-Lieder« rechnet[153], ist von
der Form her nicht ersichtlich. Erinnert sei außerdem an *Schilles* Devise:
»Wenn jedoch Stilmischung ein Anzeichen für die Verarbeitung eines Zitates ist, drängt gerade dies in die Analyse«[154].
Auffallend ist, daß die Rekonstruktionen *Lohses* und *Schilles* dort genau
übereinstimmen, wo ausschließlich Formulierungen im Er-Stil gegeben

---

145 *Lohse*, Kolosser, S. 150 Anm. 3.
146 Ebd. S. 160.
147 Ebd. S. 159.
148 Vgl. dazu unten S. 107. *Wengst*, Formeln und Lieder, S. 190, hält es für möglich, daß
sowohl der Dativ τοῖς δόγμασιν als auch der Relativsatz ὃ ἦν ὑπεναντίον ἡμῖν vom Briefschreiber eingefügt wurde.
149 *Lohse*, Kolosser, S. 159 Anm. 3; vgl. *Wengst*, a.a.O., S. 191.
150 *Schille*, Hymnen, S. 32.
151 *Lohse*, Kolosser, S. 160.
152 *Schille*, Hymnen, S. 32.
153 Ebd. S. 43; vgl. S. 37.
154 Ebd. S. 32; vgl. oben S. 79f.

sind, wer immer damit gemeint sein mag. Die zweite Hälfte von V.14 und
der ganze V.15 werden von beiden der Vorlage zugerechnet und in genau
derselben Weise auf fünf Zeilen verteilt. Die drei letzten ergeben sich aus
V.15 und lauten:

ἀπεκδυσάμενος τὰς ἀρχὰς καὶ τὰς ἐξουσίας
ἐδειγμάτισεν ἐν παρρησίᾳ
θριαμβεύσας αὐτοὺς ἐν αὐτῷ.

Als Formprinzip, das auch V.14 bestimme, gibt *Lohse* an: »In beiden Versen ist das in der Mitte stehende Verbum finitum durch zwei Partizipien
eingerahmt«[155]. Daß nur Gott als Subjekt der Sätze in Frage kommt, sieht
er bestätigt durch die abschließende Angabe ἐν αὐτῷ. Er deutet sie auf Christus und erklärt: »Damit wird das Thema des ganzen Abschnittes noch einmal aufgenommen (vgl. ἐν αὐτῷ bzw. ἐν ᾧ V.9.10.11.12): In Christus hat
Gott über die Mächte und Gewalten triumphiert«[156]. *Schille* sieht hier den
Triumph Christi besungen und deutet ἐν αὐτῷ auf das in V.14 genannte
Kreuz. Unter Berufung auf *Haupt*, nach dessen Auffassung sich diese
Deutung »formell als das Nächstliegende wie dem Gedanken nach am
meisten empfiehlt«[157], kann er so feststellen: »Am Kreuz hat Christus
gesiegt«[158].
Erstaunlicher als diese Kontroverse ist die weitgehende Übereinstimmung
in einem anderen, sehr viel problematischeren Punkt. Beide Exegeten ord-
nen dem Partizip ἀπεκδυσάμενος als Objekt τὰς ἀρχὰς καὶ τὰς ἐξουσίας
zu und nehmen den Partizipialsatz als eine Zeile. Bei der Interpretation gehen sie allerdings verschiedene Wege. Die Deutung des medialen Partizips
ist seit alters umstritten[159]. In der Wendung ἀπεκδυσάμενοι τὸν παλαιὸν
ἄνθρωπον von Kol 3,9 ist es eindeutig reflexiv gebraucht, und die Rede von
der ἀπέκδυσις τοῦ σώματος τῆς σαρκός in 2,11 weist in dieselbe Richtung. Doch fällt es schwer, in Kol 2,15 ein entsprechendes Objekt zu finden.
Kategorisch erklärt deshalb *Albrecht Oepke*: »Die Auslegungen, welche
hier den medialen Sinn ›sich etwas ausziehen, ablegen‹ festhalten wollen,
sind verfehlt«[160]. *Lohse* folgt ihm und betont erneut, daß Gott als Subjekt
des ganzen Zusammenhangs anzusehen sei. Die Mächte und Gewalten be-
treffend, stellt er fest: »ἀπεκδυσάμενος, das also in aktiver Bedeutung zu
fassen ist, besagt dann, daß er sie entkleidet und ihrer Würde gänzlich beraubt hat«[161]. *Schille* dagegen versucht den medialen Sinn des Partizips

155. *Lohse*, Kolosser, S. 160; vgl. *Wengst*, Formeln und Lieder, S. 189.
156 *Lohse*, Kolosser, S. 159; vgl. ebd. S. 166 Anm. 6; ferner *Wengst*, Formeln und Lieder,
   S. 187; *Lähnemann*, Kolosserbrief, S. 132.
157 *Haupt*, Kolosser, S. 100.
158 *Schille*, Hymnen, S. 36; vgl. die Übersetzung ebd. S. 31.
159 Vgl. *Haupt*, Kolosser, S. 98f.
160 *Albrecht Oepke*, Art. ἀπεκδύω, ThWNT II, S. 319.
161 *Lohse*, Kolosser, S. 166f.

festzuhalten und gleichzeitig an V.11 anzuknüpfen. Er stützt sich dabei auf *Käsemann*, der die These vertritt: »Die im Kreuz beginnende Erhöhung ist Christi Beschneidung, insofern er dabei nach 2,11 seinen Fleischesleib, nach 2,15 die Mächte und Gewalten ›ausgezogen‹ hat, also den von den dämonischen Archonten tyrannisierten Adamleib«[162]. Entsprechend formuliert *Schille*: »Als Christus seinen Fleischesleib ablegte (vgl. Eph 2,14 f.), ›zog‹ er die Mächte ›aus‹ wie bei einer kosmischen Beschneidung«[163]. Der ohnehin schwierige Gedanke, daß Christus mit den Mächten und Gewalten bekleidet gewesen wäre[164], wird von *Schille* noch kompliziert durch die Überlegung: »Vermutlich gilt das Fleisch als Schuldschein dieser Welt«[165]. Weitere Gleichsetzungen sind kaum mehr denkbar. Doch kann das religionsgeschichtliche Problem zunächst auf sich beruhen. Denn ungeachtet ihrer verschiedenen Auslegung geraten *Lohse* und *Schille* in dasselbe Dilemma: Der folgenden Zeile ἐδειγμάτισεν ἐν παρρησίᾳ fehlt ein Akkusativ-Objekt, obwohl das transitive Verbum δειγματίζειν ein solches fordert. Beide sind deshalb genötigt, auf den Akkusativ τὰς ἀρχὰς καὶ τὰς ἐξουσίας zurückzugreifen und die Aufzählung ein zweites Mal als Objekt anzusetzen. Wenn aber der Doppelausdruck sich dem medialen Partizip ἀπεκδυσάμενος nur unter Schwierigkeiten zuordnen läßt und in jedem Fall als Objekt des transitiven ἐδειγμάτισεν anzusehen ist, liegt es näher, gleich von der Verbindung auszugehen: τὰς ἀρχὰς καὶ τὰς ἐξουσίας ἐδειγμάτισεν. Die weitere Angabe ἐν παρρησίᾳ kann dann als Beginn der folgenden Zeile mit dem Partizip θριαμβεύσας verbunden werden. Das Verbum δειγματίζω hat schon für sich genommen die Bedeutung »in die Öffentlichkeit bringen« oder auch »bloßstellen«[166] und bedarf gar nicht der Zufügung »in Öffentlichkeit«. Sinnvoll ist die Wiederholung dagegen, wenn in der Form des Parallelismus zweimal dieselbe Aussage gemacht werden soll.

Zieht man ἐν παρρησίᾳ zu θριαμβεύσας, läßt sich noch eine andere Schwierigkeit bereinigen. *Lohse* und *Schille* rechnen das folgende Personalpronomen αὐτούς zur Vorlage und sehen hier die bloßgestellten Mächte und Gewalten noch einmal erwähnt. Sie nehmen keine Rücksicht darauf, daß ἀρχαί und ἐξουσίαι feminine Ausdrücke sind und mit αὐτούς die maskuline Form des Pronomens folgt. In einem liturgischen Text ist diese nachlässige Redeweise befremdlich. Die Verbindung ἐν παρρησίᾳ θριαμβεύσας erlaubt es, auf das problematische Pronomen zu verzichten, ohne daß die Zeile allzu kurz oder inhaltlich zum Torso würde. Im Unterschied zu δειγματίζειν kann θριαμβεύειν auch ohne Akkusativobjekt verwendet werden. Das Pronomen dürfte vom Briefschreiber stammen, der bei dieser

---

162 *Käsemann*, Taufliturgie, S. 45f.; vgl. ders., Leib und Leib Christi. Eine Untersuchung zur paulinischen Begrifflichkeit (BHTh 9), 1933, S. 139ff.
163 *Schille*, Hymnen, S. 35.
164 Vgl. dazu *Dibelius-Greeven*, Kolosser, S. 33; *Lohse*, Kolosser, S. 166 Anm. 5.
165 *Schille*, Hymnen, S. 36.
166 Vgl. *Schlier*, Art. δειγματίζω, ThWNT II, S. 31–32, dort S. 31.

constructio ad sensum an die maskulinen θϱόνοι von Kol 1,16 gedacht haben mag.

Von der liturgischen Vorlage abgetrennt folgt am Ende von Kol 2,15 die umstrittene Angabe ἐν αὐτῷ. Sie hängt ebenso in der Luft wie das Partizip ἀπεκδυσάμενος am Ende von V.14. Doch ist dies kein Nachteil. Denn die beiden Zankäpfel können nun mühelos gepflückt und an die Interessenten verteilt werden.

Gehört die abschließende Notiz ἐν αὐτῷ nicht zur Vorlage, dürfte sie ebenfalls vom Briefschreiber stammen, der damit die Formulierungen von V.9.10 und 11 noch einmal aufnimmt. Sie kann dann kaum anders als auf Christus gedeutet werden. Die Konsequenz daraus ist, daß jedenfalls der Briefschreiber die traditionellen Aussagen der Vorlage für Gott in Anspruch nahm. Bereits in V.13 erscheint Gott als handelndes Subjekt, und ohne daß ein Wechsel markiert wäre, schließen sich die folgenden Sätze an. Den ganzen Abschnitt beschließend, macht die Angabe ἐν αὐτῷ ein letztes Mal klar, daß von Gottes Handeln in Christus die Rede war.

Damit ist freilich noch nicht entschieden, wie die Vorlage ehedem gemeint war. Es darf daran erinnert werden, daß der Briefschreiber in Kol 1,19 f. einem eindeutig christologischen Text Gott als Subjekt oktroyierte[167] und mit 1,12–14a dem Christushymnus einen Vorspann gab, der Gott als Initiator des Heilsgeschehens herausstellte[168].

Werden Kol 2,15 nicht drei, sondern nur zwei Zeilen einer liturgischen Vorlage entnommen, ergeben sich auch für das Partizip ἀπεκδυσάμενος neue Gesichtspunkte. Es ist ebenfalls als Zugabe anzusehen. Doch bevor diese mit der Fortsetzung in Verbindung gebracht wird, ist zu prüfen, ob sie nicht vielleicht eine frühere Aussage erläutert. Unmittelbar zuvor ist vom Kreuz die Rede. Bringt man die zusätzliche Angabe nur damit in Zusammenhang und läßt die Fortsetzung beiseite, eröffnet sich unversehens die Möglichkeit, das mediale Partizip genau im Sinne von Kol 3,9 und 2,11 zu fassen. Am Kreuz hat Christus den Fleischesleib abgelegt. Da dieses Objekt in 2,11 klar bezeichnet ist, brauchte es bei einer Wiederholung des Gedankens nicht mehr eigens genannt zu werden, zumal wenn der Hinweis in vorgegebene Formulierungen eingeschoben werden mußte. Vorausgesetzt ist bei dieser Deutung, daß sich das mediale Partizip auf Christus bezieht. Allein er hat sich am Kreuz der irdischen Leiblichkeit entledigt. Verfolgt man den Gedanken weiter, ergibt sich als Konsequenz, daß der Zusatz nicht vom Verfasser des Briefes stammen kann. Denn er faßt seit V.13 durchgehend Gott als Subjekt ins Auge. Scheidet der Briefschreiber aus, kommt als nächster der Glossator in Frage. Daß die Bemerkung ἀπεκδυσάμενος tatsächlich auf ihn zurückgeht, läßt sich durch zwei frühere Beobachtungen erhärten. Auch in Kol 1,15–20 hat der Glossator auf die redaktionelle Arbeit des Briefschreibers wenig Rücksicht genommen. Die Glosse zu V.20b ist christologischer Art[169], wiewohl der Verfasser des Briefes als Subjekt des Satzes Gott eingeführt hatte. Das Interesse des zweiten Bearbeiters gilt Christi Tod am Kreuz. Hinzu kommt, daß sich bei der Untersuchung von Kol 2,11 der Gedanke aufdrängte, die Umschreibung der Taufe als »Beschneidung Christi« könnte nachträglich direkt auf Christi Kreuzigung bezogen worden sein und so die zunächst befremdliche Formulierung ἀπέκδυσις τοῦ σώματος τῆς σαρκός veranlaßt haben[170]. Die Verbindung »Fleischesleib« ließ an den Glossator denken, der sie – umgekehrt vorgehend – auch in Kol 1,22 einführte. Dieselbe Anschauung, derzufolge Christus selbst »beschnitten« wurde und in der »Beschneidung« des Kreuzes den Fleischesleib ablegte, steht hinter der Notiz ἀπεκδυσάμενος, die zu Beginn von 2,15 an die Erwähnung des Kreuzes anschließt. Beachtet man diesen Zusammenhang, ist kaum mehr daran zu zweifeln, daß der Glossator nicht nur Kol 2,11, sondern auch 2,14 f. im Interesse seiner theologia crucis bearbeitet hat. Während er dort in Erinnerung an Kol 1,22 den Begriff »Leib« einfügte, greift er hier auf das Stichwort ἀπέκδυσις zurück und ergänzt die vorliegende Aussage durch das mediale Partizip ἀπεκδυσάμενος. *Käsemann* und *Schille* haben recht, wenn sie zu Kol 2,15 auf die Vorstellung von 2,11 verweisen. Stellt jedoch das Partizip eine Glosse dar, besteht keine Notwendigkeit, die Angabe mit den folgenden Akkusativen zu verbinden und Christi Leib mit den Mächten und Gewalten gleichzusetzen.

Zu klären ist noch, in welchem Umfang Vers 14 traditionelle Formulierungen aufnimmt. *Lohse* rechnet wie in V.15 mit drei Zeilen, deren mittlere – eingerahmt durch zwei Partizipialsätze – ein Verbum finitum biete. Nachdem sich diese These in V.15 nicht bewährt hat und die Analyse nur zwei, dafür aber parallele Zeilen zutage förderte, liegt es nahe, auch in V.14 nach einem Parallelismus membrorum Ausschau zu halten. Dies gilt um so mehr, als das Verbum ἦρκεν ein anderes Tempus vertritt und insofern dem Aorist ἐδειγμάτισεν gar nicht entspricht. Das Perfekt geht weniger darauf aus, Geschehenes zu erzählen, als vielmehr den damit erreichten Zustand zu erfassen. Die definitive Feststellung dürfte zur Interpretation der Tradition gehören.

Sehr viel besser entsprechen den nachfolgenden Zeilen die beiden Partizipialsätze, deren einer mit ἐξαλείψας, der andere mit προσηλώσας beginnt. Sowohl ihrer Form als auch dem Inhalt nach, gehören sie aufs engste zusammen, da das Objekt des einen Partizips zugleich das des anderen ist. Der Begriff τὸ χειρόγραφον wird aufgenommen mit αὐτό im Anschluß an das zweite Partizip. Voneinander getrennt sind die parallelen Formulierungen freilich nicht nur durch die Feststellung: »und er hat es aus der Mitte genommen«, sondern dazuhin durch die Erinnerung: »das gegen uns war«, und die Angabe τοῖς δόγμασιν, die allesamt dem genannten χειρόγραφον gelten. *Schille* weist den Relativsatz, *Lohse* den Dativ dem Briefschreiber

---

169 Siehe oben S. 21 und S. 61.
170 Siehe oben S. 92ff.

zu. Indessen ist auch *Lohse* nicht der Meinung, der Relativsatz stelle einen ursprünglichen Bestandteil der liturgischen Vorlage dar. Er hält ihn für eine »interpretierende Verdeutlichung« und stimmt *Schille* zu: »Die Zeile ›die uns entgegenstand‹ in V.14 erweckt den Eindruck einer Glosse«. Sich von *Schille* absetzend, fährt er allerdings fort: »Doch wird der ganze Satz – einschließlich des Relativsatzes ὃ ἦν ὑπεναντίον ἡμῖν – dem Verfasser des Kolosserbriefes bereits vorgelegen haben, da er ihm seinerseits durch die Worte τοῖς δόγμασιν eine neue Akzentuierung gibt«[171]. Nimmt man *Lohse* beim Wort, rechnet er wie in Kol 1,15–20 auch hier mit einer doppelten Bearbeitung der liturgischen Vorlage[172]. Hinzugekommen wäre zunächst der Relativsatz, danach der Dativ τοῖς δόγμασιν. Doch ist die behauptete Abfolge keineswegs zwingend und kann mit Leichtigkeit umgekehrt werden. Denn der Dativ muß nicht als Erläuterung des Relativsatzes aufgefaßt werden, den er dann voraussetzen würde. *Lohse* interpretiert zwar: »Kraft der Satzungen ist das χειρόγραφον gegen uns«[173]. Aber müßte in diesem Fall der Dativ nicht innerhalb des Relativsatzes erscheinen? Seine Stellung vor dem Relativsatz legt eine andere Verbindung nahe, die den Relativsatz zum Einsprengsel werden läßt. *Dibelius* ist der Auffassung: »Der instrum. Dativ τοῖς δόγμασιν gehört kaum zum Relativsatz (Ewald), sondern eher zu dem einer Inhaltsbestimmung sonst entbehrenden τὸ καθ᾽ἡμῶν χειρ.«[174]. Noch entschiedener erklärt *von Soden*: »Geboten und für Verbalsubstantive reichlich belegt ist die engste Verbindung mit χειρόγρ. Die δόγματα sind das Material, aus welchem das Schriftstück aufgebaut, auf Grund dessen es verfaßt ist. Sie formulieren die Forderungen«[175]. Dieselbe Verbindung ist auch in den Übersetzungen *Lohmeyers* und *Schilles* vorausgesetzt[176].

Stimmt man nun *Lohse* darin zu, daß der Dativ »um der Polemik willen«[177] eingefügt wurde und die Frage in 2,20 vorbereitet, geht solche Näherbestimmung der Handschrift auf das Konto des Briefschreibers. Erweckt andererseits der folgende Relativsatz den Eindruck, nicht von derselben Hand zu stammen, fällt diese weitere Verdeutlichung dem Glossator zu, will man nicht annehmen, daß der Text noch öfter überarbeitet wurde. Da die anschließende Feststellung im Perfekt den Relativsatz außer acht läßt und das Subjekt von V.14a aufnimmt, dürfte hier wieder der Briefschreiber zu Wort kommen. Ganz im Sinne von Kol 2,20 hebt die Bemerkung darauf ab, daß die Handschrift der Satzungen außer Kraft gesetzt und beseitigt ist. Umge-

---

171 *Lohse*, Kolosser, S. 163 Anm. 1; vgl. ders., Ein hymnisches Bekenntnis, S. 432; *Schille*, Hymnen, S. 33.
172 Vgl. oben S. 55.
173 *Lohse*, Kolosser, S. 164; vgl. die Übersetzung bei *Conzelmann*, Kolosser, S. 142.
174 *Dibelius-Greeven*, Kolosser, S. 32; vgl. *Ewald*, Kolosser, S. 383f.
175 *Von Soden*, Kolosser, S. 49.
176 *Lohmeyer*, Kolosser, S. 101; *Schille*, Hymnen, S. 31.
177 *Lohse*, Kolosser, S. 159.

kehrt läßt sich zeigen, daß der parenthetische Relativsatz eine Auffassung der Satzungen vertritt, die genau dem Verständnis der Versöhnung entspricht, das sich der Glossator zu eigen gemacht hat. Zudem ist die Erinnerung an die Vergangenheit in derselben Weise persönlich formuliert wie die ebenfalls retrospective Glosse zu V.13 in Gestalt des Partizipialsatzes. Die stilistische Übereinstimmung führt schließlich vor die Frage, wie es um die Worte καθ᾽ ἡμῶν in V.14a bestellt ist. Deutlich ist, daß sie dem folgenden Relativsatz genau entsprechen; sie qualifizieren das χειρόγραφον aus demselben Blickwinkel. Sollte die knappe Notiz ebenfalls vom Glossator eingeschoben sein? Für diese Vermutung spricht, daß er auch den Zusatz zu V.13 durch einen Einschub vorbereitet hat. Der Hinweis auf die »Übertretungen« in 13a steht zum Partizipialsatz von 13b im selben Verhältnis wie die Worte καθ᾽ ἡμῶν in 14a zum Relativsatz in 14b. Im übrigen schreckt der Glossator auch sonst vor Wiederholungen nicht zurück, wie seine Bemerkungen zu 1,18a und 1,24, zu 1,20b und 1,22 und schließlich auch zu 2,11 und 2,15 zeigen. Zu bedenken ist ferner, daß die erste Person Plural in den folgenden Zeilen der Vorlage nicht mehr erscheint. Sie sind durchweg im Er-Stil gehalten. Verzichtet man unter diesen Umständen auf die Worte καθ᾽ ἡμῶν, verbleiben als liturgische Vorlage folgende vier Zeilen:

ἐξαλείψας τὸ χειρόγραφον
προσηλώσας αὐτὸ τῷ σταυρῷ
τὰς ἀρχὰς καὶ τὰς ἐξουσίας ἐδειγμάτισεν
ἐν παρρησίᾳ θριαμβεύσας.

Der Stil des Stückes ist ohne Zweifel hymnisch. Charakteristisch dafür sind einmal die partizipialen Formulierungen, zum andern das Formprinzip des Parallelismus membrorum[178]. Die vier Zeilen verteilen sich auf zwei korrespondierende Paare. Gegen *Schille* behält jedoch *Lohse* darin recht, daß nur ein Fragment vorliegt. Die erste Zeile geht allzu unvermittelt in medias res. Der Briefschreiber scheint nur das zitiert zu haben, was für seine Argumentation von Bedeutung war. Näherhin läßt sich vermuten, daß er den Schluß eines liturgischen Textes aufnahm. Denn wovon könnte nach dem geschilderten Triumph noch die Rede gewesen sein? Vom Thema her hat *Schille* recht, wenn er von einem »Kreuz-Triumph-Lied« spricht. Am Kreuz wurde der Triumph über die Mächte und Gewalten errungen. Betrachtet man das Fragment ohne den brieflichen Kontext, ist es von seinem Inhalt her das Nächstliegende, Christus als Subjekt anzunehmen. Redaktionsgeschichtlich ergibt sich damit eine Parallele zum ersten Kapitel des Briefes: Ein ursprünglich selbständiger Christus-Hymnus wurde vom Verfasser des Briefes zur Darstellung des Handelns Gottes herangezogen; der Glossator hingegen rückte in einer zweiten Bearbeitung wieder die Christo-

178 Vgl. *Bornkamm*, Art. Formen und Gattungen. II. Im NT, RGG II, 1958³, Sp. 999–1005, dort Sp. 1003.

logie in den Vordergrund. Doch wurde durch das Vorgehen des Briefschreibers die Bedeutung Christi nicht etwa geschmälert. Wie insbesondere die zusammenfassenden Verse Kol 2,9 und 10 deutlich machen, legt er Wert darauf, daß in Christus das ganze Pleroma wohnt und er das Haupt jeder Macht und Gewalt geworden ist. Die eigenwillige Redaktion der Hymnen dient der Absicht, die Stellung des Erhöhten aus Gottes Tat und Ratschluß herzuleiten und so die christologischen Aussagen theologisch zu verankern. Eingeschränkt werden diese eher durch den Glossator, sofern er Christi Herrschaft zunächst nur in der Kirche realisiert sieht und dementsprechend auch die Versöhnung in Christus anders interpretiert.

Gemäß ihrer verschiedenen Auffassung der Versöhnung betrachten die beiden Bearbeiter auch das in 2,14 genannte χειρόγραφον unter einem anderen Gesichtspunkt. Das hier zitierte Lied scheint auf einen Brauch des antiken Geschäftslebens anzuspielen. Wenngleich sich nicht mehr feststellen läßt, worin dieser genau bestand[179], den entscheidenden Punkt macht der Text selbst hinreichend deutlich: Auf die Handschrift stützten sich die Mächte und Gewalten. Denn dadurch, daß sie gelöscht und ans Kreuz genagelt wurde, verloren die Mächte ihre Bedeutung und waren bloßgestellt. Aus dem syntaktischen Zusammenhang der Partizipien ἐξαλείψας und προσηλώσας mit dem Verbum finitum ἐδειγμάτισεν geht hervor, daß nicht zwei Ereignisse besungen sind, sondern nur eines. Indem er die Handschrift löschte, triumphierte Christus über die Mächte und Gewalten. Für die Vorlage kommt demnach eine Deutung der Handschrift auf das Schuldbuch Gottes kaum in Frage. Es können dafür zwar jüdische Parallelen beigebracht werden[180], doch bleibt unklar, inwiefern die überwundenen Mächte sich auf diese Aufzeichnungen stützen konnten. *Lohmeyer* und *Georg Megas* denken deshalb an eine Schuldverschreibung zu Händen des Satans[181]. Doch bevor ein solcher »Teufelspakt«[182] angenommen wird, ist daran zu erinnern, daß Paulus gelegentlich die Auffassung vertritt, das alttestamentliche Gesetz sei »angeordnet durch Engel« (Gal 3,19). Auch unter dieser Voraussetzung wird verständlich, wieso die Handschrift den Mächten und Gewalten als Basis diente und ihre Tilgung einem Triumph über sie gleichkommt. Die Forderungen des Gesetzes waren die Rechtsgrundlage ihrer Herrschaft. Abgesehen davon, daß die Deutung des χειρόγραφον auf das Gesetz weniger weit hergeholt ist als die Vorstellung eines Teufelspaktes, wird sie gestützt durch die Auffassung des Briefschreibers. Er definiert die Handschrift durch den Dativ τοῖς δόγμασιν und legt sowohl in 2,16 als auch in 2,21 ff. unmißverständlich dar, welcher Art Bestimmungen gemeint

---

179   Vgl. dazu *Adolf Deissmann*, Licht vom Osten. Das Neue Testament und die neuentdeckten Texte der hellenistisch-römischen Welt, 1923⁴, S. 282–284.
180   Vgl. *Lohse*, Kolosser, S. 162; *Lohmeyer*, Kolosser, S. 116 Anm. 1.
181   *Lohmeyer*, Kolosser, S. 116f.; *Georg Megas*, Das χειρόγραφον Adams. Ein Beitrag zu Col 2,13–15, ZNW 27 (1928), S. 305–320.
182   *Lohmeyer*, a.a.O., S. 116 Anm. 3.

sind. Es handelt sich durchweg um gesetzliche Vorschriften. Bemerkens-
wert ist, daß er in Kol 2,20 auf seine Warnung von 2,8 zurückgreift und die
»Satzungen« mit den »Naturmächten der Welt« in Verbindung bringt [183],
auf die Paulus im selben Zusammenhang zu sprechen kommt. Nachdem der
Apostel in Gal 3,19 – von seiner sonstigen Auffassung abweichend[184] – das
Gesetz den Engeln zugewiesen hat, erklärt er von der Zeit des Gesetzes in
Gal 4,3: »Wir waren den Naturmächten der Welt als Sklaven unterworfen«. Die Mahnung in 4,9 f. schließlich stellt ein Gegenstück zu Kol 2,16
dar. – Wieder einmal zeigt sich also der Verfasser des Kolosserbriefes mit
einer Vorstellung vertraut, die Paulus zwar gelegentlich aufnimmt, sich jedoch nicht wirklich zu eigen gemacht hat.

Auf die Interpretation des χειρόγραφον durch den Dativ τοῖς δόγμασιν
läßt der Briefschreiber die Bemerkung folgen: »und er hat es aus der Mitte
genommen«. Im Unterschied zu den Aussagen des Hymnus trifft der Satz
eine Feststellung im Perfekt. Geht sie auf den Autor des Briefes zurück,
muß angesichts der Ausführungen von V.13a und der Schlußbemerkung in
V.15 Gott als Subjekt des Satzes angenommen werden. Worauf der Verfasser hinaus will, ist jedoch nicht ohne weiteres ersichtlich. Abgesehen vom
Wechsel des Tempus, scheint die Bemerkung nichts Neues beizutragen.
Faßt man αἴρειν ἐκ τοῦ μέσου als Redewendung für »beseitigen«[185], wird
im Grunde nur wiederholt, was bereits das Partizip ἐξαλείψας zum Ausdruck bringt und die parallele Zeile noch einmal sagen wird. Profil gewinnt
die Aussage, sobald sie wörtlich aufgefaßt wird: Gott hat das Gesetz aus der
Mitte genommen. Die Frage, wo diese Mitte zu suchen ist, muß für den
Briefschreiber und den Glossator gesondert beantwortet werden. In Kol
1,21 f. legt der Autor seinen Lesern dar, daß sie teilhaben an der Versöhnung des Alls im »Leibe« Christi. Wie diese weltumspannende Versöhnung
zustande kam, hat er zuvor mit Hilfe traditioneller Formulierungen in den
Versen 15–20 entfaltet: Die ganze Fülle, sowohl was auf Erden als auch was
im Himmel ist, nahm in Christus Wohnung. Eine nur angedeutete Voraussetzung dieses Geschehens ist, daß die überirdischen Mächte und Gewalten
Christus unterworfen sind und den Weg zur Versöhnung des Alls freigege-
ben haben[186]. Was in Kol 1 nur angedeutet ist, wird in Kol 2 mit Hilfe eines
weiteren liturgischen Textes näher ausgeführt: Der Triumph über die
Mächte und Gewalten wurde an Christi Kreuz errungen. Sie sind machtlos
bloßgestellt, da die Basis ihrer Herrschaft vernichtet wurde. Die Handschrift – nach Meinung des Briefschreibers: das Gesetz – ist ans Kreuz genagelt und gelöscht. Letztlich war es also das Gesetz, das in der Hand der
Mächte die Versöhnung des Alls verhinderte. Es begründete ihre Herrschaft

---

183   Zum Begriff vgl. den Exkurs bei *Lohse*, Kolosser, S. 146–149; ferner *Delling*, Art. στοι-
      χεῖον, ThWNT VII, S. 670–687.
184   Vgl. Röm 7,12 und *Bultmann*, Theologie, S. 260–270.
185   Vgl. *Dibelius-Greeven*, Kolosser, S. 31; *Lohse*, Kolosser, S. 165 Anm. 2.
186   Siehe oben S. 67f.

und stand gleichsam als trennende Wand[187] zwischen Himmel und Erde. Auf Golgatha hat Gott das Gesetz »aus der Mitte genommen« und damit die Versöhnung ermöglicht.

Eine etwas andere Auffassung muß für den Glossator angenommen werden. Er baut auf den Ausführungen des Briefschreibers auf und macht sich in Kol 1 auch den Gedanken der Versöhnung zu eigen. Er versteht ihn allerdings nicht kosmologisch, sondern theologisch. Durch Christi Blut wurden die Glaubenden mit Gott versöhnt! Denselben Wechsel der Blickrichtung vollziehen die Glossen zu Kol 2,14. Prononciert in der 1. Person gehalten, knüpfen sie an V.13b und damit an das Bekenntnis der Sündenvergebung an. Die Handschrift wird charakterisiert als »wider uns« gerichtet, und der Relativsatz wiederholt: »welche gegen uns war«. Ist dabei an die Übertretungen gedacht, stand die Handschrift der Versöhnung mit Gott im Wege. Die »Mitte« ist nicht mehr innerhalb des Kosmos, sondern zwischen den Menschen und Gott angesetzt. In der Beziehung zu ihm war das χειρόγραφον ein Hindernis.

Da der Glossator in V.13b von der Vergebung der Übertretungen spricht, ist nicht auszuschließen, daß er das Dokument, welches gegen uns war, tatsächlich als »die gegen uns zeugende Schuldurkunde«[188] auffaßte. Den Dativ τοῖς δόγμασιν hätte er dann nicht als Definition des Inhalts, sondern als Angabe der Rechtsgrundlage des Schriftstückes begriffen. Ebensogut kann er jedoch dem Briefschreiber gefolgt sein und bei der Handschrift an das Gesetz selbst gedacht haben. Daß dieses gegen uns war, ist auch die Auffassung des Paulus, kann er doch geradezu als Sinn des Gesetzes angeben: »Das Gesetz ist dazwischen getreten, damit die Übertretung größer würde« (Röm 5,20). Läßt man die Vorstellung einer besonderen Schuldurkunde beiseite, ergibt sich für den Glossator die gut paulinische Auffassung: Durch Christi Tod am Kreuz wurden nicht nur die Übertretungen gesühnt und vergeben, sondern auch das Gesetz mit seinen Forderungen abgetan. In diesem Sinne verstand er den Topos von der Versöhnung. Seine Korrekturen zu Kol 1,12–20 stimmen mit den Glossen zu Kol 2,9–15 genau zusammen.

Dem Glossator ist nicht entgangen, daß der Briefschreiber mit Kol 2,9–15 einen Abschnitt geschaffen hat, der als »Predigt« der »Liturgie« von Kol 1,12–20 korrespondiert: Kol 2,9 und 10 spielen auf den Hymnus von Kol 1,15 ff. und den eingeschobenen Vierzeiler V.16d ff. an. Die Erwähnung der Mächte und Gewalten in 2,10 stellt einerseits einen Vorgriff auf den liturgischen Text in Kol 2,14 f. dar, andererseits entspricht sie der Aufzählung, die in Kol 1,16c von der ersten Strophe des Hymnus zum anschließenden Vierzeiler überleitet. Alle drei überlieferten Texte, die beiden Hymnen und der zusätzliche Vierzeiler, sind auf diese Weise eng miteinander verbunden. Doch während in Kol 1,12–20 die doxologischen Aussagen im Mittelpunkt stehen, betont der Verfasser in Kol 2,9–15 den soteriologischen

---

187 Vgl. Eph. 2,14 und dazu unten S. 118.
188 *Lohse*, Kolosser, S. 164.

Aspekt und wendet sich unmittelbar seinen Lesern zu. Im Mittelpunkt des Abschnittes steht die Erinnerung an ihre Taufe, der in Kol 1,12–14 das Präludium gewidmet ist. Der Briefschreiber beantwortet damit die Frage, weshalb die Kolosser davon ausgehen dürfen, der Neuen Schöpfung in Christus anzugehören[189]. Es ist der Auferstandene von den Toten, in dem Gott die Welt zu versöhnen beschloß (Kol 1,19 f.). Was mit ihm geschah, ist in der Taufe den Gläubigen widerfahren. Sie wurden mit Christus begraben und mit ihm auferweckt. Sein Geschick ist auch das ihrige. Gott hat sie mit ihm zu neuem Leben erweckt (Kol 2,12 f.).

Die hymnischen Aussagen in Kol 2,14 f. geben dem Verfasser schließlich die Möglichkeit, die neuen Lebensbedingungen konkret zu erörtern. In Christi Triumph über die Mächte wurde das Gesetz außer Kraft gesetzt. Die Folgerung daraus ist: »So soll euch nun niemand richten nach Essen oder Trinken oder in puncto Fest, Neumond oder Sabbat« (Kol 2,16). Nachdem der Verfasser mit Hilfe traditioneller Texte seine theologischen Voraussetzungen dargelegt hat, kann er sich den aktuellen Problemen der Gemeinde zuwenden und seine Leser teils kritisch, teils ermutigend ermahnen. Er kehrt damit zurück zum Ausgangspunkt der Verse 6–8.

Dieser Kontext, in den der Abschnitt V.9–15 eingebettet ist, fordert zu einem methodologischen Rückblick heraus. Die Gemeinde ist offenbar von einer Irrlehre bedroht, und der Briefschreiber scheint zu wissen, womit er sich auseinandersetzen muß. Aus den Warnungen, kritischen Bedenken und Ermahnungen, die er vorbringt, läßt sich in Umrissen die Lehre und Praxis seiner kolossischen Gegner erheben[190]. Vorsicht ist jedoch angebracht gegenüber dem Versuch, für die Rekonstruktion der Irrlehre auch die Darlegungen von V.9–15 heranzuziehen. Es soll nicht bestritten werden, daß sie ebenfalls im Blick auf die Gegner formuliert sind. Die einleitenden Verse 6–8 und der Übergang von V.15 zu V.16 lassen hieran keinen Zweifel. Indessen bedeutet dies noch nicht, daß der Verfasser zur Rekapitulation seiner eigenen Position charakteristische Begriffe der Gegner aufnimmt. Ausschließlich unter diesem Gesichtspunkt hat neuerdings *Lähnemann* den Abschnitt exegesiert. Er erklärt: »Es sind hier in die positive Darlegung Begriffe und Vorstellungen der Gegner mit polemischem Ziel aufgenommen. Und zwar greift der Briefschreiber paradigmatisch die wichtigsten Kennzeichen der ›Philosophie‹ – Pleroma, Beschneidung, Schuldschein, Mächte und Gewalten – auf, um sie zum entscheidenden Angriff auf die Positionen der gegnerischen Lehre zu verwenden«[191]. Herausgegriffen sei aus diesem Katalog das Stichwort »Pleroma«. *Lähnemann* ist der Meinung, »daß πλήρωμα wohl einer der wichtigsten Termini der kolossischen Gegner-

189 Vgl. oben S. 79.
190 Vgl. *Bornkamm*, Die Häresie des Kolosserbriefes, in: Das Ende des Gesetzes (BEvTh 16), 1958, S. 139–156; ferner den Forschungsbericht bei *Lähnemann*, Kolosserbrief, S. 63–76.
191 *Lähnemann*, Kolosserbrief, S. 115.

schaft war«[192]; es handle sich geradezu um das »Grundaxiom« ihrer Religion[193]. Dies mag richtig sein, nur läßt es sich nicht beweisen. Es läßt sich nicht einmal mit Sicherheit behaupten, daß die Irrlehrer den Begriff überhaupt benützten. Da direkte Quellen für die kolossische Irrlehre nicht vorhanden sind, kommen als Beleg nur die Ausführungen des Briefschreibers in Frage. Daß aber dieser den Begriff nicht bei seinen Gegnern entlehnt hat, läßt sich zeigen. Er verdankt das Stichwort »Pleroma« einem liturgischen Text, dem Hymnus Kol 1,15 ff., den auch *Lähnemann* nicht den Gegnern zuweisen möchte[194]. Gleichwohl äußert er zu Kol 2,6–23: »Es ist bei der Auslegung stets zu beachten, daß wir hier Sätze vor uns haben, die im christlichen Raum und vor einer jungen Gemeinde zum ersten Mal niedergeschrieben werden«[195]. Die Einzelargumentation des Briefschreibers zeige »das frühe Christentum in einer ersten Begegnung mit hellenistischer Kosmologie«[196]. Diese Ansetzung ist falsch. Wie der Vergleich von Kol 2,9 f. mit 1,15 ff. ergibt, repetiert der Verfasser Formulierungen der liturgischen Tradition. Und die Texte, die er heranziehen kann, dokumentieren eine Begegnung des frühen Christentums mit hellenistischer Kosmologie, die der Auseinandersetzung in Kolossae vorausgeht. Einer dieser Texte, der zweistrophige Hymnus von Kol 1, 15–20, verwendet unter anderem das Stichwort πλήρωμα. Übernommen hat es der Briefschreiber somit nicht von seinen Gegnern, sondern aus einer Tradition, zu der er positiv eingestellt war. Da er ohne Zweifel hofft, mit seiner liturgischen Argumentation in Kolossae Erfolg zu haben, darf angenommen werden, daß der Hymnus und damit zugleich der Begriff dort bekannt waren. Ob auch die Häretiker in der Gemeinde mit dem Begriff operierten, muß freilich offenbleiben. Daß er gar das Grundaxiom ihrer Lehre darstellte, ist eine reine Vermutung. Zu erweisen ist sie auch nicht mit Hilfe religionsgeschichtlicher Parallelen. Denn welche Texte als Parallelen anzusehen sind, ist eben die Frage. – Im übrigen ist es einseitig, die religionsgeschichtliche Umwelt nur für die bessere Profilierung der Irrlehre aufzubieten. Sie stellt genauso den Hintergrund für die Thesen und Traditionen des Briefschreibers dar. Von Interesse ist schließlich nicht nur »die Gedankenwelt, der der Kolosserbrief zu begegnen hatte«[197], sondern mindestens im selben Maße die geistige Welt, aus der sein Verfasser kommt.
Problematisch ist deshalb auch die These, die Gegner hätten den Ritus der Beschneidung geübt[198]. Als Beleg kommen wiederum nur die Ausführun-

---

192 Ebd. S. 46 Anm. 78.
193 Ebd. S. 102.
194 Vgl. ebd. S. 116 Anm. 29.
195 Ebd. S. 110.
196 Ebd. S. 108.
197 Ebd. S. 70.
198 Ebd. S. 120; vgl. *Lohmeyer*, Kolosser, S. 108 f.; *Dibelius-Greeven*, Kolosser, S. 30; *Bornkamm*, Häresie, S. 147; *Hegermann*, Schöpfungsmittler, S. 174; *Schenke*, Widerstreit, S. 392; *Wengst*, Formeln und Lieder, S. 187.

gen des Briefschreibers in Frage, der in 2,11 von einer »nicht mit Händen gemachten Beschneidung« und von der »Beschneidung Christi« spricht. Da er jedoch in V.12 eindeutig traditionelle Taufaussagen aufnimmt, liegt es nahe, auch hinter V.11 einen überlieferten Topos anzunehmen. Die Taufe als neue »Beschneidung« aufzufassen, könnte dem Verfasser aus der kirchlichen Tradition geläufig sein. Der implizierte Gegensatz einer überholten, mit Händen gemachten Beschneidung würde dann nicht die Praxis seiner Gegner, sondern den Brauch des Volkes Israel ins Auge fassen. Was die Irrlehrer von Kolossae betrifft, muß deshalb Käsemann zugestimmt werden: »Daß Beschneidung gefordert wurde, ist nicht beweisbar«[199]. Kümmel geht noch einen Schritt weiter, wenn er urteilt: »Das ist darum unwahrscheinlich, weil vor diesem Ritus nicht gewarnt wird«[200].

Als weitere Kennzeichen der kolossischen Häresie betrachtet Lähnemann die Rede vom χειρόγραφον τοῖς δόγμασιν und den Hinweis auf die Mächte und Gewalten[201]. Daß Engeldienst und Satzungen ein wesentlicher Bestandteil der Irrlehre waren, läßt sich angesichts der scharfen Abwehr in 2,16–23 nicht bestreiten. Doch den speziellen Terminus χειρόγραφον und die Verbindung »Mächte und Gewalten« liefert dem Briefschreiber ein in V.14 f. benützter Hymnus. Er stammt mit Sicherheit nicht von den Gegnern in Kolossae, besingt er doch die Unterwerfung der Mächte und die Liquidierung der Handschrift. Der Briefschreiber zitiert den Text, um gegen die Irrlehrer Front zu machen.

Die Bilanz dieses Rückblicks ist: Auch die redaktionsgeschichtliche Frage nach »Komposition, Situation und Argumentation«[202] des Briefes, kann auf die literarkritische und traditionsgeschichtliche Untersuchung nicht verzichten. Dies gilt sowohl im Blick auf möglicherweise verwendete Vorlagen als auch angesichts der Möglichkeit, daß der Brief nachträglich glossiert wurde. Sollte der Kolosserbrief »paulinisch« überarbeitet sein, wird es vollends problematisch, vom gegebenen Text auf die aktuelle Situation in Kolossae und die Lehre der Häretiker zu schließen.

199 Käsemann, Art. Kolosserbrief RGG III, 1959³, Sp. 1727–1728, dort Sp. 1728.
200 Kümmel, Einleitung, S. 297 Anm. 4.
201 Lähnemann, Kolosserbrief, S. 127.
202 So der Untertitel von Lähnemanns Untersuchung.

Teil II

Der Hymnus in Epheser 2,14–18

1. Rekonstruktion*

Es ist eine alte und häufig wiederholte Beobachtung, daß im zweiten Kapitel des Epheserbriefes mit V.19 der Gedankengang der Verse 11–13 in einer Weise aufgenommen und fortgeführt wird, die V.14–18 als »nähere Ausführung«[1] oder »Exkurs«[2] zu V.13 erscheinen läßt. Ein begründendes γάρ schließt V.14 an V.13 an, mit ἄρα οὖν wird in V.19 der Ertrag des Exkurses zusammengefaßt: »So seid ihr nun nicht mehr Fremdlinge . . .!« Der gemeinsame Gedanke der Verse 11–13 und 19 f. ist die Vereinigung von Heiden und Juden im neuen Gottesvolk der Kirche. Die »Fremden« (V.12.19) wurden »Mitbürger« (V.19), die einstmals »Fernen« sind »nahe« gekommen (V.13). Innerhalb dieser klaren und zusammenhängenden Ausführungen muten V.14–18 in der Tat wie eine »Einlage«[3] an, die offenbar die Aussage von V.13 des näheren begründen soll.

Doch so klar diese Funktion des Exkurses zutage tritt, so schwierig ist seine Auslegung im einzelnen. Eine nähere Betrachtung führt zu drei Feststellungen, die den Abschnitt und seine Schwierigkeiten kennzeichnen.

Als erstes fällt die undurchsichtige Syntax der Sätze auf. In V.14 etwa ist zu fragen, ob τὴν ἔχθραν eine nachhängende Apposition zu »die Zwischenwand des Zaunes« darstellt und zum voranstehenden λύσας gehört oder aber als Objekt zum folgenden Partizip καταργήσας zu ziehen ist; im zweiten Fall würde der Ausdruck »das Gesetz der Gebote in Satzungen« zur erläuternden Apposition. Denkbar ist außerdem, daß mit τὴν ἔχθραν bereits zum Partizipialsatz von V.16 angesetzt ist, der dann nach einer längeren Parenthese unter Wiederholung des Objekts in V.16b zu Ende geführt würde. Das zugehörige Partizip wäre somit ἀποκτείνας. Alle diese Möglichkeiten wurden in der Auslegung der Stelle schon behauptet, bestritten und verteidigt[4]. Wie immer man sich entscheidet, fällt es schwer, der unübersichtlichen Folge von Partizipialsätzen ein verbum finitum zuzuordnen. Zwar ist der Periode ein Hauptsatz vorangestellt: »Denn er ist unser Friede.« Doch ist V.14b nicht durch ein Relativpronomen angeschlossen; der Artikel vor

---

* Zur leichteren Orientierung ist nach S. 162 ein Faltblatt eingeheftet, das den Text in abgesetzten Zeilen bietet.

1 *Haupt*, Der Brief an die Epheser (MeyerK VIII), 1902⁸, S. 74.
2 *Dibelius-Greeven*, Epheser, S. 69; vgl. *Ewald*, Epheser, S. 146; *Conzelmann*, Der Brief an die Epheser (NTD 8), 1962⁹, S. 68.
3 *Schlier*, Epheser, S. 122.
4 Vgl. die ausführliche Diskussion bei *Haupt*, Epheser, S. 78ff.; *Ewald*, Epheser, S. 138ff.

dem ersten Partizip ποιήσας markiert vielmehr gegenüber dieser Einleitung eine Zäsur, die unwillkürlich nach einem abschließenden Hauptsatz Ausschau halten läßt. Ein verbum finitum erscheint jedoch erst in V.17 mit εὐηγγελίσατο. Das ganze Satzgebilde scheint darauf zuzustreben. Eine weitere Eigentümlichkeit des Abschnittes ist seine »selbst im Epheserbrief fremdartige Sprache und Vorstellungswelt«[5]. Zu nennen ist hier vor allem der Ausdruck: τὸ μεσότοιχον τοῦ φραγμοῦ. Nach den religionsgeschichtlichen Untersuchungen von *Schlier* steht hinter dieser Wendung der mythologische Gedanke einer Trennwand zwischen Himmel und Erde[6]. Auch *Schweizer*, der hinsichtlich der religionsgeschichtlichen Zusammenhänge anderer Ansicht ist, denkt an einen Zaun, der ursprünglich »die Erde vom Himmel abschloß«[7]. Mit dieser Vorstellung verbinden läßt sich das neutrische τὰ ἀμφότερα als Bezeichnung der beiden Sphären, die durch die Trennwand einst geschieden waren. In V.15 erscheinen dann mit κτίσῃ und καινὸν ἄνθρωπον unvermutet Termini, die an eine neue Schöpfung denken lassen. V.16 endlich gebraucht das aus Kol 1,20 und 22 bekannte Stichwort ἀποκαταλλάσσειν. In deutlichem Unterschied zu den heilsgeschichtlichen Ausführungen der Verse 11–13 und 19 f. ist so der Exkurs mit spekulativer Begrifflichkeit geradezu gesättigt.

Charakteristisch für die Einlage ist schließlich eine merkwürdig verschlungene Gedankenführung, die verschiedene Begriffe doppelsinnig werden läßt. Die Stichworte »Frieden« (V. 14.15.17) und »Feindschaft« (V.14.16) ziehen sich wie ein roter Faden durch den ganzen Abschnitt. Es ist jedoch schwer zu entscheiden, wieweit sie das Verhältnis zwischen den Menschen und Gott charakterisieren oder dem Kontext entsprechend die Beziehungen zwischen Juden und Heiden. Beide Aspekte gehen ständig durcheinander. Während die Verse 11–13 und 19 f. pointiert das Verhältnis zwischen Juden und Heiden erörtern, handelt der Exkurs gleichzeitig von der Beziehung beider zu Gott und setzt eine zweifache Versöhnung voraus. Gegenüber dem Kontext ergibt sich so ein gedanklicher Überhang.

Angesichts dieser Beobachtungen zur Syntax, Begrifflichkeit und Gedankenführung des Abschnittes überrascht es nicht, daß von verschiedenen Exegeten die Vermutung geäußert wurde, in Eph 2,14–18 könnte ein älterer Text vom Verfasser des Briefes aufgegriffen und bearbeitet worden sein. *Schlier* erklärt in seinem Kommentar: »Alles in allem wird man die Verse 14–18 als eine Einlage hymnodischer Art über Christus, den Frieden und Friedensbringer bezeichnen können«. Er setzt indes sogleich hinzu: »Ob es sich dabei um ein Stück eines überlieferten Hymnus handelt, den der Apostel aufgenommen und interpretiert hat, läßt sich natürlich schwer entscheiden«[8]. Trotz eines Hinweises auf Phil 2,5 ff. und Kol 1,12 ff. verzichtet

5 *Schlier*, Epheser, S. 122.
6 *Schlier*, Christus und die Kirche, S. 18–26.
7 *Schweizer*, Kirche als Leib Christi, S. 304.
8 *Schlier*, Epheser, S. 123.

er auf eine Rekonstruktion. Zuversichtlicher ist *Käsemann*, wenn er zum Epheserbrief feststellt: »Hymnische Fragmente liegen wohl 1,20 ff; 2,4–10.14–17 zugrunde«[9]. *Schille* hat sich der Aufgabe angenommen, diese Fragmente aus dem Kontext herauszulösen und sie näher zu bestimmen[10].

In Eph 2,14–18 konstatiert er zunächst mit *Dibelius* eine doppelte Tendenz: »Die Auflösung des Trennenden zwischen Gott und Menschheit und die Aufhebung einer Feindschaft zwischen Juden und Heiden«[11]. Die zweifache Blickrichtung liefert den Ansatzpunkt für seine Analyse. Er fragt sich: »Ist der doppelte Skopus in diesen Versen etwa dadurch entstanden, daß der Briefschreiber einem etwas anders gerichteten Liede seine Blickrichtung aufnötigte? Hat das Lied zunächst ganz allgemein von der Versöhnung mit Gott geredet, während der Briefschreiber daraus seine Folgerung für das Verhältnis von Juden und Heiden zog?«[12] Indem er dieser Vermutung folgt, bestimmt *Schille* als Zusätze des Briefschreibers:

In V.14 das überleitende »denn«[13] und die nachklappende Apposition »die Feindschaft«[14];
in V.16 die verwandte Formulierung: »tötend die Feindschaft in ihm«[15];
in V.17 das im zitierten Jesaja-Wort nicht belegte »euch«[16] und schließlich
in V.18 den ausdrücklichen Hinweis auf die versöhnten Kontrahenten: »die beiden in einem Geiste«[17].

Was diese Angaben miteinander verbindet, ist das Interesse an der Versöhnung zwischen Heiden und Juden. Zusammengenommen bringen sie den einen Gedanken zum Ausdruck: Da Christus die frühere Feindschaft (τὴν ἔχθραν V.14.16) beseitigt hat (ἀποκτείνας V.16), ist den angeredeten ehemaligen Heiden (ὑμῖν V.17) in gleicher Weise wie den Juden (οἱ ἀμφότεροι ἐν ἑνὶ πνεύματι V.18) der Zugang zu Gott eröffnet. Die Vorstellung entspricht genau dem Kontext der Verse 11–13 und 19 f. Ein vorliegender Text wäre also in konsequenter Weise dem Gedankengang des Briefschreibers dienstbar gemacht worden. Was nach Abzug solcher Bearbeitung verbleibt, bestimmt *Schille* als »Erlöserlied«[18]. Er beobachtet eine Gliederung

---

9 *Käsemann*, Art. Epheserbrief, RGG III, Sp. 519; vgl. ders., Christus, das All und die Kirche. Zur Theologie des Epheserbriefes, ThLZ 81 (1956), Sp. 585–590, dort Sp. 588.
10 *Schille*, Hymnen, S. 103 Anm. 4; S. 53–60; S. 24–31.
11 Ebd. S. 26; vgl. *Dibelius-Greeven*, Epheser, S. 69f.
12 *Schille*, Hymnen, S. 26.
13 Ebd. S. 24.
14 Ebd. S. 27.
15 Ebd. S. 27f.
16 Ebd. S. 25.
17 Ebd. S. 30.
18 Ebd. S. 31.

in drei Doppelzeilen, denen eine Themazeile vorangehe. Der rekonstruierte
Hymnus hat somit folgende Gestalt:

»Er ist der ›Friede‹ für uns,
der das Zwiefache eins machte und den Grenzzaun auflöste,
    der an seinem Fleische den Gesetzeskanon mit Paragraphen zerstörte,
damit er die Zwei schaffe in ihm zu einem neuen Menschen, Frieden stiftend,
    und versöhne die beiden in einem Leibe Gott durch das Kreuz,
und kommend ›kündete er Frieden den Fernen und Frieden den Nahen‹,
    daß wir durch ihn Zugang haben zu dem Vater.«

Es sind wiederum vorwiegend formale Gesichtspunkte, nach denen *Deichgräber* diesen Versuch kritisiert hat[19]. Er gibt zu, daß in Eph 2,14–18 hymnische Stilelemente vorhanden sind. »Wir finden das typisch hymnische
Demonstrativum αὐτός (V.14) sowie Partizipialprädikationen (ebenfalls
V.14)«[20]. Weniger Gewicht mißt er dem Wechsel vom Ihr- zum Wir-Stil
bei (V.14.18), da solcher Wir-Stil auch sonst im Epheserbrief begegne und
nicht als spezifisch hymnisches Stilelement gelten könne. Vor allem aber
beanstandet er an *Schilles* Rekonstruktion »die übermäßige Länge der Zeilen«. Auch von einer »gleichmäßigen Zeilenführung«, wie sie *Schille* behauptet, könne nicht die Rede sein, der Charakter des Abschnittes sei vielmehr »völlig prosaisch«[21]. Abgewiesen wird mit dieser Feststellung zugleich der Rekonstruktionsversuch von *Sanders*, der in Auseinandersetzung mit *Schille* hinsichtlich des Umfangs und der Gliederung der Vorlage
zu einem etwas anderen Ergebnis gelangte[22]. Nach *Deichgräbers* Meinung
»wird man die Verse 14–18 kaum als Christushymnus verstehen können,
und schon gar nicht als ein dem Verfasser vorgegebenes Lied«[23]. Er stimmt
Conzelmann zu, der den ganzen Abschnitt als »einen größeren christologischen Exkurs in Form einer Exegese von Jes. 57,19« charakterisiert[24], und
führt außerdem *Dibelius* an, der Text wolle »Bibelerklärung treiben«[25].
Sein eigenes Ergebnis faßt er in den Satz zusammen: »Die Verse 14–18 sind
eine zum Teil in gehobener Prosa formulierte Erklärung, wie es durch Christi Erlösungswerk dazu kam, daß die einst Fernen jetzt mit zu den Nahen
gehören dürfen: der Erlöser hat den trennenden Zaun fortgenommen«[26].
Selbst wenn man geneigt ist, *Deichgräbers* stilkritischen Bedenken weitge-

19 *Deichgräber*, Gotteshymnus und Christushymnus, S. 165–167.
20 Ebd. S. 165.
21 Ebd. S. 166.
22 *Sanders*, Hymnic Elements, S. 216–218; vgl. ders., Christological Hymns, S. 14f. und S.
88–92.
23 *Deichgräber*, Gotteshymnus und Christushymnus, S. 166.
24 *Conzelmann*, Epheser, S. 68.
25 *Dibelius-Greeven*, Epheser, S. 69.
26 *Deichgräber*, Gotteshymnus und Christushymnus, S. 167.

hend recht zu geben, kann diese Auskunft nicht befriedigen. Denn der Versuch, die in Eph 2,14–18 vorliegende »Erklärung« auch im einzelnen zu verstehen, führt unversehens wieder vor die oben dargelegten Schwierigkeiten. Die »gehobene Prosa« zeichnet sich vor allem dadurch aus, daß sie syntaktisch unklar ist. Die »Exegese« bedient sich ferner einer Begrifflichkeit, die der exegesierten Jesaja-Stelle weder entstammt noch entspricht und also auch nicht ihretwegen aufgenommen sein dürfte. Schließlich behandelt diese »Erklärung« mehr und anderes, als im Zusammenhang zu erklären ist. Daß der Exkurs in eins mit der Aussöhnung zwischen Juden und Heiden auch die Versöhnung der Menschen mit Gott erörtert, ist unbestreitbar, und der trennende Zaun läßt sich nicht so eindeutig lokalisieren, wie *Deichgräber* vermeint. Zum Schaden seiner Untersuchung hat er sich allein der formalen Seite von *Schilles* Analyse angenommen und die inhaltlichen Probleme des Abschnitts außer acht gelassen.

Da *Deichgräbers* Ergebnis der Auslegung nicht weiter hilft, stellt sich die Frage, ob *Schilles* Ansatz nicht doch der richtige ist. Der von ihm eingeschlagene Weg müßte allerdings im Blick auf die »prosaisch« wirkenden Partien noch konsequenter beschritten werden. Sowohl die Kritik *Deichgräbers* als auch die Vorschläge von *Sanders* wären dabei zu berücksichtigen. Beachtung verdient außerdem, daß *Schilles* Hymnus immer noch zwei Blickrichtungen in sich vereinigt. Auch wenn nicht von Juden und Heiden die Rede ist, wird nach wie vor von einem Zwiefachen gesprochen, das zur Einheit findet und gleichzeitig mit Gott versöhnt wird. Dasselbe gilt von der Rekonstruktion, die *Wengst* vorgelegt hat[27]. Konsequenter ist in dieser Hinsicht der Ansatz, den *Gnilka* wählt. In einem Beitrag zu Ehren *Schliers* stellt er fest: »Wenn man sich zu der Erkenntnis durchringt, daß in Eph 2,14 ff. sich ein kosmisch-räumliches und ein völkisch-geschichtliches Schema überschneiden und das zweite als Korrektur des ersten aufzufassen ist, ist ein Kriterium gewonnen, mit dessen Hilfe der Versuch unternommen werden kann, ein vorgeformtes Traditionsstück oder Lied herauszuschälen«[28]. Die geschichtliche Versöhnung mit Gott und der Zugang zum Vater kommen bei ihm auf die Seite der Korrektur zu stehen.

Konträr zu *Deichgräber* ist *Gnilka* der Auffassung: »Theologische Überlegungen haben bei der Gewinnung vorgegebener Traditionen ohne Zweifel den Vorrang gegenüber formalen«[29]. Diese Entscheidung birgt allerdings ein Risiko. Tradition und Redaktion müssen nun nach Kriterien unterschieden werden, die anderswo gewonnen wurden und eine dort nicht überlieferte Vorstellung kaum in Rechnung stellen können. Will man sich die Möglichkeit offenhalten, bei der Analyse eines offensichtlich mehrschichtigen Textes auf unerwartete Vorstellungen zu stoßen, ist den stilistischen und syntaktischen Fragen nicht weniger Bedeutung zuzumessen als verglei-

---

27 *Wengst*, Formeln und Lieder, S. 181–186.
28 *Gnilka*, Christus unser Friede, S. 197; vgl. ders., Epheser, S. 139.
29 *Gnilka*, Christus unser Friede, S. 195; vgl. ders., Epheser, S. 147.

chenden theologischen Überlegungen. Die formale Analyse eines Textes und seine traditionsgeschichtliche Interpretation müssen Hand in Hand gehen und sich gegenseitig stützen. Sofern jede Interpretation einen Text voraussetzt, muß dessen Abgrenzung sogar zuerst in Angriff genommen werden. Auch *Gnilka* geht nicht anders vor, wenn er seiner Interpretation den vermuteten Hymnus voranstellt, »mit dem Zugeständnis, daß manches hypothetisch bleiben muß«[30]. Im einzelnen bestimmt er diese Vorlage recht willkürlich, da er den stilistischen und syntaktischen Fragen nur wenig Aufmerksamkeit schenkt. Gerade für die hypothetische Abgrenzung eines zitierten Textes liefern sie jedoch wesentliche Anhaltspunkte. Eine Auseinandersetzung mit den stilkritischen Analysen von *Schille*, *Sanders* und *Deichgräber* kann deshalb nicht unterbleiben.

Ob V.14a als Themazeile gelten kann, läßt sich erst entscheiden, wenn der Umfang des Textes sichergestellt ist, dessen Thema hier genannt sein könnte. Die Frage muß daher vorerst offenbleiben.

Als erste Doppelzeile bestimmt *Schille*:

»der das Zwiefache eins machte und den Grenzzaun auflöste,
der an seinem Fleische den Gesetzeskanon mit Paragraphen zerstörte«.

Im Parallelismus membrorum werde hier die erste Aussage der hymnischen Ausführung entwickelt[31]. Schon der grammatikalische Aufbau des Stückes legt jedoch eine andere Gliederung nahe. Denn während die erste Zeile zwei Verben aufweist, findet sich in der zweiten nur eines. Mit καταργήσας wird das ebenso »destruktive«, vorausgehende λύσας aufgenommen, für die positive Eröffnung ποιήσας bietet die zweite Zeile dagegen kein Äquivalent. Umgekehrt fehlt in der ersten Zeile ein Gegenstück zu der präpositionalen Bestimmung: »an seinem Fleische«. Eine Zeilenführung von höchster Klarheit ergibt sich dagegen, wenn man mit *Sanders* die erste der beiden Zeilen aufteilt und selbst als Doppelzeile faßt[32]:

ὁ ποιήσας τὰ ἀμφότερα ἕν
καὶ τὸ μεσότοιχον τοῦ φραγμοῦ λύσας.

Die beiden Halbzeilen bilden einen Parallelismus membrorum in chiastischer Anordnung. Während dem ersten Partizip sein Objekt nachfolgt, geht es dem zweiten voraus. Der partizipiale Auftakt des ersten Stichos findet im Abschluß des korrespondierenden zweiten sein Gegengewicht. Die Zeilen sind nicht mehr übermäßig lang und formulieren zweimal genau dieselbe

---

30 *Gnilka*, Christus unser Friede, S. 197.
31 *Schille*, Hymnen, S. 27.
32 *Sanders*, Hymnic Elements, S. 217; ebenso *Wengst*, Formeln und Lieder, S. 184, der dazuhin auf den Genitiv τοῦ φραγμοῦ verzichtet.

Aussage. Zunächst ist positiv von der Vereinigung des Getrennten die Rede, danach ins Negative gewendet von der Aufhebung des Trennenden. Mit *Gnilka*, dem *Wengst* sich angeschlossen hat, mag man erwägen, ob der Genitiv τοῦ φραγμοῦ bereits eine Interpretation der Trennwand darstellt[33]. Verfehlt ist es dagegen, wenn *Gnilka* die beiden Zeilen auseinanderreißt und die erste mit V.14a zu einer Doppelzeile verbindet. Αὐτός ἐστιν εἰρήνη ἡμῶν[34] ist nicht nur als persönliches Bekenntnis formuliert, sondern auch durch den Artikel vor ποιήσας von der Fortsetzung geschieden. Diese spricht nicht von unserem Frieden, sondern in distanzierter Weise von der Vereinigung zweier Größen, die offenbar durch die nachfolgend genannte Zwischenwand getrennt waren. Die Zuordnung von *Sanders* und *Wengst* verdient deshalb den Vorzug.

Verglichen mit dieser streng durchkomponierten Doppelzeile wirkt *Schilles* Fortsetzung in der Tat prosaisch. Der langatmige Ausdruck ὁ νόμος τῶν ἐντολῶν ἐν δόγμασιν entspricht nicht gerade hymnischer Redeweise. Er zeugt vielmehr von dem Bemühen theologischer Gelehrsamkeit, verschiedene Bezeichnungen eines traditionellen locus miteinander zu verschmelzen. Eine Aufteilung in wiederum zwei Halbzeilen ist nicht möglich, da hierzu die sicherlich überlegte Kombination auseinandergenommen werden müßte. Außerdem fehlt eine zweite Verbalform. Sich mit weniger als einem Doppelkolon zu begnügen, ist andererseits nicht ratsam. Da der folgende Finalsatz wiederum parallel aufgebaut ist, bliebe davor eine Waise stehen. Es ist deshalb zu überlegen, ob *Schilles* zweite Langzeile nicht insgesamt als theologischer Kommentar anzusehen ist, der nachträglich eingeschoben wurde. *Schille* selbst betrachtet die vorausgehende Apposition τὴν ἔχθραν als eine sekundäre Erläuterung. Möglicherweise war sie nicht auf diese beiden Worte beschränkt, sondern setzte sich fort im Hinweis auf das erledigte Gesetz. Schließlich ist das Gesetz der eigentliche Kontroverspunkt zwischen Juden und Heiden. Ebenfalls für diese Auffassung spricht, daß der anschließende Finalsatz von einer Zweiheit ausgeht, die zur Einheit finden sollte. Diese Darlegung der Absicht kann unmittelbar mit der Schilderung der Tat verknüpft werden, wie sie in der kurzen Doppelzeile vorgegeben ist.

Die formale Kritik an *Schilles* Rekonstruktion läßt sich stützen durch eine Betrachtung der verwendeten Begriffe. Sowohl »die Zwischenwand des Zaunes« als auch »das Zwiefache« gehören jener eigentümlichen Sprache und Vorstellungswelt an, die *Schlier* in seiner Abhandlung »Christus und die Kirche im Epheserbrief« untersucht hat. Es scheint sich um termini kosmischer Spekulation zu handeln. Hinter der Formulierung »das Gesetz der Gebote in Satzungen« stehen dagegen ohne Zweifel Überlegungen, die dem Gesetz des Alten Testamentes gelten und geschichtlich ausgerichtet sind. Der religionsgeschichtliche Hintergrund ist also hier und dort ein an-

---

33 *Gnilka*, Christus unser Friede, S. 202f.; *Wengst*, Formeln und Lieder, S. 184.
34 Der Artikel vor εἰρήνη wird von *Gnilka* zusammen mit dem überleitenden γάρ stillschweigend unterschlagen.

derer. Dabei soll offensichtlich durch den Fortgang die zuvor genannte Trennwand mit dem alttestamentlichen Gesetz identifiziert werden. *Schille* stellt dazu fest:»Mit der zweiten Zeile wird die Mythologie der ersten gebrochen«[35]. Es fragt sich jedoch, ob solche tiefgreifende Interpretation innerhalb des Hymnus angesetzt werden kann oder nicht vielmehr das Werk eines Kommentators ist. Nach *Käsemann* »galt ursprünglich die kosmische Trennung zwischen den Sphären als der ›Zaun‹, und erst der Brief deutete das um«[36]. Auch *Wengst* läßt in seiner Rekonstruktion den ἵνα-Satz unmittelbar an das Partizip λύσας anschließen[37].

Schilles zweite Doppelzeile lautet:

»damit er die Zwei schaffe in ihm zu einem neuen Menschen, Frieden stiftend,
und versöhne die beiden in einem Leibe Gott durch das Kreuz«.

»Wieder wird die Aussage im Parallelismus membrorum entwickelt«[38]. Als nachträgliche Erläuterung hat *Schille* am Ende dieser Doppelzeile den Partizipialsatz:»tötend die Feindschaft in ihm« gestrichen. Es überrascht deshalb, daß er als Abschluß der ersten Halbzeile die Angabe:»Frieden stiftend« stehenläßt. Daß Frieden gestiftet wurde, ist nichts anderes als die Umkehrung der Aussage, die Feindschaft sei vernichtet. Die partizipiale Wendung wirkt außerdem nicht weniger nachgetragen als in V.14 die Apposition τὴν ἔχθραν. Hinzu kommt, daß auffallenderweise das Partizip Praesens verwendet ist. Alle anderen Verbformen der Doppelzeile sind Aoriste, und in der ersten Doppelzeile erscheint mit ποιήσας sogar das Partizip Aorist desselben Verbums. Endlich hat die nächste Zeile in der angenommenen Form für dieses Anhängsel keine Entsprechung aufzuweisen. Wohl aufgrund dieser Beobachtungen ist *Sanders* im Zweifel, ob ποιῶν εἰρήνην der hymnischen Vorlage zuzurechnen ist, und setzt den Ausdruck in Klammern[39]. Streicht man ihn als Zusatz, wird die erste Halbzeile nicht nur kürzer und übersichtlicher, es beginnt sich auch ein wirklich bestechender Parallelismus mit der folgenden Zeile herauszuschälen. Grammatikalisch liegt ein zweiteiliger durch ἵνα eingeführter Finalsatz vor. Deutlich entsprechen sich dabei die aoristischen Konjunktive κτίσῃ und ἀποκαταλλάξῃ, die zugehörigen Akkusativ-Objekte τοὺς δύο und τοὺς ἀμφοτέρους sowie zwei präpositionale Bestimmungen, die das Ziel der mit den Verben angesprochenen Aktionen nennen: εἰς ἕνα καινὸν ἄνθρωπον und ἐν ἑνὶ σώματι. *Gnilka* zerstört auch diesen Parallelismus. Während *Wengst* den

35 *Schille*, Hymnen, S. 28.
36 *Käsemann*, Christus, das All und die Kirche, Sp. 588.
37 *Wengst*, Formeln und Lieder, S. 184.
38 *Schille*, Hymnen, S. 29.
39 *Sanders*, Hymnic Elements, S. 217.

doppelten Finalsatz mitsamt seinen partizipialen Ergänzungen zur Vorlage rechnet und auf vier Zeilen verteilt[40], entschließt sich *Gnilka* zu einer Auswahl. Als erste Zeile wählt er ἵνα κτίσῃ ἐν αὐτῷ καινὸν ἄνθρωπον und stellt ihr die sehr viel kürzere Angabe: »Frieden stiftend« als zweites Kolon zur Seite[41]. Danach übergeht er den Passus von der Versöhnung und findet die Fortsetzung des Hymnus in Schilles erläuterndem Zusatz: »tötend die Feindschaft in ihm«. Der Partizipialsatz bildet nun aber nicht etwa mit »Frieden stiftend« ein Zeilenpaar, sondern eröffnet die nächste Doppelzeile[42].

Indem *Gnilka* V.16a übergeht, erspart er seiner Hymnus-Interpretation das Problem der zweifachen Versöhnung. Doch tut er des Guten zuviel. Er verzichtet nicht nur auf die ganze zweite Hälfte des Finalsatzes, sondern streicht in der ersten auch noch die Worte »die zwei« und »zu einem«, die dem Bild von der beseitigten Zwischenwand entsprechen. Hält man formale Beobachtungen nicht für gänzlich bedeutungslos, sind die beiden Verben »erschaffen« und »versöhnen« mit den Objekten »die zwei« und »die beiden« einschließlich der Zielbestimmungen »zu einem neuen Menschen« und »in einem Leibe« als korrespondierende Glieder zusammenzunehmen. *Schille* ist hier recht zu geben!

Andererseits beschränkt sich seine Rekonstruktion nicht auf diesen Parallelismus membrorum. Zur ersten Halbzeile rechnet er noch die Angabe »in ihm«, und die zweite läßt er schließen mit den Worten: »Gott durch das Kreuz«. Was den Abschluß betrifft, ist bereits *Sanders* unschlüssig. Er setzt auch διὰ τοῦ σταυροῦ in Klammern und gibt dadurch zu erkennen, daß er zögert, den Hinweis auf das Kreuz zur Vorlage zu rechnen[43]. Die Notiz läßt sich ebensogut mit dem folgenden Partizip ἀποκτείνας verbinden. Nicht minder problematisch ist der vorangehende Dativ τῷ θεῷ. Daß zwei Partner miteinander versöhnt werden, ist ein Gedanke, daß sie zugleich mit einem dritten versöhnt werden, ein anderer. Es ist dieser zusätzliche Dativ, der dem Erlöserlied seine doppelte Blickrichtung einträgt[44]. Daß er der Sache nach mit dem Hinweis auf das Kreuz übereinstimmt, liegt auf der Hand. Ein alter Stein des Anstoßes ist endlich die Angabe ἐν αὐτῷ. Schon die Textzeugen ℵ,D,G und Marcion fassen sie reflexiv und schreiben ἐν ἑαυτῷ. *Gnilka* schließt sich ihnen an, indem er zwar nicht ἑαυτῷ schreibt, aber doch einen spiritus asper setzt. *Wengst* ist hier großzügiger. Er schreibt ἐν αὐτῷ und übersetzt dennoch »in sich«[45]. *Schille* dagegen hält sich an das einfache Personalpronomen als lectio difficilior und übersetzt »in ihm«. Indessen denkt auch er dabei an Christus, ohne davon abzugehen, daß dieser

---

40 *Wengst*, Formeln und Lieder, S. 184.
41 *Gnilka*, Christus unser Friede, S. 197; vgl. ders., Epheser, S. 149.
42 *Gnilka*, Christus unser Friede, S. 198; vgl. ders., Epheser, S. 149.
43 *Sanders*, Hymnic Elements, S. 217.
44 Siehe oben S. 121.
45 *Wengst*, Formeln und Lieder, S. 185.

zugleich das Subjekt des Erlöserliedes darstellt[46]. Wird die Angabe nicht reflexiv gefaßt, müßte konsequenterweise ein anderes Subjekt vorausgesetzt werden. Auf Gott zu rekurrieren ist *Schille* jedoch nicht zuletzt dadurch verwehrt, daß er den Dativ τῷ θεῷ als Bestandteil der Doppelzeile betrachtet.
Völlig andere Aspekte ergeben sich, wenn die drei problematischen Angaben: »in ihm«, »Gott« und »durch das Kreuz«, aus dem Spiel bleiben. Wie sich zeigen wird, ist die Sorge, einen gedanklichen Torso zu erhalten, unbegründet. Die verbleibende Aussage ist ebenso abgerundet wie ihre hymnische Gestaltung. Der Verzicht erbringt eine vollendet durchkomponierte Doppelzeile:

ἵνα τοὺς δύο κτίσῃ εἰς ἕνα καινὸν ἄνθρωπον
καὶ ἀποκαταλλάξῃ τοὺς ἀμφοτέρους ἐν ἑνὶ σώματι.

Auch das zweite Zeilenpaar ist kürzer geworden und *Deichgräbers* Vorwurf einer übermäßigen Länge der Zeilen nicht mehr ausgesetzt. Jeder Satzteil besitzt im parallelen Kolon ein Äquivalent, und der chiastische Aufbau der Zeilen ist kaum zu übersehen. Während dem ersten Verbum diesmal das Objekt vorangestellt ist, folgt es dem zweiten nach. Die Anordnung ist also gegenüber dem ersten Zeilenpaar umgekehrt, so daß nicht nur ein Chiasmus innerhalb der Doppelzeilen, sondern auch eine verschränkte Anordnung der Zeilenpaare festzustellen ist. Die beiden Bestimmungen »zu einem neuen Menschen« und »in einem Leibe« markieren korrespondierend Ziel und Ende des Finalsatzes.
Zu stützen vermag diese formalen Überlegungen eine erste Betrachtung der ausgeschiedenen Zusätze. Das Zeilenpaar wird erläutert durch zwei knappe Anmerkungen, die danach in zwei Partizipialsätzen näher ausgeführt werden. Man könnte nach mittelalterlichem Brauch von Glossen und Scholien sprechen. In derselben Weise ist bereits die erste Doppelzeile kommentiert. Gehört in V.14 »die Feindschaft« syntaktisch noch zum vorangehenden Partizipialsatz, kann solche Apposition als Glosse zu »die Zwischenwand des Zaunes« gelten. Die Scholie, die nicht nur einen Begriff, sondern die glossierte Aussage als ganze erläutert, umfaßt die Fortsetzung: »in seinem Fleisch das Gesetz der Gebote in Satzungen zunichte machend«. Bei dieser Aufteilung erübrigt sich die alte Frage, inwiefern von einer »Feindschaft in Christi Fleisch« gesprochen oder gar das Gesetz als diese Feindschaft »in seinem Fleisch« verstanden werden könne[47]. Ἐν τῇ σαρκὶ αὐτοῦ läßt sich als instrumentale Bestimmung zu καταργήσας verstehen, während τὴν ἔχθραν zum vorangehenden Satz gehört.
Der überlieferte Finalsatz wird in seiner ersten Hälfte erläutert durch den

46 *Schille*, Hymnen, S. 29.
47 Vgl. dazu *Haupt*, Epheser, S. 79f.; *Ewald*, Epheser, S. 139f.

Einschub »in ihm« und den Zusatz »Frieden stiftend«. Da sich die präpositionale Bestimmung an dieser Stelle nicht auf Christi σάρξ, sondern zweifellos auf den zu erschaffenden neuen Menschen bezieht, kann sie lokal gedeutet werden, ohne daß sich zur instrumentalen Interpretation von ἐν τῇ σαρκὶ αὐτοῦ ein Widerspruch ergäbe. Ob der Einschub reflexiv oder demonstrativ aufgefaßt wird, ändert nichts daran, daß der eine neue Mensch im Blickpunkt steht. Da er »die zwei« in sich vereinigt, kann von dem, der ihn zu schaffen beabsichtigte, gesagt werden, er wollte Frieden stiften. Der Zusatz »Frieden stiftend« kommentiert wiederum die ganze Zeile. Er entspricht zugleich der hymnischen Fortsetzung, die zum Ausdruck bringt, daß die beiden in einem Leibe »versöhnt« wurden. Diese zweite Hälfte des Finalsatzes ist erweitert um den Dativ τῷ θεῷ, der einen neuen Aspekt des Geschehens zur Sprache bringt. Die Versöhnung erfolgte nicht nur wechselseitig, sondern zugleich mit Gott. Der Dativ läßt sich leichter mit dem vorangehenden Verbum »versöhnen« verbinden als mit dem nachfolgenden Partizip »tötend«. Auf die knappe Ergänzung folgt wie in V. 14 f. wieder eine längere Parenthese: »durch das Kreuz die Feindschaft tötend in ihm«. Mit Hilfe von zwei präpositionalen Bestimmungen, die betont am Anfang und am Ende stehen, sucht der nachgebrachte Partizipialsatz die beiden zuvor genannten Aspekte zu verbinden. »Durch das Kreuz« führt dabei den Gedanken der Versöhnung mit Gott näher aus, während »in ihm« die Vorstellung des neuen »Leibes« aufnimmt. Da die zweite Angabe syntaktisch auf ἐν ἑνὶ σώματι bezogen werden kann, ist diesmal die reflexive Textvariante schwächer bezeugt. Der ganze Partizipialsatz kann wie die beiden vorhergehenden als Scholie zur knapp glossierten Aussage des Hymnus aufgefaßt werden.

Blickt man von hier aus zurück auf die anderen Erläuterungen, zeigt sich ein enges Geflecht von Wiederholungen. »Die Feindschaft tötend« variiert die Aussage »Frieden stiftend« und knüpft zugleich an das glossierende »die Feindschaft« in V.14 an. Daß nunmehr »in ihm« keine Feindschaft herrscht, liegt auf einer Linie mit der Feststellung, daß »in ihm« der eine neue Mensch zustande kommen sollte. Daß die Feindschaft getötet wurde »durch das Kreuz« entspricht der Scholie in V. 14 f., die »durch sein Fleisch das Gesetz der Gebote in Satzungen zunichte gemacht« sieht. Diese Scholie wiederum gilt der Beseitigung jenes Zaunes, dessen Wirkung zuvor glossierend als »Feindschaft« bestimmt wurde. Daß durch Christi Kreuz die Feindschaft getötet wurde, ist insofern eine Variation des Gedankens, daß er durch sein Fleisch das Gesetz zunichte machte[48]. Handelt es sich dabei um das Gesetz des Alten Testaments, treffen hier die beiden Vorstellungen, die den Kommentar bestimmen, zusammen. Der Zaun wurde nicht nur beseitigt, damit die Geschiedenen vereint, sondern damit sie zugleich mit Gott versöhnt würden. Nach Meinung des Kommentars ist es die Beseitigung des

---

48 Vgl. *Mußner*, Christus, das All und die Kirche, S. 83 Anm. 31.

Gesetzes, die eine doppelte Versöhnung mit sich bringt: Die Versöhnung zwischen Juden und Heiden und zugleich ihre Versöhnung mit Gott. Verglichen mit der Sprache und Vorstellungswelt des Hymnus ist die Terminologie der Erläuterungen nicht nur weitaus geläufiger, sondern auch durchweg heilsgeschichtlich ausgerichtet. Sie sprechen von Feindschaft und Friede, von Christi Fleisch und Kreuz, von der Beseitigung des Gesetzes und von Gott. Der Hymnus dagegen singt von einer abgerissenen Zwischenwand, von Vereinigung und Versöhnung und von der Erschaffung eines neuen Menschen. *Schille* bemerkt zu seiner zweiten Doppelzeile: »Wie im ersten Doppelkolon der mythologische Zaun mit dem Nomos identifiziert und uminterpretiert wird, so wertet auch hier die zweite Zeile, das mythologische Motiv vom kosmischen Menschen um«[49]. Bestimmt man jedoch den Umfang der zweiten Halbzeile genau nach dem formalen Muster der ersten, ist von solcher Uminterpretation nichts zu spüren. Sie erfolgt erst durch die erläuternden Zusätze.

Als dritte und abschließende Doppelzeile rekonstruiert *Schille*:

»und kommend ›kündete er Frieden den Fernen und Frieden den Nahen‹, daß wir durch ihn Zugang haben zu dem Vater«.

Unter formalen Gesichtspunkten betrachtet, fällt daran auf, daß kein Parallelismus membrorum erkennbar ist, von einer chiastischen Zeilenführung ganz zu schweigen. Zwischen der ersten und der zweiten Halbzeile ist nicht nur ein Wechsel des Subjekts, sondern auch des Tempus zu konstatieren. Zu denken gibt ferner, daß die bisher objektive Darstellung in der Schlußzeile durch ein persönliches Bekenntnis abgelöst wird. Mit ἔχομεν melden sich die Betroffenen der zuvor geschilderten Ereignisse zu Wort, ein Vorgang, der in den bekannten Hymnen Phil 2,6–11, Kol 1,15–20 und 1 Tim 3,16 keine Parallele hat[50]. Stilistisch gesehen, verläuft so zwischen den beiden Stichen ein deutlicher Bruch. Verstärkt wird dieser Eindruck durch die Beobachtung, daß die erste der beiden Zeilen in Anlehnung an eine literarisch überlieferte Verheißung des Alten Testamentes formuliert ist, während der zweiten ein entsprechender Hintergrund fehlt. Durch diesen Zitat-Charakter hebt sich die erste Zeile allerdings nicht nur von der folgenden Halbzeile ab, sondern ebenso von den vorausgehenden Doppelzeilen. Es dürften diese Beobachtungen sein, die *Sanders* dazu bewogen haben, V. 17 und 18 insgesamt der hymnischen Vorlage abzusprechen[51]. Doch belastet er

---

49 *Schille*, Hymnen, S. 29.
50 Vgl. dazu *Friedrich Lang*, Die Eulogie in Epheser I, 3–14, in: Studien zur Geschichte und Theologie der Reformation. Festschrift für Ernst Bizer, 1969, S. 7–20, dort S. 15.
51 *Sanders*, Hymnic Elements, S. 217; ebenso *Wengst*, Formeln und Lieder, S. 184. *Gnilka*, Christus unser Friede, S. 198, rekonstruiert als letzte Zeile καὶ ἐλθὼν εὐηγγελίσατο εἰρήνην und fügt in Klammern hinzu ⟨τοῖς μακρὰν καὶ τοῖς ἐγγύς⟩; vgl. ders., Epheser, S. 149. .

auf diese Weise seine Rekonstruktion mit einer Inkonsequenz. Wie *Schille* betrachtet er V.14a: »(Denn) Er ist unser Friede«, als eine Art Auftakt, der das Thema des Liedes nennt. Genau wie V.18 ist dieser Satz im Präsens formuliert und bedient sich des Wir-Stils. Noch schwerer wiegt eine zweite Feststellung: Rechnet man bereits das Jesaja-Zitat in V.17 nicht mehr zum Hymnus und erwägt dazuhin, »ποιῶν εἰρήνην v 15 on formal grounds« als Glosse anzusehen[52], hat man sich um alle Erwähnungen des »Friedens« gebracht, die dazu berechtigen könnten, V.14a als »Thema«-Zeile zu verstehen. Müßte dann nicht auch der Auftakt fallen, der stilistisch und terminologisch nichts mehr und inhaltlich nur noch wenig mit dem folgenden Hymnus zu tun hat? Allerdings würde so das Problem nur verlagert und der Briefschreiber dafür verantwortlich gemacht. Wie konnte er in seiner Einleitung des Liedes so pointiert den Frieden nennen, wenn im angeführten Text das Stichwort »Frieden« gar nicht begegnete? Außerdem ist nicht zu übersehen, daß sich der Verfasser des Epheserbriefes bereits in V.13 einen Vorgriff auf das Jesaja-Zitat erlaubt. Wenn er dieses nicht als Bestandteil des Hymnus vorfand, sondern aus eigenen Stücken beibrachte[53], bleibt unverständlich, weshalb er sich zunächst mit einer leisen Anspielung begnügt, dann zwei Doppelzeilen eines Hymnus zitiert, der nichts damit zu tun hat, um erst danach jenes Zitat zu bringen, das für seinen Gedankengang entscheidend ist. Er hätte sich den Abstecher in die Gefilde kosmischer Spekulation ersparen können. – Mit seiner totalen Streichung von V.17 und 18 dürfte *Sanders* zu weit gegangen sein. Zumindest das Jesaja-Zitat mit der Erwähnung des Friedens kann der Vorlage nicht abgesprochen werden, liegt hier doch das Motiv für die Aufnahme des Stückes in den Kontext des Briefes. Es ist nicht zuletzt diese Passage, derentwegen sich der Briefschreiber entschlossen hat, auch die anderen Zeilen zu zitieren, die er mühevoll genug erst noch zu deuten hatte. Dank der überlieferten Verknüpfung des alttestamentlichen Zitates mit einem weit ausholenden hymnischen Kontext kam es zu jenem Exkurs, der den Zusammenhang der Verse 11–13 und 19 f. zu sprengen droht. Daß ein Hymnus Worte des Alten Testaments aufgreift, hat im übrigen in Phil 2,10 f. eine Parallele. Die Anspielung gilt sogar wie in Eph 2,17 einer Weissagung »Jesajas«. *Schille* kann deshalb beigepflichtet werden, wenn er sich durch die literarische Eigenart von V.17 nicht davon abhalten läßt, noch über V.16 hinaus mit einer hymnischen Vorlage zu rechnen. Ob er mit der Rekonstruktion einer weiteren Doppelzeile im Recht ist, muß freilich erst geprüft werden.

Zunächst wird von ihm in V.17 das Personalpronomen »euch« als Glosse ausgeschieden. Da es in Jes 57,19 nicht belegt ist, bedürfe es dafür »keines weiteren Beweises«[54]. Ob diese Argumentation stichhaltig ist, kann allerdings bezweifelt werden. Schließlich ist nicht gesagt, daß sich der Dichter

---

52 *Sanders*, Hymnic Elements, S. 218; vgl. oben S. 124.
53 Vgl. *Wengst*, Formeln und Lieder, S. 182f.
54 *Schille*, Hymnen, S. 25.

eines Hymnus sklavisch an den alttestamentlichen Text zu halten hatte.
Phil 2,10 f. belegt das Gegenteil! Außerdem ist auch die Wiederholung
»und Frieden . . .« in Jes 57,19 so nicht vorgegeben, wie sie Eph 2,17 erscheint und von *Schille* der Vorlage zugewiesen wird. Zu vergleichen ist der
LXX-Text, denn die pluralische Fassung »den Fernen« und »den Nahen«
verrät, daß nicht die hebräische, sondern die griechische Version des Alten
Testaments zugrunde liegt. Jes 57,19a lautet hier: Εἰρήνην ἐπ᾽ εἰρήνην
τοῖς μακρὰν καὶ τοῖς ἐγγὺς οὖσιν. Das Verbum εὐαγγε
λίζεσθαι erscheint nicht und dürfte aus der verwandten Verheißung Jes
52,7:εὐαγγελιζομένου ἀκοὴν εἰρήνης, herübergenommen sein[55], so daß
genaugenommen ein Mischzitat vorliegt. Durchschlagender ist darum das
andere Argument *Schilles*: Das eingeschobene »euch« entspricht jenem Anliegen, das im weiteren Kontext, besonders in V.13, zutage tritt. Dem Briefschreiber geht es um die Vereinigung der angeredeten ehemaligen Heiden
mit den Juden zu einem Gottesvolk, und er »trennt zwischen fern und nah
absichtlich, als meine ›fern‹ die Heiden und ›nah‹ die Juden«[56]. Die Wiederholung »und Frieden . . .« kommt seinem Anliegen freilich nicht entgegen.
Die einfache Formulierung »Frieden den Nahen und den Fernen« wäre
leichter dahin zu deuten, daß *zwischen* den Fernen und den Nahen der
Friede zustande kam. Wird davon gesprochen, daß »Friede den Fernen und
Friede den Nahen« verkündet wird, erscheinen diese nicht so sehr als die
Partner des Friedensschlusses, vielmehr als die Adressaten einer Friedensbotschaft, die an sie beide ergeht[57]. Auch Deuterojesaja betrachtet sie nicht
als ehemalige Kontrahenten! Es ist deshalb anzunehmen, daß nicht der
Schreiber des Briefes, sondern der Dichter des Hymnus der alttestamentlichen Anspielung diese Fassung gab. Um des Verbums εὐηγγελίσατο willen
verzichtete er zunächst auf die Doppelung εἰρήνην επ᾽ εἰρήνην, nahm sich
jedoch die Freiheit, das übergangene Wort später nachzutragen.
Der anschließende Vers 18 wirkt in seinem vollen Umfang wieder höchst
prosaisch. *Schille* hat deshalb die Parenthese »die beiden in einem Geiste«
als nachträglichen Zusatz ausgeschieden, der in der Tat den Hauptgedanken
des Briefschreibers präzis auf eine Formel bringt. Dennoch fällt es schwer,
·den verbleibenden Rest als Fortsetzung des Liedes zu verstehen. Der Stil des
Satzes ist ein gänzlich anderer als in den vorangehenden Zeilen. Bei der aus
V.14b–17 erhobenen Vorlage handelt es sich grammatikalisch um einen
einzigen Satz mit einem Subjekt, einheitlichem Tempus und nur einem
verbum finitum, auf das die ganze Periode zuläuft. Demgegenüber ist mit
ὅτι in V.18 zu einem neuen, wesentlich kürzeren Satz angesetzt, der sich
sowohl durch sein anderes Subjekt wie durch das plötzliche Präsens vom
vorhergehenden deutlich abhebt. Seine Absicht ist, den bleibenden Ertrag

55 Vgl. *Schlier*, Epheser, S. 137 Anm. 7.
56 *Schille*, Hymnen, S. 25.
57 Vgl. *Mußner*, Christus, das All und die Kirche, S. 102; ferner unten S. 137 und S. 155.

zu formulieren, der sich aus den im Aorist berichteten Ereignissen ergibt. Der ὅτι-Satz zieht gleichsam die Bilanz! Nun kann zwar darauf hingewiesen werden, daß auch Kol 1,16 und 19 in einem hymnischen Text die Konjunktion ὅτι erscheint. Doch dienen dort die ὅτι-Sätze dazu, vorhergehende Aussagen in derselben objektiven Weise näher zu erläutern, während hier in persönlicher Redeweise ihre Bedeutung expliziert wird. Diese soteriologische Auswertung christologischer Sätze hat weder in Kol 1,15–20 noch in Phil 2,6–11 oder 1. Tim 3,16 ein Gegenstück. Der Unterschied wird noch deutlicher, wenn man mit *Mußner* das ὅτι in Eph 2,18 deklarativ versteht und den Satz als Paraphrase der erwähnten Friedensbotschaft liest[58].

Wer Eph 2,18 gleichwohl zur hymnischen Vorlage rechnet, hat dafür mit dem Eingeständnis zu bezahlen, daß auf zwei äußerst kunstvoll formulierte Zeilenpaare eine keineswegs ebenbürtige Doppelzeile folgt. Gemessen an den anderen, wirkt sie nachgerade stümperhaft. Von diesem Urteil kann auch die erste Halbzeile nicht ausgenommen werden, ist sie doch in keiner Weise auf eine parallele oder gar chiastische Fortsetzung hin konzipiert. Im Gegenteil! Der Umstand, daß diese eine Zeile nicht nur zwei verbale Ausdrücke (ἐλθών und εὐηγγελίσατο) auf sich vereinigt, sondern außerdem in eine parallele Formulierung ausläuft (»Frieden den Fernen und Frieden den Nahen«), schließt eine Fortsetzung nach dem Vorbild der anderen Zeilenpaare nahezu aus. Die Möglichkeiten für einen Parallelismus membrorum sind vergeben. Wegen dieses formalen Mangels mit *Sanders* beide Zeilen dem Hymnus abzusprechen hat sich indes als unmöglich erwiesen. Verzichtet man dagegen allein auf die zweite, läßt sich die erste sehr wohl den Doppelzeilen an die Seite stellen. Zu streichen wäre lediglich das eröffnende καί, das im Anschluß an die Erläuterung V. 16b vom Verfasser des Briefes stammen dürfte und ihm die Rückkehr zur hymnischen Vorlage erleichtern sollte. Betrachtet man V. 17 als unpaarigen Schlußvers einer Strophe, erweisen sich die genannten Schwächen als seine Stärke. Mit dem verbum finitum, das durch das Partizip verstärkt wird, ist ein deutlicher Schlußpunkt gesetzt, der den als Subjekt fungierenden Partizipialsatz von V.14b nach dem eingeschobenen Finalsatz von V. 15 f. syntaktisch zu Ende bringt. Zugleich nimmt die parallele Formulierung »Frieden den Fernen und Frieden den Nahen« jenes Stilprinzip auf, das sowohl den doppelten Partizipialsatz als auch den zweiteiligen Finalsatz bestimmt. V.18 dagegen ist insgesamt ein Kommentar in Prosa. Der Briefschreiber ist dabei seinem bisherigen Verfahren treu geblieben. Er schiebt in V.17 mit »euch« zunächst eine Glosse ein und läßt als selbständigen Satzteil seine Scholie folgen. Mit dieser Abgrenzung der hymnischen Vorlage ist nun auch die Entscheidung über die Zugehörigkeit von V.14a vorbereitet. *Schille* und *Wengst* sprechen von einer »Themazeile«[59]. Zur Begründung führt *Schille* aus, die-

---

58 *Mußner*, Christus, das All und die Kirche, S. 104.
59 *Schille*, Hymnen, S. 27; *Wengst*, Formeln und Lieder, S. 184.

ses erste Kolon enthalte, als »eine echte Überschrift, alles, was nachher
hymnisch ausgeführt wird: ›Er ist unser Friede‹. Genannt sind damit der
Gepriesene (›er‹), das Liedthema (›Friede‹) und die Preisenden (›unser‹)«[60].
Diese schöne Konstruktion wird brüchig, wenn der einzige im Wir-Stil
formulierte Vers 18 gar nicht zum Hymnus zu rechnen ist, alle Hinweise
auf die Feindschaft sekundär sind, von den drei Erwähnungen des Friedens
eine als Glosse anzusehen ist und es sich dabei auch noch um jene handelt,
die vom Friedensstifter (ποιῶν εἰρήνην V.15) und nicht nur vom Verkün-
diger des Friedens handelt. Daß Christus selbst der Friede ist, läßt sich eigentlich nur dann behaupten, wenn dieser »in ihm« als neue Wirklichkeit
erfahren wird. Auch diese Angabe erwies sich jedoch als kommentierende
Glosse. V.14a kann zwar nach wie vor als Überschrift betrachtet werden,
nur gilt sie nicht allein dem Hymnus, sondern setzt bereits die Bearbeitung
des Liedes voraus. Angegeben ist das Thema des Exkurses in seinem ganzen
Umfang, wie er durch die Erläuterungen des Briefschreibers zu einer hymnischen Vorlage zustande kam. Erst er kann demnach diese Überschrift gebildet haben. Um den hymnischen Charakter hervortreten zu lassen,
streicht *Schille* das γάρ und bezeichnet es als »γάρ recitativum«[61]. Einen
Beleg für diesen speziellen Gebrauch von γάρ bringt er freilich nicht, wie
schon *Deichgräber* kritisch vermerkt. Betrachtet man den Kontext, kann es
in der Tat als »ganz gewöhnliches, kausal verknüpfendes γάρ«[62] genommen
werden. Der vorausgehende Vers 13 handelt von der Bedeutung des Sterbens Christi für die ehemals »fernen« Heiden. Der Satz endet mit der Nennung des Namens Christi. V.14 schließt mit αὐτὸς γάρ ἐστιν . . . unmittelbar daran an und holt zu einer Begründung aus. In diesem Zusammenhang kann selbst das vorangestellte αὐτός nicht als »echt hymnisch« gelten[63]. Es nimmt lediglich den Namen Christi auf und führt den Gedanken
fort[64]. Da gleichzeitig das Personalpronomen ἡμῶν weder in den folgenden
Doppelzeilen noch in den bekannten Hymnen des Philipper- und Kolosserbriefes begegnet, kann der Satz als schlichteste Prosa angesehen werden. Es
handelt sich um die Einleitung und gleichzeitige Überschrift des folgenden
Exkurses, der die Aussage von V.13 des näheren begründen soll. Aufgenommen ist in dieser Einlage ein hymnischer Text, der allerdings von we-
sentlich/geringerem Umfang ist, als *Schille* annimmt, dafür aber eine sehr
viel strengere Form aufweist. Er umfaßt zwei Doppelzeilen, die parallel und
chiastisch aufgebaut sind, sowie einen unpaarigen, in sich parallelen,
Schlußvers, der eine Verheißung des Alten Testaments zitiert:

60 *Schille*, Hymnen, S. 26f.
61 Ebd. S. 24.
62 *Deichgräber*, Gotteshymnus und Christushymnus, S. 166.
63 *Schille*, Hymnen, S. 26; vgl. *Deichgräber*, a.a.O., S. 165.
64 Vgl. *Mußner*, Christus, das All und die Kirche, S. 80f.

Ὁ ποιήσας τὰ ἀμφότερα ἓν
καὶ τὸ μεσότοιχον τοῦ φραγμοῦ λύσας,
ἵνα τοὺς δύο κτίσῃ εἰς ἕνα καινὸν ἄνθρωπον
καὶ ἀποκαταλλάξῃ τοὺς ἀμφοτέρους ἐν ἑνὶ σώματι,
ἐλθὼν εὐηγγελίσατο εἰρήνην τοῖς μακρὰν καὶ εἰρήνην τοῖς ἐγγύς.

2. Interpretation

Der vorwiegend formalen Analyse hat die inhaltliche Interpretation an die Seite zu treten. Dabei ist ihr eine doppelte Aufgabe gestellt: Sie hat sich sowohl der stilkritisch erhobenen Vorlage als auch ihrer Bearbeitung anzunehmen. Jede der beiden Schichten des Textes ist als sinnvolles Werk eines Autors zu erweisen, wenn die Unterscheidung zum Verständnis von Eph 2,14–18 etwas beitragen soll. Eine Vorlage, die keinen Sinn ergibt, oder eine Bearbeitung, die keine neuen Akzente setzt, würde den eingeschlagenen Weg als Irrweg erweisen. Es ist deshalb einmal zu prüfen, ob der angenommene hymnische Text eine zusammenhängende, in sich verständliche Aussage macht und welcher Art sie ist. In einem weiteren Arbeitsgang ist dann zu prüfen, was den Briefschreiber veranlaßt haben könnte, diesen Text in sein Schreiben aufzunehmen, wie er ihn verstand und welches die Tendenz seiner Bearbeitung ist.

Für die Einheitlichkeit der Vorlage spricht zunächst die Tatsache, daß sie grammatikalisch aus einem Satz besteht. Die ganze erste Doppelzeile kann als Subjekt betrachtet werden. Bezeichnenderweise ist den beiden Partizipialsätzen der bestimmte Artikel vorangestellt. Das Prädikat findet sich in der Schlußzeile und regiert ein redupliziertes Akkusativobjekt. Dazwischen erscheint ein doppelter Finalsatz, der von den Partizipien des Subjektes abhängt. In der Schlußzeile wird das Subjekt durch ein drittes Partizip wieder aufgenommen. Es handelt sich um ein participium coniunctum, das nicht mehr durch den Artikel bestimmt ist, sofern das καί zur späteren Bearbeitung gerechnet wird.

Bemerkenswert ist ferner, daß die ältere Schicht des Textes alle jene Begriffe kosmischer Spekulation auf sich vereinigt, die dem Abschnitt sein unverwechselbares Gepräge geben. Die jüngere Schicht dagegen bedient sich einer Terminologie, die dem Neuen Testament nicht nur geläufiger ist, sondern auch durchweg geschichtlich verstanden werden kann. Dieses Auseinandertreten zweier Sprach- und Vorstellungsbereiche kann als Bestätigung der stilkritischen Untersuchung gewertet werden.

Gleichzeitig ist freilich zu notieren, daß die Terminologie der älteren Schicht nicht in derselben Weise einheitlich ist wie die der jüngeren. Zwischen den einzelnen Gliedern des Hymnus scheinen sich erhebliche Differenzen aufzutun. So ist die Schlußzeile von anderer Art als die beiden Doppelzeilen. Sie greift eine Verheißung des Alten Testamentes auf und steht

damit der Sprache der jüngeren Schicht am nächsten. Das Stichwort »Frieden« begegnet hier wie dort. An dieser Stelle konvergieren die Sprache der Vorlage und die Redeweise der Bearbeitung am stärksten.
Doch auch zwischen den beiden Doppelzeilen ist eine Spannung zu bemerken. Die ungewöhnliche Begrifflichkeit, die hier in dichtester Konzentration begegnet, ist nicht einheitlich. Während die erste Doppelzeile neutrisch von τὰ ἀμφότερα spricht, erscheint im folgenden Zeilenpaar zweimal das Maskulinum: τοὺς δύο und τοὺς ἀμφοτέρους. In dieser Fassung kann auch der Briefschreiber in V.18 den Ausdruck aufnehmen und dabei an Juden und Heiden denken. Nur in V.14 ist solches Verständnis schwer möglich, und man wird mit *Schlier* »bei τὰ ἀμφότερα nicht an Juden und Heiden denken, sondern eher sich fragen, ob hier nicht zwei Bereiche oder Gebiete gemeint sein können«[65]. *Käsemann, Schille, Schweizer, Gnilka* und *Wengst* bejahen diese Frage und verstehen τὸ μεσότοιχον im Zusammenhang der Vorlage als Trennwand zwischen Himmel und Erde[66].
Den folgenden Wechsel des Genus hält *Schlier* dann allerdings für so gravierend, daß er erklärt: »Andererseits kann ich nicht sehen, wie τοὺς δύο V.15 ursprünglich die ›Glieder‹ der himmlischen und irdischen Welt gemeint haben soll und nicht Juden und Heiden«[67]. Sollte hier tatsächlich keine andere Deutung möglich sein, hätte der Briefschreiber mit den Versen 11–13 nur scharf herausgearbeitet, was auch der Hymnus meinte. Schon das Lied hätte die geschichtliche Versöhnung zwischen Juden und Heiden verkündet.
Es ist nicht zu bestreiten, daß sich die maskulinischen Ausdrücke leichter auf Personen als auf Räume oder Sphären deuten lassen. Dennoch ist die Auffassung, der Finalsatz handle von Juden und Heiden, wenig befriedigend. *Schlier* selbst stößt sich daran, daß diese zwei »zu einem neuen Menschen« geschaffen werden sollen. »Rein von der Sache her erwartete man etwa: zu einem neuen Volk«[68]. Noch schwerer wiegt, daß seine geschichtliche Interpretation den Zusammenhang mit den Partizipialsätzen in V.14 zerreißt und der Konjunktion ἵνα nicht gerecht wird. Läßt man den Finalsatz von Juden und Heiden handeln, wird es rätselhaft, weshalb zuvor von bislang getrennten Bereichen oder Gebieten die Rede ist. Diese wurden vereinigt und die Trennwand niedergerissen, *damit* »die zwei« zusammengefaßt und »die beiden« versöhnt würden. Von Juden und Heiden läßt sich aber kaum behaupten, daß sie durch eine Mauer getrennte Gebiete bewohnten, geschweige denn Himmel und Erde bevölkerten.
Schille schlägt deshalb eine andere Deutung vor, die ebenfalls den Genuswechsel berücksichtigt, zugleich aber im vorgegebenen Rahmen der Kos-

65 *Schlier*, Epheser, S. 124.
66 *Käsemann*, Christus, das All und die Kirche, Sp. 588; *Schille*, Hymnen, S. 27; *Schweizer*, Kirche als Leib Christi, S. 303; *Gnilka*, Christus unser Friede, S. 198; ders., Epheser, S. 140.148; *Wengst*, Formeln und Lieder, S. 182.
67 *Schlier*, Epheser, S. 123 Anm. 1.
68 Ebd. S. 134.

mologie verbleibt. An die Adresse *Schliers* gerichtet, stellt er fest: »Wegen der Parallelität der Worte ›die beiden‹ V.16 zu ›den beiden‹ V.14 (hier neutrisch) wird man mit den Hymnen Phil 2,10; Eph 1,10; Kol 2,10 an die engelischen, dämonischen, menschlichen u. ä. Bewohner der gestuften Himmelsregionen denken müssen, aber jedenfalls nicht an Juden und Heiden«[69]. Weder diese Aufzählung, die im Himmel sogar menschliche Bewohner vermutet, noch die Annahme gestufter Himmelsregionen entspricht freilich der in V.14 vorausgesetzten Zweiteilung. *Schilles* Auslegung ist um so überraschender, als er selbst erklären kann: »Ziel der Tat Christi ist die Vereinigung Himmels und der Erde«[70]. Konsequenter ist hier *Wengst*, der von zwei Gruppen ausgeht und sie auf Himmel und Erde verteilt. Er versteht die Himmelsbewohner als feindselige Mächte, die die Erdenbewohner knechten, und kann demgemäß zu Eph 2,16 feststellen, hier geschehe »die Versöhnung von Menschen und Mächten, indem sie in Christus zu dem einen neuen Menschen geschaffen werden«[71]. Dieses Verständnis der Versöhnung als eines kosmischen Geschehens, das im Himmel die Mächte und auf Erden die Menschen angeht, hat nicht nur den Duktus des finalen Nebensatzes, sondern auch das gesamte Vokabular der beiden Doppelzeilen auf seiner Seite. Sowohl das Verbum »erschaffen« als auch die Angaben »zu einem neuen Menschen« und »in einem Leibe« lassen sich mühelos damit verbinden. Daß der gesamte Kosmos als ein allumfassender »Leib« vorgestellt werden konnte, lehrt nicht zuletzt der Vierzeiler in Kol 1,16d–18a[72]. Für die parallele Verwendung des Wortes ἄνθρωπος verweist *Schlier* auf den »Menschen« der jüdischen Adamspekulation, der ebenfalls kosmische Ausmaße hat und die ganze Schöpfung repräsentiert[73]. Stoische und jüdische Traditionen treffen in der Vorstellung vom kosmischen Makroanthropos zusammen. Zu Eph 2,15 bemerkt *Schlier*: »Daß er der ›eine‹ ist, steht natürlich im Gegensatz zu τοὺς δύο und ist wie auch sonst das in unserem Brief pointiert gebrauchte εἷς, μία, ἓν als die zusammenfassende Einheit zu verstehen. Καινός hat einen eschatologischen Sinn, d. h., es ist der absolut neue Mensch gemeint, der eine ›neue‹ Schöpfung (καινὴ κτίσις 2 Kor 5,17; Gal 6,15) darstellt«[74].

Von anderer Art ist die Weltbetrachtung, die hinter der ersten Doppelzeile steht. Nur für die eschatologische Aussage wird die Vorstellung vom kosmischen Anthropos aufgenommen. Die Schilderung der alten Welt erfolgt mit Hilfe eines anderen Schemas. Es unterscheidet zwei Sphären und entspricht ebenfalls einer verbreiteten Vorstellung. Die Unterscheidung ist noch erkennbar, wenn der Hymnus von Kol 1,15–20 in seiner Schlußzeile die kos-

---

69 *Schille*, Hymnen, S. 29 Anm. 32.
70 Ebd. S. 29.
71 *Wengst*, Formeln und Lieder, S. 185.
72 Vgl. oben S. 36.
73 *Schlier*, Epheser, S. 134; vgl. außerdem den Exkurs S. 90–96.
74 Ebd. S. 134.

mische Fülle umschreibt: »sowohl was auf Erden als auch was im Himmel ist«. Deutlich halten auch 1 Tim 3,16 und Phil 2,6–11 die irdische und die himmlische Sphäre auseinander. Für die letztere gebraucht der Epheserbrief mehrfach den neutrischen Ausdruck τὰ ἐπουράνια (Eph 1,3.20; 2,6; 3,10; 6,12), während der Kolosserbrief von τὰ ἄνω spricht und τὰ ἐπὶ τῆς γῆς dagegen setzt (Kol 3,2). In der hymnischen Aussage von Eph 2,14 ist diese Unterscheidung auf die Spitze getrieben, indem von einer trennenden Mauer gesprochen wird.

Es sind also zwei im Ansatz verschiedene Betrachtungsweisen der Welt, die sich in den beiden Doppelzeilen begegnen. Der Hymnus stellt sie einander gegenüber, um die alte und die neue Welt zu charakterisieren. Die erste Doppelzeile handelt von der Gespaltenheit des Alls in zwei Sphären, der der Erlöser ein Ende macht, indem er die Scheidewand zerstört. Himmel und Erde werden miteinander vereinigt. Die zweite Doppelzeile knüpft an die Weltbetrachtung der ersten an, sofern die Bewohner der beiden Sphären erwähnt werden. Doch bleibt der Finalsatz bei dieser Erinnerung nicht stehen, sondern strebt einer neuen Aussage zu. Als Ziel der eben geschilderten Tat nennt er die neue Schöpfung, wobei nun die Auffassung der Welt als eines Anthropos zum Tragen kommt. Daß von der alten, zu erlösenden Welt dualistisch die Rede war, führt hier dazu, daß der Neue Mensch betont als »einer« vorgestellt wird, obwohl die Anschauung vom Makroanthropos schon an sich die Einheit der Welt zum Ausdruck bringt. Das zusätzliche ἕνα ist eine Folge der andersartigen Weltbetrachtung, die das erste Doppelkolon und im Anschluß daran auch den Beginn des zweiten bestimmt. Hymnischem Stil gemäß wird der Gedanke mit anderen Worten wiederholt. Für »die zwei« steht in der parallelen Zeile »die beiden«, als Äquivalent für »Mensch« erscheint »Leib«, und der schöpferische Akt wird als Versöhnung beschrieben.

Nachdem die beiden Doppelzeilen von der Tat des Erlösers und von seiner Absicht gesprochen haben, handelt die Schlußzeile von seinem Kommen. Ἐλθών ist an den Anfang gestellt und markiert einen Wechsel der Szene. Das Auftreten des Erlösers ist mit Worten des Alten Testaments geschildert: »Er verkündete Frieden den Fernen und Frieden den Nahen«. Er ist der Freudenbote, von dem Jesaja sprach.

Es liegt nahe, dieses Auftreten auf der Erde anzunehmen und in ἐλθών die Epiphanie des Erlösers ausgesagt zu finden. *Gnilka* allerdings ist anderer Ansicht und nimmt einen Gedanken von *Schweizer* auf. Ohne sich auf eine Rekonstruktion festzulegen, bemerkt dieser im Blick auf die Versöhnungsaussage von Eph 2,16: »Das ἐλθών von V.17 ist sehr viel leichter verständlich, wenn dahinter noch die Vorstellung steht, daß die Himmelfahrt Christi diese Versöhnung vollzog«[75]. *Gnilka* versteht zwar das Kommen nicht als den Vollzug der Versöhnung, sondern setzt es danach an. Doch deutet

---

75 *Schweizer*, Kirche als Leib Christi, S. 304.

auch er das Partizip auf den auffahrenden Christus. »Nehmen wir einmal an, daß die Fernen und die Nahen Bestandteil des Liedes waren, so ist damit die Manifestation der erfolgten Pazifizierung des Kosmos vor den Mächten bezeichnet, die den Hintergrund der Mission unter den Völkern darstellt. Beides wird Christus zugeschrieben, und zwar dem auffahrenden«. »Mit der Proklamation der Friedensbotschaft, die der erhöhte Christus vornimmt, schließt das Lied ab«[76]. Als Parallele führt *Gnilka* 1 Tim 3,16 an: »Erschienen vor den Engeln, verkündet unter den Völkern«. Einzuwenden ist gegen diese Auffassung, daß es vom Standpunkt der singenden Gemeinde aus abwegig wäre, Christi Auffahrt als »Kommen« zu bezeichnen. Auch in 1 Tim 3,16 ist solches nicht der Fall. Ὤφθη ἀγγέλοις meint zwar in der Tat ein Erscheinen vor dem Forum der Himmlischen, doch ist zuvor mit ἐφανερώθη ἐν σαρκί ebenso deutlich die Epiphanie auf Erden ausgesagt. In seinem oben dargelegten Umfang läßt der Hymnus von Eph 2,14 ff. eine vergleichbare Aussage vermissen – es sei denn, man nehme ἐλθών in seiner üblichen Bedeutung. Zuzustimmen ist *Gnilka* darin, daß es der Schlußzeile nicht um den Vollzug der Versöhnung geht, sondern um die anschließende Proklamation. Das Partizip bedeutet eine deutliche Zäsur. Die Hörer der Botschaft sind jedoch nicht die himmlischen Mächte, sondern die Bewohner der Erde. Daß der Erlöser zu ihnen kommt, ist die unmittelbare Folge dessen, daß er die Trennwand zwischen Himmel und Erde zerstört hat. In seinem Auftreten findet die alttestamentliche Verheißung ihre Erfüllung. Er verkündet Frieden den Fernen und Frieden den Nahen. Der Inhalt dieser Botschaft entspricht Jes 57,19. Die prophetische Verheißung hat im Zusammenhang des Hymnus allerdings einen neuen Sinn gewonnen. In Jes 57 geht es um das Schicksal des erwählten Volkes Israel. Die Nahen und die Fernen sind die zerstreuten Glieder des Gottesvolkes. *Bernhard Duhm* spricht von »den frommen Juden weit und breit«[77]. Der Horizont des Hymnus ist weiter gespannt. Nicht von Israel handelt sein erster Akt, sondern von der ganzen Schöpfung. Dementsprechend ist auch die Friedensbotschaft an die gesamte Menschheit gerichtet. Nah und fern, urbi et orbi, hat der Freudenbote auszurichten, daß Friede ist. Sowenig wie bei Jesaja ist damit der Friede *zwischen* den Fernen und Nahen gemeint, vielmehr der Friede, der ihnen allen zuteil wird[78]. Die Blickrichtung des Propheten ist beibehalten, nur daß der Blick jetzt weiter geht. Der gesamten Menschheit wird als frohe Botschaft ausgerichtet, daß Friede geworden ist, da die Mauer zwischen Himmel und Erde gefallen und die Schöpfung erneuert ist. Diese Tat vollbracht hat derselbe, der nun auch die Kunde davon bringt.
Ist diese Deutung richtig, entwickeln die hymnischen Zeilen in Eph 2,14–17 nicht nur eine zusammenhängende und in sich verständliche Aussage. Die

76 *Gnilka*, Christus unser Friede, S. 200; vgl. ders., Epheser, S. 150f.
77 *Bernhard Duhm*, Das Buch Jesaia, 1968⁵, S. 434.
78 Vgl. oben S. 130.

Vorlage erweist sich sogar als Dokument einer grandiosen und höchst eigenwilligen theologischen Konzeption. Motiv- und traditionsgeschichtlich
vielfältig, literarisch dagegen aus einem Guß, skizziert das kurze Stück eine
umfassende Erlösungslehre. Angesichts der zweistrophigen Hymnen des
Philipper- und Kolosserbriefes kann man sich fragen, ob die hymnische Partie in Eph 2,14–17 möglicherweise das Fragment eines ebenfalls zweistrophigen Liedes darstellt. Daß das Stück in seinem syntaktischen und formalen Aufbau abgerundet ist, schließt nicht aus, daß eine entsprechende Gegenstrophe verlorenging. Andererseits ist nicht recht vorstellbar, wovon
eine vorausgehende erste oder eine nachfolgende zweite Strophe gehandelt
haben könnte. Da erst die Schlußzeile des überlieferten Textes auf die An-
kunft des Erlösers zu sprechen kommt, gelten die voranstehenden Doppelzeilen dem Präexistenten. Das Stück kann insofern dem ersten Teil von Phil
2, 6–11 an die Seite gestellt werden, der ebenfalls den Weg des Präexistenten zur Erde nachzeichnet. Zu postulieren wäre demnach keine vorausgehende, sondern allenfalls eine nachfolgende Strophe, die vom Wiederauf-
stieg des Gekommenen handelte. Zu denken gibt jedoch, daß Eph 2,17 das
Auftreten des Erlösers völlig anders schildert als Phil 2,7 f. Die erlösende
Tat ist vollbracht, und der Gekommene kann sie aller Welt verkünden.
Nicht die Erniedrigung und Verborgenheit des Erlösers, sondern seine Epiphanie und Verkündigung sind das Thema von Eph 2,17. Bereits mit seinem
irdischen Auftreten und nicht erst danach findet die alttestamentliche Verheißung ihre Erfüllung. Eine Fortsetzung konnte zwar noch von der Rückkehr des Erlösers berichten, ein eigentliches Heilsereignis war solche Auffahrt nicht mehr. Dies bedeutet, daß der erhaltenen Strophe eine weitere
gefolgt sein kann, aber nicht muß. Die Möglichkeit ist nicht auszuschließen, daß in Eph 2,14–17 ein altes Lied in seinem ganzen Umfang erhalten
blieb.
In jedem Fall ist deutlich, daß das Stück gegenüber Phil 2,6–11, Kol 1,15–20
und auch 1 Tim 3,16 eine eigentümliche Christologie vertritt. Mit *Schille*
von einem »Kreuz-Triumph-Lied« zu sprechen[79], geht nicht an, da weder
das Kreuz noch der folgende Triumph besungen wird. Es macht die Eigenart
des Liedes aus, daß es nicht an der Erhöhung des Erlösers interessiert ist,
sondern die Tat des Präexistenten und seine Epiphanie als Heilsereignis
preist. Es besingt weder die Erhöhung des gehorsamen Erniedrigten wie Phil
2,6–11 noch die Auferweckung des Erstgeborenen von den Toten wie Kol
1,15–20 und auch nicht die Huldigung, wie sie nach 1 Tim 3,16 dem neuen
Herrn im Himmel und auf Erden zuteil wird. Seine Aussage ist eine andere:
Der die Trennung zwischen Himmel und Erde beseitigte, um die zerrissene
Welt als neue Schöpfung zu vereinen, erschien auf Erden und verkündete
den weltumspannenden Frieden. Der erste Teil dieses Satzes hat rein my-

---

79 *Schille*, Hymnen, S. 43.

thologischen Charakter, der zweite handelt von einem Ereignis in der Geschichte der Menschheit.

Das Lied dürfte in einer hellenistisch-judenchristlichen Gemeinde entstanden sein, denn es nimmt nicht nur spekulative Vorstellungen des hellenistischen Judentums auf, sondern verwendet auch dessen schriftliche Überlieferung. Das abschließende Jesaja-Wort ist der griechischen Version des Alten Testaments entlehnt. Das hymnische Bekenntnis, das mit Hilfe dieser Traditionen formuliert ist, sprengt freilich den Rahmen des Judentums. Das Lied weiß den Erlöser gekommen und blickt auf seine heilstiftende Tat zurück. Es ist allein die neue Schöpfung, die als harmonisches Corpus gilt. Zugleich ist der Hymnus aber auch von der Gedankenwelt der Gnosis deutlich geschieden. Der zunächst skizzierte Dualismus ist gerade kein unversöhnlicher, und die Erlösung besteht nicht im Exodus derer, die von Natur der himmlischen Welt angehören, sondern in der Versöhnung beider Sphären. Im Gedanken der neuen Schöpfung behält das alttestamentliche Denken über den synkretistischen Dualismus die Oberhand. Nur daß die neue Welt dank der Tat des Erlösers nicht mehr erwartet werden muß, sondern von der Gemeinde, die seine Botschaft aufnimmt, als ihre Wirklichkeit besungen werden kann!

Durch seine Zusätze hat der Schreiber des Epheserbriefes diese christologische Konzeption tiefgreifend verändert. Er ist jedoch nicht der einzige, der sich im Zusammenhang eines Briefes auf die Aussagen des Hymnus beruft. Die charakteristischen Stichworte ἀποκαταλλάσσειν und εἰρηνο – ποιή-σας in Kol 1,20 lassen vermuten, daß der Einschub in den Hymnus von Kol 1,15–20 auf denselben liturgischen Text anspielt[80]. Macht man sich die verbreitete Auffassung zu eigen, daß der Kolosserbrief älter ist als der Epheserbrief, muß auch diese Anspielung früher angesetzt werden als die fortlaufende Interpretation des Liedes im Schreiben an die Epheser. Hält man ferner daran fest, daß der Epheserbrief literarisch vom Kolosserbrief abhängig ist, könnte die dortige Anspielung sogar der Anlaß gewesen sein für die Zitierung des Textes im Epheserbrief. Jedenfalls war dem Verfasser des jüngeren Briefes bekannt, in welcher Weise der ältere den Gedanken der Versöhnung aufnahm und interpretierte. Dem Autor des Epheserbriefes war somit nicht nur der Hymnus, sondern auch bereits eine literarisch fixierte Deutung vorgegeben. Es empfiehlt sich deshalb, zunächst die Verwendung des Hymnus im Zusammenhang des Kolosserbriefes zu untersuchen und erst danach die Interpretation zu betrachten, die das Lied im Epheserbrief erfährt.

---

80 Siehe oben S. 25.

Die Deutung und Bearbeitung des Hymnus

1. Die Anspielungen in Kol 1,20–22

Der Verfasser des Kolosserbriefes zitiert im ersten Kapitel seines Schreibens einen Christus-Hymnus, dessen zweite Strophe die kühne Aussage wagt: »Er ist der Anfang, der Erstgeborene von den Toten, denn in ihm nahm die ganze Fülle Wohnung, sowohl was auf Erden als auch was im Himmel ist«. Beachtet man die Korrespondenz zur ersten Strophe, heißt dies in Prosa: Im Erstgeborenen von den Toten konstituierte sich eine neue Welt. Durch eine Korrektur in Kol 1,19 führt der Briefschreiber dieses Geschehen auf den erwählenden Ratschluß Gottes zurück, und durch einen Einschub in V.20 gibt er eine Erläuterung des Geschehens. Zwischen das syntaktisch abgewandelte Stichwort κατοικῆσαι und die distributive Fortsetzung: »sowohl was auf Erden als auch was im Himmel ist« schiebt er ein: »und durch ihn das All auf ihn hin zu versöhnen, Frieden stiftend durch ihn«. Faßt man das καί mit *Benoit* explikativ[1], kommt der Verfasser nicht auf ein weiteres Ereignis zu sprechen, sondern kommentiert den Vorgang der kosmischen Einwohnung in Christus. Er geht offenbar davon aus, daß die genannten Bereiche Himmels und der Erden bislang geschieden waren. Nehmen sie gemeinsam Wohnung in Christus, bedeutet dies die Versöhnung des Alls. Diese Vorstellung einer kosmischen Versöhnung entspricht der Konzeption des Versöhnungsliedes in Eph 2,14–17. Daß der Autor des Kolosserbriefes darauf anspielt, macht zum einen der singuläre Begriff ἀποκαταλλάσσειν wahrscheinlich, zum andern der komprimierte Ausdruck εἰρηνοποιήσας, in dem das zentrale Wort der hymnischen Schlußzeile Eph 2,17 als auch der partizipiale Auftakt Eph 2,14 wiederkehrt.

Ebenfalls dem Hymnus nahe steht die Aussage von Kol 1,23, das Evangelium werde verkündet ἐν πάσῃ κτίσει τῇ ὑπὸ τὸν οὐρανόν. Mit anderen Worten, doch ebenso weitgreifend besingt Eph 2,17 die Verkündigung des Erlösers: Nach seinem Kommen zur Erde wendet er sich an alle in fern und nah. Ein weiteres Indiz für die Bekanntschaft des Briefschreibers mit dem Versöhnungslied findet sich in Kol 3,15. Er erklärt dort: »Der Friede Christi regiere in euren Herzen, zu dem ihr auch berufen seid in einem Leibe.« An den Hymnus von Eph 2,14–17 erinnert nicht nur die Rede vom Frieden, sondern deutlicher noch die Formulierung ἐν ἑνὶ σώματι.

Diese Anspielungen können zwar nicht die Rekonstruktion des Versöhnungsliedes bestätigen, werden sie doch erst aufgrund dieser als solche er-

---

1 *Benoit*, Leib, Haupt und Pleroma, S. 274; vgl. oben S. 58.

kennbar. Die Stichworte »Frieden« und »ein Leib« sind so ungewöhnlich nicht, daß sie nicht auch ohne Vorlage verwendet werden konnten. Ein Hapaxlegomenon ist nur das doppelte Kompositum ἀποκαταλλάσσειν, das allein freilich wenig für den genauen Umfang des Versöhnungsliedes hergibt. Um so mehr Gewicht hat seine Verwendung in Kol 1,20 für die Interpretation des wiedergewonnenen Textes. Denn der Verfasser des Kolosserbriefes gibt hier zu erkennen, wie er als Zeitgenosse den hymnischen Topos verstanden hat. Er bringt das Stichwort in einen Zusammenhang ein, der rhetorisch den irdischen und den himmlischen Bereich unterscheidet. Er weist dem Verbum sodann als einziges Objekt τὰ πάντα zu. Daran wird deutlich, daß der Autor des Kolosserbriefes die Versöhnung als ein innerkosmisches Geschehen begriff. Obwohl er Gott eine entscheidende Rolle zuerkennt, spricht er nicht von der Versöhnung des Alls mit Gott und auch nicht von der Aussöhnung verfeindeter Menschengruppen, sondern bewegt sich genau in jenem Horizont, der durch die Vorstellung einer Trennwand zwischen Himmel und Erde gegeben ist. Seine Anspielung bestätigt insofern die Interpretation des Versöhnungsliedes von Eph 2,14–17.

Auf der anderen Seite ist nicht zu übersehen, daß der neue Kontext ein Verständnis der Versöhnung mit sich bringt, das von der Konzeption des Liedes erheblich abweicht. Es bleibt zwar dabei, daß die Versöhnung ein innerkosmisches Geschehen ist, doch wird dieses christologisch anders angesetzt. In dreifacher Hinsicht ergibt sich eine Verschiebung des Gedankens: Der Hymnus von Eph 2,14–17 preist den Präexistenten als Versöhner der Welt, die zweite Strophe des Kolosserhymnus handelt vom Erstgeborenen von den Toten. Sodann besingt das Versöhnungslied den Erlöser als aktiv Handelnden, in Kol 1,20 dagegen ist seine Rolle passiv aufgefaßt. Die Initiative liegt bei Gott, der ihn von den Toten auferweckte und durch ihn das All zu versöhnen beschloß. Das logische Subjekt der Verbformen ἀποκαταλλά-ξαι und εἰρηνοποιήσας ist Gott[2], und zu beiden tritt als christologische Angabe die präpositionale Bestimmung δι' αὐτοῦ. Schließlich bringt der Hymnus von Eph 2,14–17 nur zum Ausdruck, daß der Erlöser die zerrissene Welt in einem Leib versöhnte. Daß dieser sein eigener sei und die Versöhnung also in ihm erfolgte, wird nicht gesagt. Anders ist dies in Kol 1,20, da hier der Gedanke der Versöhnung mit dem der Einwohnung in Christus verbunden ist. Die Versöhnung geschieht demgemäß εἰς αὐτόν, und Realität ist der neue Zustand ἐν αὐτῷ, sofern in ihm die ganze Fülle Wohnung nahm. Der Briefschreiber hält hier fest an jener σῶμα-Vorstellung, die er mit Hilfe des Vierzeilers bereits anläßlich der ersten Strophe des Kolosserhymnus entfaltet hat: Die neue Welt ist Christi Leib und Er ihr Haupt. Wenn das Versöhnungslied davon spricht, daß das schöpferische Tun »zu einem neuen Menschen« führen und die Versöhnung »in einem Leibe« erfolgen sollte, sind dies für den Autor des Kolosserbriefes nicht nur kosmolo-

---

2 Siehe oben S. 59.

gische, sondern zugleich christologische Aussagen. Der eine Leib ist selbstverständlich der Leib Christi, und der neue Mensch ist Christus als kosmischer Anthropos.

In Kol 1,21 wendet sich der Briefschreiber unmittelbar seinen Lesern zu, um alsbald in V.22 erneut von der Versöhnung zu sprechen. Er appliziert den soeben eingeführten hymnischen Topos ad homines und führt auf diese Weise seine Deutung fort. In den Vordergrund treten dabei zwei Momente, von denen das eine im Versöhnungslied von Eph 2,14–17 einen gewissen Anhalt hat, während das andere dem neuen Verständnis in Kol 1,20 entspricht und eine Ergänzung darstellt.

Der Verfasser betont, daß auch die Leser an der Versöhnung ἐν τῷ σώματι teilhaben. Diese Anwendung liegt auf der Linie des Versöhnungsliedes, sofern dort mit »die zwei« und »die beiden« die Bewohner von Himmel und Erde genannt[3] und also auch die Menschen in die Versöhnung einbezogen sind. Der Briefschreiber teilt diese Auffassung und wendet den Gedanken in konkreter Zuspitzung auf die Gläubigen von Kolossae an. Er weicht jedoch von seiner Vorlage ab, wenn er als Subjekt des versöhnenden Handelns weiterhin Gott voraussetzt und schließlich als dessen Absicht nennt: »daß er euch hinstelle heilig und unsträflich und untadelig vor ihm«.

Voraus geht eine Schilderung der Vergangenheit seiner Leser. Die Anrede in V.21 charakterisiert sie als »ehemals entfremdet und feindlicher Gesinnung in den bösen Werken«. Der erste Ausdruck meint dabei ohne Zweifel ehemalige Heiden, und mit *Lohmeyer* und *Lohse* kann auch die Fortsetzung auf sie bezogen werden[4]. Nicht ganz auszuschließen ist freilich, daß der zweite Ausdruck in analoger Weise die Vergangenheit jüdischer Gemeindeglieder beschreiben soll. Zumindest kann eine derartige Deutung, die Röm 11,28 auf ihrer Seite hat, nicht a limine abgewiesen werden. Dagegen ist es kaum dem Text gemäß, in den Stichworten »entfremdet« und »feindlich« das gegenseitige Verhältnis von Heiden und Juden angesprochen zu sehen. Die pointierte Rede von den »bösen Werken« läßt sich hier schwer unterbringen. Sie macht vielmehr deutlich, daß die Vergangenheit der Gemeindeglieder sub specie Dei betrachtet ist. Ob Heiden und Juden oder allesamt Heiden, sie waren jedenfalls in Gottes Augen voller Bosheit. Doch als Teil der versöhnten Welt, einbezogen in den allumfassenden Leib Christi, gehören sie der neuen Schöpfung an und finden so Gottes Wohlgefallen.

Sobald allerdings der genannte »Leib« ekklesiologisch aufgefaßt wird, kann sich das Mißverständnis einschleichen, die Fremden und die Feinde seien als ehemalige Kontrahenten angesprochen. Und ein theologisch ausgerichtetes Verständnis der Versöhnung kann ihnen dazuhin Gott zum Gegenüber setzen, so daß sich eine zweifache Versöhnung ergibt.

Auch wenn es zunächst dabei bleibt, daß die Versöhnung ein innerkosmisches Geschehen ist, bahnt sich in der Interpretation des Kolosserbriefes

---

3 Siehe oben S. 135.
4 *Lohmeyer*, Kolosser, S. 69f.; *Lohse*, Kolosser, S. 105f.

doch eine Erweiterung des Horizontes an. Der Blick greift aus und bezieht Gottes Plan und Ziel mit ein. Gott ist sowohl der Initiator der Versöhnung (Kol 1,19 f.) als auch der, vor dessen Angesicht die Glieder der versöhnten Welt schließlich fehllos und untadelig zu stehen kommen (1,22). Das christologische Geschehen wird hier behutsam in einen theologischen Rahmen eingezeichnet. Da es nicht angeht, Gott als einen Teil im neuen Christusleibe anzusetzen[5], wird vom neuen Verhältnis zu ihm in einem weiterführenden Satz gesprochen. Auf das verbum finitum ἀποκατήλλαξεν (V. 22) läßt der Briefschreiber den finalen Infinitiv παραστῆσαι folgen. Führt jedoch die Versöhnung der Welt letzten Endes zu einem neuen Stand vor Gott, ist es nicht mehr weit zu der Auffassung, daß er in unmittelbarer Weise Partner der Versöhnung ist. Im Wege steht nur noch die Vorstellung, daß die Versöhnung ἐν τῷ σώματι als dem umfassenden Leibe Christi zustande kam. Sie ergab sich, als der Autor des Kolosserbriefes das Versöhnungslied mit dem zweistrophigen Christushymnus kombinierte und dazuhin als Beschreibung der neuen Gegebenheiten den kosmologischen Vierzeiler aufnahm. Das ἐν ἑνὶ σώματι versöhnte All (Eph 2,16) und der Leib, der in Christus sein Haupt hat (Kol 1,18a), sind für ihn identisch. Die Versöhnung geschah in Christus, und sein Leib ist die neue Welt.

Diese geschlossene Konzeption und der einheitliche σῶμα-Begriff werden jedoch preisgegeben durch den Glossator des Briefes. Seine Zusätze unterscheiden zwischen σῶμα und σῶμα. Auf der einen Seite wird von ihm die Aussage, Christus sei »das Haupt des Leibes«, ergänzt durch den Genitiv »der Gemeinde« (Kol 1,18a); wenig später wiederholt er diese Interpretation in Form einer Gleichung (1,14). Auf der anderen Seite glossiert er die Formulierung: »er hat versöhnt in dem Leibe« durch die nähere Bestimmung: »seines Fleisches, durch den Tod« (1,22), nachdem er zuvor schon zum Partizip »Frieden stiftend« hinzugesetzt hat: »durch das Blut seines Kreuzes« (1,20). Er hält also fest, daß σῶμα im vorliegenden Zusammenhang den Leib Christi meint, doch denkt er einmal an den Christusleib der Kirche, das andere Mal an den Kreuzesleib des Irdischen.

Für den Versöhnungsgedanken bedeutet dies eine tiefgreifende Veränderung. Zu nennen sind wiederum drei Momente, die teils an die Interpretation des Briefschreibers anknüpfen, teils erheblich davon abweichen. Sie betreffen die Christologie, die Theologie und die Ekklesiologie.

Nach der Auffassung des Glossators geschah die Versöhnung durch Christi Tod am Kreuz. Aus der räumlichen Angabe »in dem Leibe« ist dank der Definition »seines Fleisches« eine instrumentale Bestimmung geworden. Die Korrektur bedeutet außerdem, daß Christus nun als Irdischer ins Blickfeld tritt. Besang das Versöhnungslied den Präexistenten als Versöhner und ließ der Briefschreiber die Versöhnung im Erstgeborenen von den Toten stattfinden, ordnet sie der Glossator dem Gekreuzigten zu. Dieser andere chri-

---

5　Vgl. 1 Kor 15,27.

stologische Ansatz bringt es mit sich, daß die Auffassung des Briefschreibers, derzufolge Christus der Ort der Versöhnung ist und allein Gott als Handelnder erscheint, zurückgedrängt wird. Nunmehr übernimmt Christus, wenn auch als Leidender, neuerdings einen »aktiven« Part. Es ist sein Blut, das den Frieden stiftet, und sein Tod, der die Versöhnung bewirkt. Infolgedessen kann den Verbformen εἰρηνοποιήσας (V.20) und ἀποκατήλλαξεν (V.22) auch Christus als Subjekt zugeordnet werden[6].
Gott ist dafür in anderer Hinsicht verstärkt in das Geschehen einbezogen. Die Glossen in V.20 und V.22 interpretieren Christi Kreuzigung als Sühnetod. Hält man sich an die naheliegende Vorstellung, daß es Gott ist, dem solche Sühne dargebracht wurde[7], kommt er unmittelbar als Gegenüber der Versöhnung zu stehen. Was sich in den Sätzen des Briefschreibers anbahnte, hat der Glossator auf seine Weise fortgeführt. Nach seinem Eingriff in V.22 bezeichnet ἐν τῷ σώματι nicht mehr den integrierenden Raum der Einwohnung, sondern das Sühnemittel. Der bisherige Hinderungsgrund, die Versöhnung auf Gott auszudehnen, ist damit hingefallen.
Auf der anderen Seite führt die ekklesiologische Deutung des Leibes in V.18a zu einer Einschränkung der vorgegebenen Konzeption: Christus ist nicht das Haupt des Alls, sondern das Haupt der Kirche. Entsprechend verringert sich auch der Geltungsbereich der Versöhnung. Sie ist eine kirchliche, nicht eine kosmische Wirklichkeit. Schon der Briefschreiber legte Wert darauf, daß die Gläubigen von Kolossae an der Versöhnung teilhaben. Insofern zielt auch seine Auslegung des hymnischen Topos auf die Gemeinde. Doch arbeitet er nicht mit einem Kirchenbegriff, der die Gläubigen als Größe sui generis zusammenfaßt und von der übrigen Welt distanziert. Die Versöhnung der Kolosser ergibt sich für ihn aus der Versöhnung des Alls. Der Glossator hingegen gründet sie auf das Sterben Christi, der als Erhöhter das Haupt seiner Kirche ist. Wird jedoch die Versöhnung speziell in der Kirche als Wirklichkeit erfahren, ist es nicht mehr weit zu der Vorstellung, daß die Gläubigen nicht nur mit Gott, sondern auch untereinander als ehemals »Fremde« und »Feinde« durch Christus versöhnt wurden.
Das Versöhnungslied, auf das im Kolosserbrief nur angespielt ist, wird im Epheserbrief zitiert und Satz für Satz bearbeitet. Ob und inwieweit diese Bearbeitung den Ausführungen zur Versöhnung verpflichtet ist, die in Kol 1,20–22 der Autor des Briefes und darauf aufbauend der Glossator vorgelegt haben, wird die weitere Untersuchung klären müssen.

2. Der Kontext Eph 2,11–22

Die Rekonstruktion des Versöhnungsliedes, das in den Exkurs von Eph 2,14–18 aufgenommen ist, ging aus von der Beobachtung, daß sich in die-

---

6 Siehe oben S. 21 und S. 72.

sem Abschnitt zwei Blickrichtungen überlagern. *Schille* konstatierte als doppelten Skopus die Versöhnung zwischen Juden und Heiden und die Versöhnung der Menschheit mit Gott. Seine Frage war: »Ist der doppelte Skopus in diesen Versen etwa dadurch entstanden, daß der Briefschreiber einem etwas anders gerichteten Liede seine Blickrichtung aufnötigte?«[8] Er beantwortete sie positiv und reklamierte für den Briefschreiber aufgrund der Verse 11–13 und 19 den Gedanken der Versöhnung zwischen Juden und Heiden. Unbefriedigend an seiner Rekonstruktion des Hymnus ist, daß dieser noch immer von einer doppelten Versöhnung spricht. Auch wenn nicht mehr von Juden und Heiden die Rede ist, handelt er von einer Zweiheit, die zur Einheit findet, und dazuhin von der Versöhnung mit Gott. Konsequenter war in dieser Hinsicht *Gnilka*. Als charakteristisch für die Vorlage erkannte er im Gedanken der geeinten Zweiheit ein kosmisch-räumliches Schema und ordnete nicht nur die Aussöhnung von Juden und Heiden, sondern auch die Versöhnung mit Gott der Bearbeitung zu[9]. Genau genommen sind es also drei Vorstellungen, die in Eph 2,14–18 zusammentreffen: Die Aufhebung der kosmischen Zweiheit, die Aussöhnung von Juden und Heiden und die Versöhnung mit Gott.

Behandelte die hymnische Vorlage nur eines dieser drei Themen, hat sich die redaktionsgeschichtliche Betrachtung des Abschnittes mit dem Hinzukommen der beiden anderen zu befassen. Nachdem die oben vorgelegte Analyse zu dem Ergebnis geführt hat, daß der Hymnus die eschatologische Einigung und Versöhnung des zerrissenen Kosmos besingt, verbleiben für die Bearbeitung die Vorstellung der Versöhnung mit Gott und der Gedanke einer Aussöhnung von Juden und Heiden. Die beiden Varianten des Versöhnungsgedankens sind immerhin so verschieden, daß sie bei *Schille* zum Ausgangspunkt literarkritischer Operationen werden konnten. Die Erwägung, auch die kommentierende Bearbeitung des Hymnus könnte aus zwei literarisch unterscheidbaren Schichten bestehen, muß jedoch abgewiesen werden. Sie findet in der Analyse des Abschnittes keine Stütze! Es ergab sich vielmehr, daß die Glossen und Scholien zur hymnischen Vorlage ein enges Geflecht genau aufeinander abgestimmter Wiederholungen bilden[10]. Sie gehören stilistisch und terminologisch zusammen und dürften von derselben Hand stammen. Es sind nur zwei Schichten, die sich in Eph 2,14–18 literarkritisch unterscheiden lassen, wobei die hymnische und als Grundlage dienende Schicht alle jene Begriffe kosmischer Spekulation auf sich vereinigt, die dem Abschnitt sein unverwechselbares Gepräge geben, während die zweite, kommentierende Schicht sich einer Terminologie bedient, die dem Neuen Testament nicht nur geläufiger ist, sondern auch durchweg

---

7 Siehe oben S. 62.
8 *Schille*, Hymnen, S. 26; vgl. oben S. 119.
9 Siehe oben S. 121.
10 Siehe oben S. 127f.

geschichtlich verstanden werden kann[11]. Daß die Bearbeitung das Werk des Briefschreibers ist, liegt auf der Hand. Sowohl mit den vorangehenden Versen Eph 2,11–13 als auch mit der Fortsetzung 2,19 besteht ein enger Zusammenhang. Die redaktionsgeschichtliche Betrachtung hat also davon auszugehen, daß die Bearbeitung des Versöhnungsliedes, wie sie in Eph 2,14–18 und darüber hinaus in den Versen 11–13 und 19 vorliegt, insgesamt aus der Feder des Schreibers an die Epheser stammt. Der Briefschreiber hat die hymnische Vorlage im Sinne der Versöhnung mit Gott und der Aussöhnung zwischen Juden und Heiden gedeutet, wodurch die ursprüngliche Aussage nahezu verdeckt wird. Und er ist es auch, der dazu eine Sprache verwendet, die mit der Redeweise des Hymnus auffallend wenig zu tun hat.

Der Abstand, der sich damit zwischen Vorlage und Bearbeitung auftut, ist derart groß, daß er Zweifel aufkommen lassen kann, ob die Vorlage nicht zu eng bestimmt wurde. Wenn der hymnische Text dem späteren Kommentar derartig fernsteht, wie kommt es dann zu diesem Kommentar? Müßte die Vorlage nicht so bestimmt werden, daß die Bearbeitung deutlicheren Anhalt an ihr hat? Wie kommt der Briefschreiber dazu, den Hymnus in dieser Weise zu kommentieren? Oder umgekehrt gefragt: Wie kommt er dazu, gerade diesen Hymnus für seine ganz anders ausgerichteten Darlegungen aufzugreifen?

Beide Fragen lassen sich beantworten, wenn neben der liturgischen Überlieferung als weitere Vorlage des Epheserbriefes das Schreiben an die Kolosser herangezogen wird. Im ersten Kapitel des Kolosserbriefes begegnet zweimal das Stichwort ἀποκαταλλάσσειν. Die homiletische Auswertung in Kol 1,22 läßt erkennen, daß es sich in 1,20 um einen traditionellen Topos handelt, der dem Briefschreiber vorgegeben war. Für den Verfasser des Epheserbriefes bildet das Stichwort ἀποκαταλλάσσειν den Anlaß, das ihm bekannte Versöhnungslied zu zitieren. Indem er verbis expressis anführt, was er im Kolosserbrief anklingen hört, ergibt sich scheinbar eine Priorität des Epheserbriefes gegenüber dem Schreiben an die Kolosser; das Lied ist älter als die Anspielung darauf[12]. In Wirklichkeit ist hier jener Fall gegeben, mit dem schon *Greeven* rechnet, wenn er zum komplizierten Verhältnis der Briefe feststellt, daß »beide von einer Tradition bestimmt sind, die auch in dem ›jüngeren‹ Eph getreuer reproduziert sein kann«[13]. Die literarische Priorität bleibt beim Kolosserbrief. Daß das Zitat des Versöhnungsliedes in Eph 2 tatsächlich durch den Kolosserbrief veranlaßt ist, zeigt sich daran, daß gleichzeitig eine ganze Anzahl von Begriffen erscheint, die in Kol 1 zur homiletischen Auswertung gehören und mitübernommen werden.

In dieser Beobachtung steckt bereits die Antwort auf die andere Frage, wie der Autor des Epheserbriefes zu seiner Interpretation des Versöhnungslie-

---

11 Siehe oben S. 128.
12 Vgl. dazu oben S. 25.
13 *Dibelius-Greeven*, Kolosser, Epheser, S. 113.

des kommt. Er knüpft an jene Ausführungen an, die im Kolosserbrief zum Stichwort ἀποκαταλλάσσειν vorlagen. Sein Verständnis des Hymnus war ihm durch den älteren Brief in wesentlichen Stücken *vor*geschrieben. Auch wenn der Kommentar in Eph 2,14–18 literarisch aus einem Guß ist, gibt es doch eine literarisch faßbare Vorstufe dieser Auslegung. Nur ist sie nicht im Epheserbrief zu finden, sondern im Kolosserbrief, den der Autor ad Ephesios seinem Schreiben zugrunde legte. Der beachtliche Abstand zwischen dem Versöhnungslied und seiner fortlaufenden Kommentierung wird durch diese Vorstufe fast ganz überbrückt. Geleistet wurde diese Vorarbeit zum einen Teil vom Autor, zum anderen vom Glossator des Kolosserbriefes. Dem Autor des Epheserbriefes dürfte dies zwar kaum bewußt gewesen sein, doch fußt er de facto auf einer bereits fortgeschrittenen exegetischen Tradition. Für seine Auslegung des Versöhnungsliedes übernimmt er nicht nur Formulierungen und Begriffe, die vom Verfasser, sondern auch solche, die vom Glossator des Kolosserbriefes stammen. Dieses Vorgehen macht deutlich, daß ihm der Kolosserbrief in überarbeiteter Fassung vorgelegen hat.

Aufschlußreich ist zunächst der Kontext, in den der Exkurs Eph 2,14–18 eingebettet ist. In V. 12 ruft der Briefschreiber seinen Lesern in Erinnerung, daß sie ehemals »entfremdet« waren. Der ungewöhnliche Begriff stammt ohne Zweifel aus Kol 1,21. Der Verfasser des Kolosserbriefes wandte sich an seine Leser mit der Anrede: »Und euch, die ihr einst entfremdet . . .« In Anlehnung daran beginnt auch Eph 2,11 mit einem Rückblick: »seid eingedenk, daß ihr einst . . .« Genau wie Kol 1,22 markiert Eph 2,13 die Wende mit »jetzt aber . . .« Der Duktus der Verse läßt klar erkennen, daß sich der Briefschreiber am Vorbild von Kol 1,21 f. orientiert hat.

Im Unterschied zum Kolosserbrief legt nun aber der Epheserbrief ausführlich dar, wovon die Leser »entfremdet« waren. Sie waren »ferngehalten vom Bürgerrecht Israels«[14]. Zuvor schon betont V.11: Sie waren »die Heiden im Fleische«. Daß der Briefschreiber mit dieser Charakterisierung nicht ihren Stand vor Gott ins Auge faßt, sondern das Verhältnis zu den Juden, macht der Nachsatz deutlich: »die als Unbeschnittenheit bezeichnet wurden von der sogenannten Beschneidung, welche am Fleisch mit Händen gemacht ist«. Die Stichworte »Unbeschnittenheit« und »Beschneidung, die mit Händen gemacht ist« lassen vermuten, daß bei dieser Darstellung die Taufaussagen von Kol 2,11 und 2,13 Pate gestanden haben. Zwar ist das Thema von Eph 2,11 nicht die Taufe der Leser, sondern ihr früheres Verhältnis zu den Juden. Doch hat *Ochel* recht: »Für eine körperliche Beschneidung ist das Adjektiv χειροποίητος nur dann recht verständlich, wenn eine geistig zu verstehende Beschneidung antithetisch gegenübertritt. Eine bildliche Beschneidung fehlt aber in Eph 2,11. Daher kann dort das Adjektiv χειροποίητος nur unter dem Einfluß von Kol 2,11 gesetzt sein«[15]. Als ver-

---

14 So die Übersetzung der Zürcher Bibel.
15 *Ochel*, Annahme einer Bearbeitung, S. 50.

deckter Hinweis auf die Taufe kann allenfalls der Anfang von Eph 2,12 genommen werden, wo der Verfasser seine Leser erinnert: »ihr waret zu jener Zeit ohne Christus«. Er hat damit das Thema ihrer Vergangenheit freilich noch nicht abgeschlossen, sondern nimmt jetzt das vorgegebene Stichwort ἀπηλλοτριωμένοι auf. Die Wende ist erst mit V.13 erreicht, der auf das »einst« von V.11 zurückgreift um festzustellen: »Jetzt aber in Christus Jesus seid ihr, die einst ›Fernen‹, zu ›Nahen‹ geworden in Christi Blut«[16]. Der Vers stellt gleichzeitig einen Vorgriff auf die hymnische Schlußzeile in V.17 dar und gibt zu erkennen, was ihr der Briefschreiber entnahm.

Nach Aussage des Hymnus galt die Botschaft des Erlösers in gleicher Weise den Fernen wie den Nahen[17]. Mit den Fernen identifiziert der Briefschreiber in stilistischer Anlehnung an Kol 1,21 seine heidenchristlichen Leser: »ihr, die einst ›Fernen‹«. Die hymnische Schlußzeile macht zwischen den Fernen und den Nahen keinen Unterschied. Daraus zieht der Briefschreiber für seine Leser die Folgerung: »ihr seid ›Nahe‹ geworden«. Nach seinen vorausgegangenen Ausführungen bedeutet dies zunächst einmal: Der Unterschied zu den Juden ist aufgehoben. »In Christus Jesus« sind Heiden und Juden gleicherweise »Nahe«. Die Frage drängt sich auf: Nahe zu wem? In der abschließenden Bemerkung: »durch das Blut Christi«, die an die Glosse zu Kol 1,20 erinnert, ist die Antwort angedeutet. Der Gedanke des Sühneblutes setzt Gott als Gegenüber voraus. Diese Antwort wird im folgenden Exkurs entfaltet und bildet als zusammenfassende These in V.18 dessen Abschluß. Im Blick auf den, der sich mit seiner Botschaft an die Fernen und die Nahen wandte, formuliert der Briefschreiber: »Durch ihn haben wir den Zugang – beide in einem Geiste – zum Vater«.

Das dominierende Thema von Eph 2,11–13 ist das Verhältnis der Heiden zu den Juden. Daneben tritt jedoch in V.12 ein zweites. Der Briefschreiber macht zwar unmißverständlich klar: Seine Leser waren »ferngehalten vom Bürgerrecht Israels«. Doch fährt er fort: »und Fremde hinsichtlich der Bundesschlüsse der Verheißung«; und er schließt mit der Feststellung: »ohne eine Hoffnung zu haben und ohne Gott in der Welt«. Wie das Bürgerrecht Israels sind auch die Bundesschlüsse der Verheißung ein proprium der Juden. Der Ausdruck bringt jedoch gleichzeitig den Bundespartner Israels ins Spiel. Gegeben sind die Verheißungen von Gott. Die Fortsetzung macht deutlich, daß dieser Wechsel der Blickrichtung beabsichtigt ist. Die ehemaligen Heiden waren nicht nur von Israel geschieden, sondern zugleich ohne Hoffnung und ohne Gott. Schon für den Rückblick in Eph 2,11–13 ist demnach eine doppelte Blickrichtung charakteristisch. Der Briefschreiber erörtert sowohl die Beziehung der Heiden zu den Juden als auch das Verhältnis seiner Leser zu Gott.

Genau entsprechend ist V.19 angelegt, der auf den Exkurs zurückblickt: »So seid ihr nun nicht mehr Fremde und Beisassen, sondern seid Mitbürger der

---

16 Vgl. die Übersetzung bei *Dibelius-Greeven*, Epheser, S. 68.
17 Siehe oben S. 137.

Heiligen und Hausgenossen Gottes«. Die Begriffe ξένοι und συμπολῖται zielen ohne Zweifel auf das Verhältnis zu Israel. Doch die nachfolgende Zusage geht darüber hinaus. Als Christen sind die Leser nicht einfach Mitbürger der Juden, sondern »Mitbürger der Heiligen« und »Hausgenossen Gottes«! Zu überlegen ist, ob in der Formulierung »Mitbürger der Heiligen« die Rede vom »Erbteil der Heiligen« aus Kol 1,12 nachklingt. Deutlicher ist, daß die zweite Angabe »Hausgenossen Gottes« der Schilderung von Eph 2,12 gegenübergestellt ist: »ohne Gott in der Welt«.

In V.20 verschiebt sich das Bild. Unvermittelt »werden nun aus den Hausbewohnern die Steine«[18]. Von ungefähr kommt dieser Wechsel freilich nicht. Der Verfasser nimmt auch hier eine Andeutung des Kolosserbriefes auf. Nachdem Kol 1,22 als Gottes Absicht angegeben hat: »daß er euch hinstelle heilig und unsträflich und untadelig vor ihm«, folgt in V.23 die Mahnung: »wenn ihr im Glauben gegründet und fest verbleibt«. Das Bild vom Fundament kehrt wieder in der Formulierung von Eph 2,20: »erbaut auf dem Grund . . .« Kol 1,23 handelt sodann von der Hoffnung des Evangeliums und bemerkt dazu abschließend: »dessen Diener ich, Paulus, geworden bin«. Der Epheserbrief spricht vom »Grund der Apostel und Propheten«. Im weiteren wird das Bild vom Bau der Kirche, das schon in 1 Kor 3,10 ff. erscheint, mehr breit als wirklich anschaulich ausgeführt. Ein Zusammenhang mit den Vorstellungen des Exkurses ist nicht mehr zu erkennen, es sei denn man höre in der Formulierung συναρμολογουμένη αὔξει (Eph 2,21) die Ausführungen zum Wachstum des »Leibes« von Kol 2,19 nachklingen. Wichtiger ist die Feststellung, daß sich der Autor des Epheserbriefes nicht nur für den Rückblick in Eph 2,11–13, sondern auch für die Fortsetzung in 2,19 f. den Abschnitt Kol 1,21–23 zum Vorbild genommen hat. Sein Exkurs, der das Versöhnungslied zitiert, steht damit in einem Kontext, der weitgehend jenem Zusammenhang entspricht, innerhalb dessen Kol 1,22 von der Versöhnung handelt. Vorausgegangen ist dort die Anspielung auf das Versöhnungslied in V.20.

Der Exkurs im Epheserbrief hat als Überschrift die christologische These: »Denn er ist unser Friede«. Inwiefern und weshalb dies behauptet werden kann, legt der Briefschreiber dar, indem er das traditionelle Versöhnungslied Satz für Satz exegesiert. Nach seinen Ausführungen in den Versen 11–13 steht zu erwarten, daß er sowohl auf das Verhältnis der ehemaligen Heiden zu den Juden als auch auf die Beziehung beider zu Gott eingehen wird.

Ohne abzusetzen zitiert der Briefschreiber die erste Doppelzeile:

»Der das Zweifache zu einem machte
und die Zwischenwand des Zaunes aufhob«.

---

18 *Dibelius-Greeven*, Epheser, S. 71.

Sein erstes Interpretament ist die nachgetragene Apposition: »die Feind-schaft«. Die Beseitigung der Trennwand kommt der Aufhebung der Feind-schaft gleich. Der verwendete Begriff und die lebendige Schilderung in V. 11 lassen annehmen, daß der Briefschreiber ohne Rücksicht auf die neutrische Redeweise der ersten Zeile mit seiner Ergänzung das Verhältnis zwischen Heiden und Juden anvisiert. Ist dies richtig, hat er in Kol 1,21 nicht nur den ersten Teil der Anrede: »und euch, die ihr einst ferngehalten waret«, son-dern auch die Fortsetzung: »und Feinde« als Darstellung der gegenseitigen Beziehungen aufgefaßt[19]. Er hat allerdings weder die ehemaligen Heiden noch gar ihre Gegenspieler in Person zu »Feinden« gestempelt, sondern nimmt das vorgegebene Stichwort zur Charakterisierung des zwischen bei-den ehemals bestehenden Zustandes auf. Offensichtlich mit Bedacht hat er es bei der wechselseitigen Darstellung in V. 11 übergangen. Nun in V. 14 benützt er das Abstraktum »die Feindschaft« zur objektiven Schilderung des Verhältnisses. Dies bedeutet jedoch nicht, daß er in Kol 1,21 die Rede von der »Gesinnung in den bösen Werken« übersehen hätte. In Eph 4,18 greift er darauf zurück und versteht sie eindeutig als Urteil sub specie Dei[20]. Auch in Eph 2,14–18 ist für ihn das Thema der Feindschaft damit noch nicht aus-gelotet, daß er sie zwischen Heiden und Juden ansetzt. In völlig anderem Zusammenhang nimmt er den Begriff bereits in V. 16 ein zweites Mal auf. Der Kontext in V. 14 legt jedoch nahe, daß er hier zunächst die zwischen-menschlichen Verhältnisse ins Auge faßt. *Dibelius* hatte gar nicht so un-recht, als er in der zweiten Auflage seines Kommentars erklärte: »τὴν ἔχ-θραν (. . .) bildet die Deutung des voraufgehenden bildlichen Ausdrucks, bezieht sich also in 14 auf Juden und Heiden, in 16 wohl auf die Menschen und Gott«[21]. Die dritte Auflage zieht sich zurück auf die vorsichtigere Fest-stellung, bei τὴν ἔχθραν sei »weder in 14 noch in 16 sauber zu trennen, ob es Feindschaft zwischen Gott und den Menschen wie Röm 5,10; 8,7 oder zwischen Juden und Heiden meine«[22].

Der appositionellen Glosse läßt der Briefschreiber die ausführliche Scholie folgen: »in seinem Fleisch das Gesetz der Gebote in Satzungen zunichte ma-chend«. Auch sie kann für die Vorstellung der Vereinigung von Heiden und Juden in Anspruch genommen werden, wobei sofort wieder darauf hinzu-weisen ist, daß V. 16b eine entsprechende Formulierung in anderer Zuspit-zung bringen wird. Die Scholie zur ersten Doppelzeile bringt zum Aus-druck: Die trennende Wand, die zur Feindschaft führte, hat Christus aufge-hoben, indem er das Gesetz zunichte machte.

Die Angabe »in seinem Fleisch« fußt auf den Glossen zu Kol 1,20 und 22. Durch die nähere Bestimmung wird die kosmische Einigung, von der das Lied handelte, heilsgeschichtlich interpretiert. Die Fortsetzung hat unver-

---

19 Vgl. dazu oben S. 142.
20 Vgl. dazu oben S. 142.
21 *Dibelius*, An die Kolosser, Epheser, an Philemon (HNT 12), 1927², S. 53.
22 *Dibelius-Greeven*, Epheser, S. 70.

kennbar paulinischen Klang. Sowohl νόμος als auch ἐντολή sind zentrale Begriffe der Theologie des Apostels, und καταργεῖν ist geradezu ein paulinisches Lieblingswort. Dennoch und trotz der Feststellung von Röm 10,4: »Christus ist des Gesetzes Ende«, liegt der Satz von Eph 2,14 nur ungefähr auf der Linie des Apostels. So häufig er das Verbum καταργεῖν gebraucht, als Objekt erscheinen »das Bestehende« (1 Kor 1,28), »der Bauch« (6,13), »Erkenntnis« (13,8), »jede Macht und Gewalt« (15,24), »der Tod« (15,26) und anderes mehr, nie jedoch ὁ νόμος oder αἱ ἐντολαί, geschweige denn τὰ δόγματα. Den zuletzt genannten terminus hat Paulus überhaupt nicht verwendet. Belegt ist er dagegen im Kolosserbrief, und zwar im Zusammenhang eines Satzes, der der Anschauung von Eph 2,14 f. frappierend nahe kommt. Kol 2,14 erklärt von Gott bzw. Christus[23]: »Er tilgte die wider uns (gerichtete) Handschrift der Satzungen, welche gegen uns war, und er hat sie aus der Mitte genommen, er heftete sie ans Kreuz.«
Die literarkritische Analyse[24] ergab, daß hier der Autor des Kolosserbriefes ein hymnisches Fragment zitiert, das die Tilgung der Handschrift durch das Kreuz besang. Die gesetzlichen Tendenzen seiner Gegner waren für ihn der Anlaß, »die Handschrift« durch den Zusatz »der Satzungen« inhaltlich zu definieren. Zu dieser Handschrift bemerkte er sodann: »und er hat sie aus der Mitte genommen«. Sein Gedanke war dabei, daß den Mächten und Gewalten die Basis ihrer Herrschaft entzogen wurde[25]. Da ihm das kosmische Versöhnungslied von Eph 2,14 ff. offenbar bekannt war, ist nicht auszuschließen, daß er die anschauliche Formulierung ἦρκεν ἐκ τοῦ μέσου in Anlehnung an das dort genannte μεσότοιχον gebildet hat.
Die Ausführungen des Briefschreibers wurden durch einen Glossator »paulinisch« überarbeitet. Ausgehend vom Gedanken der Sündenvergebung, verstand er die Handschrift als das »wider uns« zeugende Gesetz Gottes. Konkret ist es das Gesetz des Alten Testaments, »das gegen uns war«. In dieser Fassung hat der Satz auf die Interpretation des Versöhnungsliedes zurückgewirkt. Die Feststellung, daß die Handschrift der Satzungen ἐκ τοῦ μέσου genommen ist, konnte der Autor des Epheserbriefes unmittelbar mit der hymnischen Rede vom aufgehobenen μεσότοιχον verbinden: Es war das alttestamentliche Gesetz mit seinen Geboten und Satzungen, das den trennenden Zaun zwischen Juden und Heiden bildete. Die Vorstellung ist keineswegs ungewöhnlich, sondern entspricht durchaus der eigenen Auffassung des Judentums. Prägnant formuliert, begegnet sie im sog. Aristeasbrief. Der Autor bekennt im Blick auf Mose und seine Gesetzgebung: »Er umgab uns mit einem undurchdringlichen Gehege und mit ehernen Mauern, damit wir mit keinem der anderen Völker irgendeine Gemeinschaft pflegten«. Kurz darauf geht er sogar ins Detail und erklärt: »Damit wir nun nicht durch Gemeinschaft mit anderen uns befleckten und durch Verkehr

23 Vgl. dazu oben S. 105 und S. 108f.
24 Siehe oben S. 101–111.
25 Siehe oben S. 110f.

mit Schlechten verdorben würden, umhegte er uns auf allen Seiten mit Reinheitsgesetzen, in Speise, Trank, Berührung, in dem, was wir hören und sehen«[26]. Der Verfasser des Epheserbriefes vertritt die Auffassung, daß genau diese Scheidewand durch Christi Tod beseitigt ist. Er stützt sich dabei zum einen auf die Aussage des zitierten Liedes, zum anderen auf die Ausführungen von Kol 2,14. Daß er seine Scholie in paulinische Begriffe kleidet, zeigt ihn nach Herkunft und Tendenz verwandt mit dem Glossator des Kolosserbriefes. Wie dieser weiß auch er, daß die Beseitigung des Gesetzes das Verhältnis der Leser zu Gott verändert hat. Eph 2,12 und 19 lassen daran keinen Zweifel. Doch dominant ist in V.14 f. vorerst noch das Thema von V.11: die Beziehungen zwischen Heiden und Juden.

Die Fortsetzung des Liedes nannte als Absicht des Erlösers:

»damit er die zwei erschaffe zu einem neuen Menschen
und versöhne die beiden in einem Leibe«.

Auffallend ist, daß der Briefschreiber diese Doppelzeile nicht wie die vorige en bloc zitiert. Indem er nach dem ersten Kolon einen Partizipialsatz einschiebt, zerlegt er sie in ihre beiden Hälften. Schon dieses Vorgehen läßt ahnen, was die Zusätze im einzelnen bestätigen: Der Briefschreiber faßte die beiden Zeilen nicht als identischen Parallelismus membrorum auf, sondern fand hier zwei verschiedene Gedanken ausgedrückt.
Zur ersten Halbzeile notiert er: »Frieden stiftend«, nachdem er zuvor im Anschluß an das Verbum die Angabe »in ihm« eingefügt hat. Die präpositionale Bestimmung bildet eine alte crux interpretum, da sie im vorliegenden Zusammenhang kaum anders als auf Christus gedeutet werden kann, obwohl dieser selbst das Subjekt des Satzes ist[27]. Schon $\mathfrak{K}$, D, G, pm und Marcion korrigierten deshalb zu ἐν ἑαυτῷ. Die lectio difficilior ist ohne Zweifel das einfache Pronomen. Die Unstimmigkeit erklärt sich aus der Vorgeschichte des Textes. In Kol 1,16 (ὅτι ἐν αὐτῷ ἐκτίσθη . . .) und 1,19 (ὅτι ἐν αὐτῷ εὐδόκησεν . . .) steht das Pronomen für Christus. Dasselbe gilt für die präpositionalen Bestimmungen des Vierzeilers in 1,16d–18a, dem sich die eingeschobene Erläuterung in 1,20 anschließt. In Kol 2,9.10.11.12 und 15 ist ἐν αὐτῷ bzw. ἐν ᾧ fast schon zur stereotypen christologischen Formel geworden. Der Autor des Epheserbriefes hat sich diesem Sprachgebrauch angeschlossen, ohne zu berücksichtigen, daß seine hymnische Vorlage im Unterschied zu den Ausführungen des Kolosserbriefes den Erlöser zum Subjekt hatte. Der Sache nach ist er mit dem Autor des Kolosserbriefes einig: Der Neue Mensch, den das Lied als Ziel des schöpferi-

---

26   Ep.Ar. 139 und 142 nach der Übersetzung von *Paul Wendland* in: *Emil Kautzsch*, Die Apokryphen und Pseudepigraphen des Alten Testaments II, 1900, S. 17; weitere Belege bei *Schlier*, Epheser, S. 128.
27   Siehe oben S. 125f.

schen Aktes nennt, ist Christus selbst. Schon für den Verfasser des Kolosserbriefes waren die kosmologischen Aussagen des Versöhnungsliedes selbstverständlich christologische. Der Neue Mensch ist Christus in Gestalt jenes Anthropos, von dem der Vierzeiler wußte[28]. Daß mittlerweile der Glossator in Kol 1,18a seinen Hinweis auf die Kirche angebracht hatte, bedeutet für den Verfasser des Epheserbriefes keine Schwierigkeit. Im Gegenteil! Seine heilsgeschichtliche Interpretation der ehemals kosmologischen Aussagen wurde dadurch nur gefördert. Daß die hymnische Zeile von Eph 2,15 im *einen* Neuen Menschen »die zwei« vereinigt sieht, bedeutet für ihn, daß in Christus Heiden und Juden zusammengefunden haben. Als Stütze dieser Auffassung, die schon seine Darlegungen in V.11–13 bestimmt, konnte er Kol 3,10 f. betrachten. Auf die Mahnung, den neuen Menschen anzuziehen, folgt hier die Beschreibung: »wo nicht mehr gilt: Grieche und Jude, Beschneidung und Unbeschnittenheit . . .« Der Autor des Epheserbriefes bringt seine Deutung der hymnischen Halbzeile abschließend auf die Formel: ποιῶν εἰρήνην. Er lenkt damit zurück zur Überschrift seines Exkurses in V.14: »Denn er ist unser Friede«. Seine Ausführungen haben deutlich gemacht: Durch die Beseitigung des Gesetzes hat Christus zwischen Heiden und Juden Frieden gestiftet.

Mit Vers 16 wendet sich der Autor dem zweiten Aspekt seines Themas zu. Zur hymnischen Aussage: »damit er versöhne die beiden in einem Leibe« setzt er hinzu: τῷ θεῷ. Der zusätzliche Dativ verändert die grammatikalische Struktur des Satzes von Grund auf. Das Verbum »versöhnen« hat jetzt nicht mehr allein »die beiden« zum Objekt, sondern einerseits als Akkusativobjekt »die beiden«, andererseits als Dativobjekt »Gott«. Die neue Fortsetzung verlangt die Übersetzung »versöhnen mit . . .«! Gleichzeitig ändert sich der Stellenwert der Angabe »in einem Leibe«. Sie bezeichnet nicht mehr das Ziel des Versöhnens, sondern schließt an »die beiden« als deren Ortsbestimmung an.

Angesichts der dezidierten Formulierungen von Kol 1,18a, 1,24 und nicht zuletzt 3,15 lag es für den Briefschreiber nahe, bei ἐν ἑνὶ σώματι an den Christusleib der Kirche zu denken. *Schlier* erklärt zwar: »Das ἓν σῶμα ist im Sinn des Apostels in unserem Zusammenhang ohne Zweifel der Leib Christi am Kreuz«[29]. Die apodiktische Behauptung kann jedoch mit *Schliers* eigenen Feststellungen angefochten werden. Kurz zuvor betont er, es sei »das in unserem Brief pointiert gebrauchte εἷς, μία, ἕν als die zusammenfassende Einheit zu verstehen«[30]. In einem Exkurs zur christologischen Verwendung von σῶμα hat er ferner dargelegt, daß der Begriff im übrigen Brief stets den Christusleib der Kirche bezeichnet[31]. Selbst auf die angebliche Ausnahme von Eph 2,15 möchte er nicht ganz verzichten und meint, der

28 Siehe oben S. 141.
29 *Schlier*, Epheser, S. 135.
30 Ebd. S. 134.
31 Ebd. S. 90.

Ausdruck sei hier »vielleicht absichtlich doppelsinnig gebraucht«[32]. Eindeutig als umfassenden Leib nimmt er σῶμα in der späteren Paraphrase von Eph 2,15 f.: »Christus hat nicht nur die zwei Menschengruppen, Juden und Heiden, in dem einen neuen Menschen, in sich selbst geeint, sondern er hat auch beide als in ihm Geeinte Gott versöhnt«[33]. – Faßt man diese Beobachtungen zusammen, muß gegen *Schlier* festgestellt werden: Der Verfasser des Epheserbriefes hat die Aufspaltung des Begriffes in σῶμα τῆς ἐκκλησίας (Kol 1,18; 1,24) und σῶμα τῆς σαρκός (Kol 1,22; 2,11) nicht mitgemacht. Für den Leib des Irdischen gebraucht er σάρξ (Eph 2,14) und denkt bei σῶμα stets an die Gemeinde als den Leib des Erhöhten[34].

Daß in Christus Heiden und Juden zusammengefunden haben, hat der Autor bereits ausführlich dargelegt. Er braucht sich in V.16 dabei nicht mehr aufzuhalten. Dem Stichwort ἀποκαταλλάσσειν entnimmt er eine weitergehende Aussage, die er durch den Dativ τῷ θεῷ scharf herausarbeitet. *Mußner* hat recht: »Der vorausgehende Gedanke war ganz konzentriert auf die Idee der Einheit von Juden und Heiden ›in Christus‹. Jetzt taucht ein neuer Gesichtspunkt auf, freilich im vorausgehenden schon angedeutet in dem ›Nahegeworden‹ des V.13: die beiden werden durch Christus in einem Leib Gott versöhnt«[35]. Indem der Briefschreiber Gott als Partner der Versöhnung einführt, übernimmt er die Deutung, die ansatzweise der Autor und konsequent der Glossator des Kolosserbriefes entwickelt haben[36].

Wie sehr er dem letzteren verpflichtet ist, zeigt die christologische Scholie: »durch das Kreuz die Feindschaft tötend in ihm«. Sie bildet eine Parallele zur Erläuterung der ersten Doppelzeile. Nur ist die Blickrichtung in V.16 eine andere! »Da der ›Partner‹ der Versöhnung Gott ist, kann sich hier die ›Feindschaft‹ nur auf das Verhältnis zwischen Gott und Menschen beziehen, im Unterschied zur ›Feindschaft‹ des V.14, wo das Verhältnis von Juden und Heiden gemeint war«[37]. Die Angabe »durch das Kreuz« fußt auf den Glossen zu Kol 1,20 und 22 und geht wie diese vom Gedanken des Sühnetodes aus. Schwierigkeiten bereitet wieder die präpositionale Bestimmung »in ihm«. Der Partizipialsatz interpretiert den vorausgehenden Finalsatz V.16a. Subjekt zu ἀποκαταλλάξῃ ist jedoch im Unterschied zu Kol 1,20 und 22 eindeutig Christus. Ein Ausweg ist die Möglichkeit, »in ihm« auf den zuvor genannten »Leib« zu beziehen. Sachlich ergibt sich zur Erklärung von ἐν αὐτῷ in V.15 kein Unterschied.

---

32 Ebd.
33 . Ebd. S. 135.
34 Die scheinbare Ausnahme in Eph 5,28 bestätigt diese Regel, da die hier genannten σώματα in Analogie zur Kirche als dem σῶμα Christi so bezeichnet werden; vgl. Eph 5,24!
35 *Mußner*, Christus, das All und die Kirche, S. 97.
36 Siehe oben S. 142ff.
37 *Mußner*, a.a.O., S. 99.

Die hymnische Schlußzeile berichtete vom Erlöser:

»er kam und verkündete Frieden den Fernen und Frieden den Nahen«.

Der Briefschreiber benötigt ein »und«, um den Anschluß wiederzugewinnen. Als Glosse fügt er lediglich vor »den Fernen« die Anrede »euch« ein. *Schille* bemerkt dazu: »Der Verfasser . . . trennt zwischen fern und nah absichtlich, als meine ›fern‹ die Heiden und ›nah‹ die Juden«[38]. Das ist richtig. Nur bedeutet es nicht, daß damit das gegenseitige Verhältnis der beiden ins Auge gefaßt ist und der Autor die Absicht verfolgt, »die Aufnahme der Heiden in die Bürgerschaft Israels hervortreten zu lassen«[39]. Im Wege steht dieser Deutung nicht nur der vorangehende Satz über die Versöhnung mit Gott, sondern auch die zweimalige Verwendung von εἰρήνην. Der Briefschreiber hat daran nichts geändert! Mit *Haupt* kann deshalb festgestellt werden: »Die Wiederholung des εἰρήνην gibt den Worten einen distributiven Sinn. Stände εἰρήνην nur einmal, so wäre jene Auffassung möglich; so aber kann nur gemeint sein, Chr. habe den Fernen Frieden verkündet und ebenso den Nahen, d. h. jeder von beiden soll εἰρήνη haben; also nicht: der Frieden solle *zwischen* ihnen stattfinden, sondern der Friede ist ein Gut, das dem Einen ebensogut wie dem Anderen zuteil wird«[40]. Gemeint ist demnach der Friede mit Gott!

Die hymnische Schlußzeile ruft erneut die Überschrift des Exkurses in Erinnerung: »Denn er ist unser Friede«. In einem zweiten Anlauf hat der Briefschreiber deutlich gemacht: Durch Christus wurde den Fernen wie den Nahen der Friede mit Gott vermittelt. Die Verse 14b und 15 handeln von der Feindschaft und vom Frieden zwischen Heiden und Juden; die Verse 16 und 17 von der Feindschaft und vom Frieden beider mit Gott. Die Auslegung des Hymnus entspricht damit genau dem Rückblick in V.11–13, der zunächst das Verhältnis der Heiden zu den Juden erörtert und danach auf ihr Verhältnis zu Gott eingeht.

In.V.18 faßt der Autor den Ertrag des Exkurses in den einen Satz zusammen: »Denn durch ihn haben wir den Zugang – beide in einem Geiste – zum Vater«. *Haupt* hat recht: »In dem Satz V.18 werden die sämtlichen Gedanken der vorigen Ausführung kompendiarisch noch einmal zusammengefaßt, so daß jedes Wort einen besonderen Nachdruck hat«[41]. Die Parenthese greift auf die Darlegungen von V.14b und 15 zurück, der übrige Satz führt unmittelbar das Thema von V.16 und 17 fort. Bemerkenswert ist, daß beide Partien wieder unverkennbar paulinischen Klang haben. Sachlich und terminologisch die nächsten Parallelen finden sich im Römer- und 1. Korintherbrief. In Röm 5,1 erklärt der Apostel: »Wir haben Frieden mit Gott

---

38 *Schille*, Hymnen, S. 25; vgl. oben S. 130.
39 Ebd.
40 *Haupt*, Epheser, S. 75.
41 Ebd. S. 88.

durch unseren Herrn Jesus Christus, durch den wir auch den Zugang erlangt haben«. In 1 Kor 12,13 führt er aus: »In einem Geiste sind wir alle zu einem Leib getauft, ob Juden oder Griechen«. Der Exkurs und sein Ertrag bestätigen das Urteil *Henry Chadwicks*, der den Epheserbrief in einem Atem als »eine Darstellung paulinischer Lehre, eine meisterhafte Variation über die Themen des Kolosserbriefes« bezeichnet[42].

Die in Eph 2,18 zusammengefaßte Interpretation hat die ursprüngliche Aussage des Versöhnungsliedes fast ganz überlagert. Eine Art Verwerfung der Schichten ist allerdings nicht ausgeblieben. Sie wird erkennbar bei der Auslegung des Partizips ἐλθών zu Beginn von V.17. *Haupt* denkt an »das Kommen Jesu auf die Welt« und versteht V.17 als »die Zusammenfassung des Inhalts seiner ganzen Predigt«[43]. Problematisch daran ist, daß zuvor schon in V.16 von Christi Kreuz die Rede ist. *Ewald* spricht von einem »Hysteronproteron«[44]. Indessen ist das Kreuz nicht nur vorweg genannt, sondern bildet nunmehr auch die sachliche Voraussetzung der Friedensbotschaft. *Schlier* deutet ἐλθών auf die »Auffahrt des gekreuzigten Erlösers« und verweist dazu auf Eph 4,8–10[45]. Die Frage liegt nahe, wie dann die Heiden und Juden die Botschaft vernehmen können. *Wilhelm Lueken* erinnert an die Apostel als Christi Boten und erklärt: »Der erhöhte Christus ist gekommen in seinen Aposteln und überhaupt in seiner Gemeinde und hat aller Welt die Friedensbotschaft gebracht«[46]. Gegen diese Lösung kann eingewandt werden, daß nun die vorausgesetzte Auferstehung und Erhöhung des Gekreuzigten im Text nicht mehr erwähnt ist. – Die eigentümliche Stellung des Partizips hängt mit der Vorgeschichte des Abschnittes zusammen. Das Versöhnungslied handelte von der Tat des Präexistenten und seiner anschließenden Epiphanie. Der Kolosserbrief ließ die Versöhnung der Welt im Erstgeborenen von den Toten stattfinden. Die Bearbeitung der Epistel machte daraus die Versöhnung mit Gott und verwies auf Christi Tod am Kreuz. Im Gefolge dieser Tradition interpretiert der Autor des Epheserbriefes das wörtlich angeführte Lied, woraus sich zwangsläufig die von *Schlier* empfundene »seltsame Unbestimmtheit der Reihenfolge der erwähnten Taten Christi« ergibt[47]. Was den Briefschreiber betrifft, wird man sich mit der Auskunft *Conzelmanns* begnügen müssen: »Im ›Kommen‹ faßt er das Ganze des Heilswerkes ohne Rücksicht auf die Etappen seines innergeschichtlichen Ablaufes zusammen«[48].

42 *Henry Chadwick*, Die Absicht des Epheserbriefes, ZNW 51 (1960), S. 145–153, dort S. 146.
43 *Haupt*, Epheser, S. 88.
44 *Ewald*, Epheser, S. 145.
45 *Schlier*, Epheser, S. 137; vgl. *von Soden*, Epheser, S. 125; zur entsprechenden Interpretation des Liedes oben S. 136f.
46 *Wilhelm Lueken*, Die Briefe an Philemon, an die Kolosser und an die Epheser (SNT II) 1917³, S. 368.
47 *Schlier*, Epheser, S. 126.
48 *Conzelmann*, Epheser, S. 69.

Als Resümee der Untersuchung kann festgehalten werden: Der Abschnitt Eph 2,14–18 ist das Ergebnis eines komplizierten überlieferungs- und auslegungsgeschichtlichen Prozesses. An dessen Anfang stehen drei selbständige Texte der kirchlichen Tradition: Der zweistrophige Christus-Hymnus von Kol 1,15-20, ein stoisch klingender Vierzeiler in Kol 1,16d-18a und das Versöhnungslied von Eph 2,14-17. Der Autor des Kolosserbriefes hat den ersten Text zitiert, ihn mit Hilfe des zweiten interpretiert und zugleich auf den dritten angespielt. In Kol 2,9 ff. faßt er sein Verständnis der Traditionsstücke zusammen und beruft sich in 2,14 f. auf ein weiteres Christuslied. Die theologische Konzeption des Briefschreibers wurde von einem Glossator paulinisch überarbeitet. – Für den Verfasser des Epheserbriefes bilden die Anspielungen in Kol 1,20 und 22 den Anlaß, seinerseits das Versöhnungslied zu zitieren. Bei der fortlaufenden Interpretation in Eph 2,14-17 folgt er den korrigierten Ausführungen des Kolosserbriefes und zeigt sich gleichzeitig vertraut mit der Terminologie des Apostels Paulus. Das Ergebnis ist eine Zusammenfassung in Eph 2,18, die als paulinische Lehre gelten kann.

Literaturverzeichnis

Die Abkürzungen entsprechen dem Verzeichnis in: Die Religion in Geschichte und Gegenwart, 3. Auflage hrsg. v. Kurt Galling, Band VI, Tübingen 1962, S. XX–XXXI.

Abbott, Thomas Kingsmill: The Epistles to the Ephesians and to the Colossians, ICC 10, 4. Auflage, Edinburgh 1922.

Augustinus, Aurelius: Enchiridion de Fide, Spe et Caritate. Text und Übersetzung mit Einleitung und Kommentar herausgegeben von Joseph Barbel, Düsseldorf 1960.

Bammel, Ernst: Versuch Col 1,15–20, ZNW 52 (1961), S. 88–95.

Benoit, Pierre: Leib, Haupt und Pleroma in den Gefangenschaftsbriefen, in: Exegese und Theologie. Gesammelte Aufsätze, Düsseldorf 1965, S. 246–279.

– La Sainte Bible. Les Epîtres de Saint Paul aux Philippiens, à Philémon, aux Colossiens, aux Ephésiens, 3. Auflage, Paris 1959.

Blaß, Friedrich – Debrunner, Albert: Grammatik des neutestamentlichen Griechisch, 10. Auflage, Göttingen 1959.

Bornkamm, Günther: Das Bekenntnis im Hebräerbrief, in: Studien zu Antike und Urchristentum. Gesammelte Aufsätze II, BEvTh 28, München 1963, S. 188–203.

– Art. Formen und Gattungen. II. Im NT, RGG II, 3. Auflage, Tübingen 1958, Sp. 999–1005.

– Die Häresie des Kolosserbriefes, in: Das Ende des Gesetzes. Gesammelte Aufsätze I, BEvTh 16, München 1958, S. 139–156.

– Zum Verständnis des Christus-Hymnus Phil 2,6–11, in: Studien zu Antike und Urchristentum. Gesammelte Aufsätze II, BEvTh 28, München 1963, S. 177–187.

Büchsel, Friedrich: Art. ἀποκαταλλάσσω, ThWNT I, S. 259.

– Art. ἀπολύτρωσις, ThWNT IV, S. 354–359.

Bultmann, Rudolf: Die kirchliche Redaktion des ersten Johannesbriefes, in: Exegetica. Aufsätze zur Erforschung des Neuen Testaments, Tübingen 1967, S. 381–393.

– Theologie des Neuen Testaments, 3. Auflage, Tübingen 1958.

Chadwick, Henry: Die Absicht des Epheserbriefes, ZNW 51 (1960), S. 145–153.

Conzelmann, Hans: Der Brief an die Epheser, NTD 8, 9. Auflage, Göttingen 1962, S. 56–91.

– Der Brief an die Kolosser, NTD 8, 9. Auflage, Göttingen 1962, S. 130–154.

Coutts, John: The Relationship of Ephesians and Colossians, NTS 4 (1957/58), S. 201–207.

Craddock, Fred B.: ›All Things in Him‹. A critical note on Col. I. 15–20, NTS 12 (1965/66), S. 78–80.

Deichgräber, Reinhard: Gotteshymnus und Christushymnus in der frühen Christenheit. Untersuchungen zu Form, Sprache und Stil der frühchristlichen Hymnen, StUNT 5, Göttingen 1967.

Deißmann, Adolf: Licht vom Osten. Das Neue Testament und die neuentdeckten Texte der hellenistisch-römischen Welt, 4. Auflage, Tübingen 1923.

Delling, Gerhard: Art. πληρόω, ThWNT VI, S. 285–296.

– Art. πλήρωμα, ThWNT VI, S. 297–304.

– Art. στοιχεῖον, ThWNT VII, S. 670–687.

Dibelius, Martin: An die Kolosser, Epheser, an Philemon, HNT 12, 2. Auflage, Tübingen 1927.

Dibelius, Martin – Greeven, Heinrich: An die Kolosser, Epheser, an Philemon, HNT 12, 3. Auflage, Tübingen 1953.

Duhm, Bernhard: Das Buch Jesaia, 5. Auflage, Göttingen 1968.

Dupont, Jacques: Gnosis. La connaissance religieuse dans les épîtres de saint Paul, Louvain/Paris 1949.

Eckart, Karl-Gottfried: Exegetische Beobachtungen zu Kol 1,9–20, ThViat 7 (1959/60), S. 87–106.

– Urchristliche Tauf- und Ordinationsliturgie (Col 1,9–20 Act 26,18), ThViat 8 (1961/62), S. 23–37.

Ellingworth, Paul: Colossians i. 15–20 and its Context, ET 73 (1961/62), S. 252–253.

Eltester, Friedrich-Wilhelm: Eikon im Neuen Testament, BZNW 23, Berlin 1958.

Ernst, Josef: Anfänge der Christologie, SBS 57, Stuttgart 1972.

– Pleroma und Pleroma Christi. Geschichte und Deutung eines Begriffs der paulinischen Antilegomena, BU 5, Regensburg 1970.

Ewald, Paul: Die Briefe des Paulus an die Epheser, Kolosser und Philemon, KNT 10, Leipzig 1905.

Feuillet, André: Le Christ Sagesse de Dieu d'après les Epîtres Pauliniennes, Paris 1966.

– La Création de l'Univers ›dans le Christ‹ d'après l'Epître aux Colossiens (i. 16a), NTS 12 (1965/66), S. 1–9.

Gabathuler, Hans Jakob: Jesus Christus, Haupt der Kirche – Haupt der Welt. Der Christushymnus Colosser 1,15–20 in der theologischen Forschung der letzten 130 Jahre, AThANT 45, Zürich/Stuttgart 1965.

Gewieß, Josef: Die Begriffe πληροῦν und πλήρωμα im Kolosser- und Epheserbrief, in: Vom Wort des Lebens. Festschrift für Max Meinertz, NTA ErgBd I, Münster 1951, S. 128–141.

Gnilka, Joachim: Christus unser Friede – ein Friedens-Erlöserlied in Eph 2,14–17. Erwägungen zu einer neutestamentlichen Friedenstheologie, in: Die Zeit Jesu. Festschrift für Heinrich Schlier, Freiburg 1970, S. 190–207.

– Der Epheserbrief, HThK X,2, Freiburg/Basel/Wien 1971.

Grotius, Hugo: Annotationes in Novum Testamentum II,1, Erlangen/Leipzig 1756.

Harder, Günther: Paulus und das Gebet, NTF I,10, Gütersloh 1936.

Haupt, Erich: Der Brief an die Epheser, MeyerK VIII, 8. Auflage, in: Die Gefangenschaftsbriefe, MeyerK VIII und IX, 8. bzw. 7. Auflage, Göttingen 1902.

– Der Brief an die Kolosser, MeyerK IX, 7. Auflage, in: Die Gefangenschaftsbriefe, MeyerK VIII und IX, 8. bzw. 7. Auflage, Göttingen 1902.

Hegermann, Harald: Die Vorstellung vom Schöpfungsmittler im hellenistischen Judentum und Urchristentum, TU 82, Berlin 1961.

Hockel, Alfred: Christus der Erstgeborene. Zur Geschichte der Exegese von Kol 1,15, Düsseldorf 1965.

Hofmann, Johann Christian Konrad von: Die Briefe Pauli an die Kolosser und an Philemon. Die heilige Schrift neuen Testaments IV, 2, Nördlingen 1870.

Holtzmann, Heinrich Julius: Kritik der Epheser- und Kolosserbriefe, Leipzig 1872.

Jeremias, Joachim: Die Briefe an Timotheus und Titus, NTD 9, 8. Auflage, Göttingen 1963, S. 1–68.

Jervell, Jacob: Imago Dei. Gen 1,26 f. im Spätjudentum, in der Gnosis und in den paulinischen Briefen, FRLANT 76, Göttingen 1960.

Käsemann, Ernst: Christus, das All und die Kirche. Zur Theologie des Epheserbriefes, ThLZ 81 (1956), Sp. 585–590.

– Art. Epheserbrief, RGG II, 3. Auflage, Tübingen 1958, Sp. 517–520.

– Erwägungen zum Stichwort »Versöhnungslehre im Neuen Testament«, in: Zeit und Geschichte. Dankesgabe an Rudolf Bultmann, Tübingen 1964, S. 47–59.
– Art. Kolosserbrief, RGG III, 3. Auflage, Tübingen 1959, Sp. 1727–1728.
– Kritische Analyse von Phil. 2,5–11, in: Exegetische Versuche und Besinnungen I, Göttingen 1960, S. 51–95.
– Leib und Leib Christi. Eine Untersuchung zur paulinischen Begrifflichkeit, BHTh 9, Tübingen 1933.
– Eine urchristliche Taufliturgie, in: Exegetische Versuche und Besinnungen I, Göttingen 1960, S. 34–51.
Kautzsch, Emil (Hrsg.): Die Apokryphen und Pseudepigraphen des Alten Testaments, Tübingen 1900.
Kehl, Nikolaus: Der Christushymnus im Kolosserbrief. Eine motivgeschichtliche Untersuchung zu Kol 1,12–20, SBM 1, Stuttgart 1967.
Kittel, Gerhard: Art. εἰκών, ThWNT II, S. 380–386; 391–396.
Kümmel, Werner Georg: Einleitung in das Neue Testament, 17. Auflage, Heidelberg 1973.
Lähnemann, Johannes: Der Kolosserbrief. Komposition, Situation und Argumentation, StNT 3, Gütersloh 1971.

Lang, Friedrich: Die Eulogie in Epheser I, 3–14, in: Studien zur Geschichte und Theologie der Reformation. Festschrift für Ernst Bizer, Neukirchen 1969, S. 7–20.
Langkammer, Hugolinus: Die Einwohnung der »absoluten Seinsfülle« in Christus, BZ NF 12 (1968), S. 258–263.
Larsson, Edvin: Christus als Vorbild. Eine Untersuchung zu den paulinischen Tauf- und Eikontexten, Uppsala 1962.
Lightfoot, Joseph Barber: Saint Paul's Epistles to the Colossians and to Philemon, London 1904.
Lohmeyer, Ernst: Die Briefe an die Kolosser und an Philemon, MeyerK IX, 2, 12. Auflage, Göttingen 1961.
Lohse, Eduard: Die Briefe an die Kolosser und an Philemon, MeyerK IX, 2, 14. Auflage, Göttingen 1968.
– Christusherrschaft und Kirche im Kolosserbrief, NTS 11 (1964/65), S. 203–216.
– Ein hymnisches Bekenntnis in Kolosser 2,13c–15, in: Mélanges Bibliques en hommage au R. P. Béda Rigaux, Gembloux 1970, S. 427–435.
– Imago Dei bei Paulus, in: Libertas Christiana. Friedrich Delekat zum 65. Geburtstag. BEvTh 26, München 1957, S. 122–135.
Lueken, Wilhelm: Die Briefe an Philemon, an die Kolosser und an die Epheser, SNT II, 3. Auflage, Göttingen 1917, S. 335–383.

Masson, Charles: L'épître de Saint Paul aux Colossiens, CNT 10, Neuchâtel/Paris 1950.
Maurer, Christian: Die Begründung der Herrschaft Christi über die Mächte nach Kolosser 1,15–20, WuD NF 4 (1955), S. 79–93.
Megas, Georg: Das χειρόγραφον Adams. Ein Beitrag zu Col 2,13–15, ZNW 27 (1928), S. 305–320.
Meinertz, Max: Der Kolosserbrief, HSchNT VII, Bonn 1931, S. 10–49.
Michaelis, Wilhelm: Art. πρωτότοκος, ThWNT VI, S. 872–882.
– Versöhnung des Alls, Gümligen (Bern) 1950.
Michl, Johann: Die »Versöhnung« (Kol 1,20), ThQ 128 (1948), S. 442–462.
Münderlein, Gerhard: Die Erwählung durch das Pleroma. Bemerkungen zu Kol. i.19, NTS 8 (1961/62), S. 264–276.

Mußner, Franz: Christus, das All und die Kirche. Studien zur Theologie des Epheserbriefes, TThS 5, Trier 1955.

Norden, Eduard: Agnostos Theos. Untersuchungen zur Formengeschichte religiöser Rede, 4. Auflage, Darmstadt 1956.

Ochel, Werner: Die Annahme einer Bearbeitung des Kolosser-Briefes im Epheser-Brief in einer Analyse des Epheser-Briefes untersucht, Marburg 1934.

Oepke, Albrecht: Art. ἀπεκδύω, ThWNT II, S. 319.

Osten-Sacken, Peter von der: »Christologie, Taufe, Homologie« – Ein Beitrag zu Apc Joh 1,5 f., ZNW 58 (1967), S. 255–266.

Percy, Ernst: Der Leib Christi in den paulinischen Homologumena und Antilegomena, Lund/Leipzig 1942.

– Die Probleme der Kolosser- und Epheserbriefe, Lund 1946.

Philonis Alexandrini: Opera quae supersunt, edd. Leopoldus Cohn et Paulus Wendland, Berlin 1896–1915.

Pöhlmann, Wolfgang: Die hymnischen All-Prädikationen in Kol 1,15–20, ZNW 64 (1973), S. 53–74.

Rendtorff, Heinrich: Der Brief an die Kolosser, NTD II, 8, Göttingen 1933, S. 91–109.

Robinson, James M.: A Formal Analysis of Colossians 1,15–20, JBL 76 (1957), S. 270–287.

Sanders, Jack T.: Hymnic Elements in Ephesians 1–3, ZNW 56 (1965), S. 214–232.

– The New Testament Christological Hymns. Their Historical Religious Background, NTS MS 15, Cambridge 1971.

Schenke, Hans-Martin: Der Widerstreit gnostischer und kirchlicher Christologie im Spiegel des Kolosserbriefes, ZThK 61 (1964), S. 391–403.

Schille, Gottfried: Der Autor des Epheserbriefes, ThLZ 82 (1957), Sp. 325–334.

– Frühchristliche Hymnen, Berlin 1965.

Schleiermacher, Friedrich: Ueber Koloss. 1,15–20, ThStKr 5 (1832), S. 497–537.

Schlier, Heinrich: Der Brief an die Epheser. Ein Kommentar, 6. Auflage, Düsseldorf 1968.

– Christus und die Kirche im Epheserbrief, BHTh 6, Tübingen 1930.

– Art. δειγματίζω, ThWNT II, S. 31–32.

Schnackenburg, Rudolf: Die Aufnahme des Christushymnus durch den Verfasser des Kolosserbriefes, in: Evangelisch-Katholischer Kommentar zum Neuen Testament. Vorarbeiten Heft 1, Neukirchen/Zürich 1969, S. 33–50.

Schrenk, Gottlob: Art. εὐδοκέω, ThWNT II, S. 736–740.

Schweizer, Eduard: Erniedrigung und Erhöhung bei Jesus und seinen Nachfolgern, AThANT 28, 2. Auflage, Zürich 1962.

– Die Kirche als Leib Christi in den paulinischen Antilegomena, in: Neotestamentica. Deutsche und Englische Aufsätze 1951–1963, Zürich/Stuttgart 1963, S. 293–316.

– Kolosser I, 15–20, in: Evangelisch-Katholischer Kommentar zum Neuen Testament. Vorarbeiten Heft 1, Neukirchen/Zürich 1969, S. 7–31.

– Art. σῶμα, ThWNT VII, S. 1024–1091.

Scott, Ernest Findlay: The Epistles of Paul to the Colossians, to Philemon and to the Ephesians, Moffatt, NTC, 9. Impression, London 1958.

Soden, Hermann von: Die Briefe an die Kolosser, Epheser, Philemon, HC III, 1, 2. Auflage, Freiburg/Leipzig 1893.

Steinmetz, Franz Josef: Protologische Heils-Zuversicht. Die Strukturen des soteriologischen und christologischen Denkens im Kolosser- und Epheserbrief, FThS 2, Frankfurt a. M. 1969.

Strecker, Georg: Redaktion und Tradition im Christushymnus Phil. 2,6–11, ZNW 55 (1964), S. 63–78.

Testa, E.: Gesù Pacificatore Universale. Inno Liturgico della Chiesa Madre (Col. 1,15–20 + Ef. 2,14–16), Liber Annuus 19 (1969), S. 5–64.

Vawter, Bruce: The Colossians Hymn and the Principle of Redaction, CBQ 33 (1971), S. 62–81.

Vögtle, Anton: Das Neue Testament und die Zukunft des Kosmos, Düsseldorf 1970.

Wagenführer, Max-Adolf: Die Bedeutung Christi für Welt und Kirche. Studien zum Kolosser- und Epheserbrief, Leipzig 1941.

Wambacq, Benjamin Nestor: »Per eum reconciliare . . . quae in caelis sunt« (Col 1,20), RB 55 (1948), S. 35–42.

Weiß, Hans-Friedrich: Untersuchungen zur Kosmologie des hellenistischen und palästinischen Judentums, TU 97, Berlin 1966.

Weiß, Johannes: Christus. Die Anfänge des Dogmas, RV I, 18/19, Tübingen 1909.

Wengst, Klaus: Christologische Formeln und Lieder des Urchristentums, StNT 7, Gütersloh 1972.

Wikenhauser, Alfred: Die Kirche als der mystische Leib Christi nach dem Apostel Paulus, Münster 1940.

Willms, Hans: EIKΩN. Eine begriffsgeschichtliche Untersuchung zum Platonismus. I. Teil: Philon von Alexandreia, Münster 1935.

Rekonstruktion der liturgischen Texte

Kolosser 1,15-20

15a ὅς ἐστιν εἰκὼν τοῦ θεοῦ τοῦ ἀοράτου,
  b πρωτότοκος πάσης κτίσεως,
16a ὅτι ἐν αὐτῷ ἐκτίσθη τὰ πάντα
  αβ   ἐν τοῖς οὐρανοῖς καὶ ἐπὶ τῆς γῆς,
  b τὰ ὁρατὰ καὶ τὰ ἀόρατα,
  c εἴτε θρόνοι εἴτε κυριότητες εἴτε ἀρχαὶ εἴτε ἐξουσίαι·
  d   τὰ πάντα δι᾿ αὐτοῦ καὶ εἰς αὐτὸν ἔκτισται,
17a   καὶ αὐτός ἐστιν πρὸ πάντων,
  b   καὶ τὰ πάντα ἐν αὐτῷ συνέστηκεν,
18a   καὶ αὐτός ἐστιν ἡ κεφαλὴ τοῦ σώματος (τῆς ἐκκλησίας)

18b ὅς ἐστιν ἀρχή,
  c πρωτότοκος ἐκ τῶν νεκρῶν,
  d ἵνα γένηται ἐν πᾶσιν αὐτὸς πρωτεύων,
19 ὅτι ἐν αὐτῷ εὐδόκησεν/κατῴκησεν/πᾶν τὸ πλήρωμα κατοικῆσαι
20a καὶ δι᾿ αὐτοῦ ἀποκαταλλάξαι τὰ πάντα εἰς αὐτόν,
  b εἰρηνοποιήσας (διὰ τοῦ αἵματος τοῦ σταυροῦ αὐτοῦ) δι᾿ αὐτοῦ
  c εἴτε τὰ ἐπὶ τῆς γῆς εἴτε τὰ ἐν τοῖς οὐρανοῖς.

I

12 Εὐχαριστοῦντες τῷ πατρὶ τῷ ἱκανώσαντι ὑμᾶς εἰς τὴν μερίδα
τοῦ κλήρου τῶν ἁγίων ἐν τῷ φωτί·
13 ὃς ἐρρύσατο ἡμᾶς ἐκ τῆς ἐξουσίας τοῦ σκότους
καὶ μετέστησεν εἰς τὴν βασιλείαν τοῦ υἱοῦ τῆς ἀγάπης αὐτοῦ,
14 ἐν ᾧ ἔχομεν τὴν ἀπολύτρωσιν (, τὴν ἄφεσιν τῶν ἁμαρτιῶν)·
15 ὅς ἐστιν εἰκὼν τοῦ θεοῦ τοῦ ἀοράτου,
πρωτότοκος πάσης κτίσεως,
16 ὅτι ἐν αὐτῷ ἐκτίσθη τὰ πάντα
ἐν τοῖς οὐρανοῖς καὶ ἐπὶ τῆς γῆς,
τὰ ὁρατὰ καὶ τὰ ἀόρατα,
εἴτε θρόνοι εἴτε κυριότητες εἴτε ἀρχαὶ εἴτε ἐξουσίαι·
τὰ πάντα δι᾽ αὐτοῦ καὶ εἰς αὐτὸν ἔκτισται·
17 καὶ αὐτός ἐστιν πρὸ πάντων
καὶ τὰ πάντα ἐν αὐτῷ συνέστηκεν,
18 καὶ αὐτός ἐστιν ἡ κεφαλὴ τοῦ σώματος (τῆς ἐκκλησίας)·
ὅς ἐστιν ἀρχή,
πρωτότοκος ἐκ τῶν νεκρῶν,
ἵνα γένηται ἐν πᾶσιν αὐτὸς πρωτεύων,
ὅτι ἐν αὐτῷ εὐδόκησεν/κατῴκησεν/πᾶν τὸ πλήρωμα κατοικῆσαι
καὶ δι᾽ αὐτοῦ ἀποκαταλλάξαι τὰ πάντα εἰς αὐτόν,
εἰρηνοποιήσας (διὰ τοῦ αἵματος τοῦ σταυροῦ αὐτοῦ) δι᾽ αὐτοῦ
εἴτε τὰ ἐπὶ τῆς γῆς εἴτε τὰ ἐν τοῖς οὐρανοῖς.
21 Καὶ ὑμᾶς ποτε ὄντας ἀπηλλοτριωμένους καὶ ἐχθροὺς τῇ διανοια
ἐν τοῖς ἔργοις τοῖς πονηροῖς,
22 νυνὶ δὲ ἀποκατήλλαξεν ἐν τῷ σώματι (τῆς σαρκὸς αὐτοῦ διὰ τοῦ
θανάτου), παραστῆσαι ὑμᾶς ἁγίους καὶ ἀμώμους καὶ ἀνεγκλήτους
κατενώπιον αὐτοῦ,
23 εἴ γε ἐπιμένετε τῇ πίστει τεθεμελιωμένοι καὶ ἑδραῖοι καὶ μὴ μετα-
κινούμενοι ἀπὸ τῆς ἐλπίδος τοῦ εὐαγγελίου οὗ ἠκούσατε,
τοῦ κηρυχθέντος ἐν πάσῃ κτίσει τῇ ὑπὸ τὸν οὐρανόν,
οὗ ἐγενόμην ἐγὼ Παῦλος διάκονος.

II

9   Ὅτι ἐν αὐτῷ κατοικεῖ πᾶν τὸ πλήρωμα τῆς θεότητος σωματικῶς,
10 καὶ ἐστὲ ἐν αὐτῷ πεπληρωμένοι,
    ὅς ἐστιν ἡ κεφαλὴ πάσης ἀρχῆς καὶ ἐξουσίας,
11 ἐν ᾧ καὶ περιετμήθητε περιτομῇ ἀχειροποιήτῳ ἐν τῇ ἀπεκδύσει
    (τοῦ σώματος) τῆς σαρκός, ἐν τῇ περιτομῇ τοῦ Χριστοῦ,
12 συνταφέντες αὐτῷ ἐν τῷ βαπτίσματι, ἐν ᾧ καὶ συνηγέρθητε
    διὰ τῆς πίστεως τῆς ἐνεργείας τοῦ θεοῦ τοῦ ἐγείραντος
    αὐτὸν ἐκ νεκρῶν.
13 καὶ ὑμᾶς νεκροὺς ὄντας (τοῖς παραπτώμασιν καὶ) τῇ ἀκροβυστίᾳ
    τῆς σαρκὸς ὑμῶν, συνεζωοποίησεν ὑμᾶς σὺν αὐτῷ,
    (χαρισάμενος ἡμῖν πάντα τὰ παραπτώματα)·
14 ἐξαλείψας τὸ (καθ᾽ ἡμῶν) χειρόγραφον τοῖς δόγμασιν
    (ὃ ἦν ὑπεναντίον ἡμῖν), καὶ αὐτὸ ἦρκεν ἐκ τοῦ μέσου,
    προσηλώσας αὐτὸ τῷ σταυρῷ (ἀπεκδυσάμενος)
15 τὰς ἀρχὰς καὶ τὰς ἐξουσίας ἐδειγμάτισεν
    ἐν παρρησίᾳ θριαμβεύσας αὐτοὺς ἐν αὐτῷ.

14   Αὐτὸς γάρ ἐστιν ἡ εἰρήνη ἡμῶν,
        ὁ ποιήσας τὰ ἀμφότερα ἓν
(15)   καὶ τὸ μεσότοιχον τοῦ φραγμοῦ λύσας, τὴν ἔχθραν,
        ἐν τῇ σαρκὶ αὐτοῦ 15 τὸν νόμον τῶν ἐντολῶν ἐν δόγμασιν καταργήσας,
16   ἵνα τοὺς δύο κτίσῃ ἐν αὐτῷ εἰς ἕνα καινὸν ἄνθρωπον, ποιῶν εἰρήνην,
        καὶ ἀποκαταλλάξῃ τοὺς ἀμφοτέρους ἐν ἑνὶ σώματι τῷ θεῷ,
        διὰ τοῦ σταυροῦ ἀποκτείνας τὴν ἔχθραν ἐν αὐτῷ. καὶ
17   ἐλθὼν εὐηγγελίσατο εἰρήνην ὑμῖν τοῖς μακρὰν καὶ εἰρήνην τοῖς ἐγγύς,
18   ὅτι δι' αὐτοῦ ἔχομεν τὴν προσαγωγὴν οἱ ἀμφότεροι ἐν ἑνὶ πνεύματι
        πρὸς τὸν πατέρα.

IV